ATLAS HISTÓRICO MUNDIAL

Desde el Paleolítico hasta el siglo XX

OCÉANO GLACIAL ÁRTICO

Cristianismo
C catolicismo romano
✚ iglesias ortodoxas
P protestantismo
Islamismo
    islam sunnita
    islam chiíta
Budismo
    budismo hinayana
    budismo mahayana
    lamaísmo (budismo tibetano)

Otras confesiones
    hinduismo (o brahmanismo)
    confucianismo (y budismo)
    judaísmo
    sintoísmo*
A religiones primitivas, chamanismo, animistas, sincretismo religioso, etc.
* En Japón se practica junto al sintoísmo, que es la religión oficial, el budismo zen y otras confesiones minoritarias (confucianismo, cristianismo, etc.).

siglos posteriores. No obstante su reflujo posterior, dejó numerosas comunidades en Europa oriental y balcánica. Desde el principio de la expansión islámica surgieron varias corrientes, que cristalizaron en el islam sunnita, mayoritario, y el islam chiíta, practicado en Irán. El **cristianismo** es la religión que cuenta con más adeptos en el mundo, aunque en varias confesiones. Fue fundado por Jesús de Nazaret en el siglo I. En un principio el cristianismo se presentó como una escisión del judaísmo ortodoxo. La base doctrinal del cristianismo la constituyen los Evangelios, donde está recogida la vida de Jesús y sus enseñanzas. La autoridad papal quedó establecida en el siglo IV, pero en el siglo XI se produjo la separación de parte de las iglesias del Oriente griego, los ortodoxos, de la obediencia de Roma. Y de la Reforma protestante del siglo XVI surgieron varias ramas escindidas del catolicismo romano (luteranos, anglicanos, calvinistas, etc.).

II

Prehistoria
(7 m-3000 a. C.)

ORIGEN DE LA HUMANIDAD
Australopithecus y *homo habilis*
(7-1,8 millones)

En el estado actual de las investigaciones paleontológicas puede afirmarse sin duda que África oriental es la cuna de la Humanidad. Más en concreto se apunta al valle del Rift, una gran fosa tectónica entre el lago Malawi y Yibuti, por haber aparecido en esta región los más antiguos homínidos, los *australopithecus* (monos australes) a los que se ha dado una antigüedad de 7 millones de años. Otros vestigios de australopitecos parecen existir en la cubeta del lago Chad. Los australopitecos se extendieron por África oriental, y no hay rastros de esta especie fuera de esta zona o de este continente. Eran de estatura pequeña, 1-1,5 m y de entre 400-500 cm³ de capacidad craneana. Eran bípedos y su morfología los aproxima más al hombre que a los simios. Su origen genético se complica por la aparición de numerosas variedades alejadas varios miles de kilómetros (*a. remidus, a. afarensis, a. boisei, a. robustus*, etc.). Es muy posible que su forma de vida fuera muy parecida a la de los chimpancés. Pudieron haber empleado útiles, pero no en grado significativamente mayor que otros animales. Los restos más antiguos y valiosos de esta especie se localizaron en 1974, cuando una buena parte del esqueleto de un australopiteco fue hallado en la región de Afars (Etiopía) por el antropólogo estadounidense Donald Johanson. Por el lugar en que apareció fue llamado *australopithecus afarensis*. Era el esqueleto de una hembra a la que se designó como Lucy. Los australopitecos se extinguieron unos 6 millones de años más tarde, y no parece que evolucionaran mucho a pesar de tener tan larga longevidad.

Hace 2,5 millones de años, surge el *homo habilis* (hombre hábil), y con él las primeras piedras talladas, es decir, los primeros útiles y las primeras trazas de vida humana en el campo o al aire libre, y las actividades en grupo. El *homo habilis* y el *australopithecus* convivieron simultáneamente durante un millón de años aproximadamente. Los restos más antiguos de un *homo habilis* fueron descubiertos a lo largo de la década de 1960 por el antropólogo Louis Leakey (1903-1972), en el desfiladero de Olduwai (Tanzania). El *homo habilis* se distingue del australopiteco por su mayor capacidad craneana, que llega a los 650-800 cm³, y una morfología más próxima a la del hombre actual, no obstante conservar rasgos arcaicos todavía. También apareció en África oriental. Sus vestigios se han encontrado en las proximidades de los ríos y en las orillas de los abundantes lagos de la región a los que se ha dado una

área de mayores hallazgos de australopitecos

principales yacimientos

cronología de 2 millones de años. Aunque pequeño de estatura, el *homo habilis* tenía una cabeza más redondeada que el australopiteco, y un cerebro mayor. Los huesos del cráneo eran más delgados que los de un hombre moderno, las manos y los pies semejantes a los actuales. La mandíbula era menos maciza, lo que restaba al rostro el acusado aspecto simiesco del *australopithecus*. Los *homo habilis*, por su mayor capacidad cerebral y haber tenido el "principio de circunvolución de Broca" en su cerebro, pudieron haber emitido una más amplia variedad de sonidos que los *australopithecus*. El *homo habilis* fue el primer homínido con capacidad suficiente para dar forma y tallar la piedra. Según Isaac Asimov, "el *homo habilis* no se contentaba con encontrar una piedra que se adaptara a sus necesidades, sino que golpeaba un guijarro con otro para obtener útiles de diversas clases para cortar, tronchar, golpear, etc. Así nació la tecnología".

EL *HOMO ERECTUS*
Olduwayense y Achelense
(1,8 millones-700.000)

Transcurridos unos 400.000 años, el *homo habilis* evolucionó hasta el punto del surgimiento de una nueva especie. Así pues, hace 1,8 millones de años ya existía el *homo erectus* (hombre erguido). El *homo erectus* fue el primer homínido corpulento y pesado como los seres humanos actuales. Podía alcanzar una estatura de 1,80 m y pesar 70-80 kg. También su cerebro era mayor, con un peso que iba desde los 850 g a 1,1 kg: más de las tres cuartas partes del tamaño del cerebro actual. Así pues no cabe sorprenderse de que el *homo erectus* manufacturase útiles mucho mejores y más elaborados de cuantos se habían hecho hasta entonces. Se mostró también como un cazador extraordinariamente eficaz. El *homo erectus* fue el primer homínido que se expandió fuera de África. Emigró a Eurasia, sin duda persiguiendo las manadas de animales que cazaba, al igual que varios milenios después haría el *homo sapiens*, que entró en el continente americano también en persecución de las manadas que cazaba. Con el tiempo el *homo erectus* llegó a alcanzar las riberas del Pacífico y las islas del sudeste asiático. Una partida de cazadores de estos homínidos estaba ya en condiciones de perseguir y abatir los mayores animales que pudiera encontrar entonces, incluso el enorme mamut.

Los primeros descubrimientos de restos de *homo erectus* se realizaron en Java (Indonesia), donde el antropólogo Eugene Dubois (1850-1940) halló en 1894 una bóveda craneana, un fémur y varios dientes. Como hasta entonces no se conocía homínido alguno con un cerebro tan pequeño, Dubois lo bautizó como *pithecanthropus erectus* (hombre mono erguido). Un hallazgo similar tuvo lugar en las proximidades de Pekín (China) en 1927 por el antropólogo canadiense Davidson Black (1884-1934), que dio a su descubrimiento el nombre de *sinanthropus pekinensis* (hombre chino de Pekín). Con el tiempo se llegó a la conclu-

sión de que ambas series de descubrimientos, junto con algunos posteriores, como el yacimiento español de Atapuerca (Burgos), pertenecían a la misma especie y debían incluirse en el género *homo*. Hace un millón de años, como vimos, los australopitecos se extinguieron totalmente. Parece seguro que los australopite-

cos compartieron territorio con el *homo erectus*, al igual que con el *homo habilis*. Como su dieta alimenticia era similar, no se descarta una dura competencia entre ellos. Competencia de la que salieron victoriosos quienes poseían un utillaje lítico más elaborado y superior inteligencia. En efecto, con el *homo*

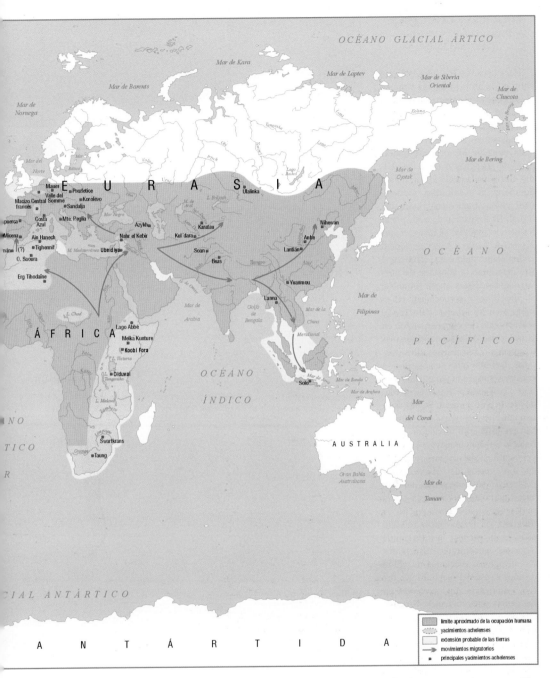

OCÉANO GLACIAL ÁRTICO

Mar de Kara

Mar de Laptev

Mar de Siberia
Oriental

Mar de
Chucota

Mar de Barents

Mar de
Noruega

Mar del
Norte

E U R A S I A

Mar de Bering

Mauer · Prezletice
Valle del
Macizo Central Somme · Korolevo
francés · Sandalja
Costa
Azul · Mte. Peglia
·puerca
Micena
·nane (?) · Tighennif
O. Saoura

Azykh ·
Nahr el Kebir · Kul'dara
Soan ·
Bras ·

Karatau ·

Antie ·
Lantián ·

Mar de
Ojotsk

Nihewan ·

Ain Hanech
Ubeidiya ·

Erg Tihodaïne

O C É A N O

P A C Í F I C O

· Yuanmou

Mar de
Filipinas

L. Chad
Lago Abbé
Melka Kunture
· Koobi Fora

Á F R I C A

Lanna

Mar de
Arabia

Golfo
de
Bengala

Mar de la
China
Meridional

Olduval

O C É A N O

Í N D I C O

Solo ·

Mar de Banda
Mar de Java
Mar de Arafura

Mar
del Coral

Swartkrans

A U S T R A L I A

· Taung

Gran Bahía
Australiana

Mar de
Tasman

CIAL ANTÁRTICO

A   N   T   Á   R   T   I   D   A

límite aproximado de la ocupación humana
yacimientos achelenses
extensión probable de las tierras
movimientos migratorios
principales yacimientos achelenses

---

erectus surgen las primeras industrias: el Olduwayense, industria de guijarros tallados que testimonian la presencia humana por prácticamente todo el continente africano y eurasiático, y el Achelense, industria de bifaces aparecida hace 1,4 millones de años en África. En la mayor parte de los yacimientos el Olduwayense precede al Achelense. Hacia el 700.000 el Achelense africano llega ya a Sudáfrica y al norte (Marruecos y el Sáhara). En Europa se documenta la presencia humana desde hace un millón de años. Sobre la llegada del *homo erectus* a Europa no hay unidad de criterio. Para unos especialistas arribó a Europa por Gibraltar; otros sostienen un poblamiento desde el sureste. En Francia el *homo erectus* está presente en los valles del Somme, Sena y Mosela y en el sur. En España el notabilísimo yacimiento de Atapuerca alberga, hasta ahora, los más antiguos restos fósiles del *homo erectus* en Europa (1 millón-800.000 años aprox.).

37

LOS CICLOS GLACIARES
Expansión del Achelense
(700.000-130.000)

Hace unos 700.000 años la Tierra entró en la primera de una serie de eras glaciares que afectaron notablemente al incipiente desarrollo del género humano. Cuando los glaciares estaban en su apogeo, retenían tanta agua de los océanos que el nivel de las aguas marinas descendió aproximadamente 90 m, dejando aflorar las plataformas continentales en los tramos más bajos del litoral. La formación de estos puentes de tierra facilitó al *homo erectus* el paso de África a Asia y de aquí al archipiélago indonesio. El tiempo frío determinó la adopción de nuevos hábitos. Hasta ahora habitaban al aire libre y pernoctaban en el suelo o en los árboles. Pero con el enfriamiento del clima se vieron en la necesidad de buscar abrigos más templados o construirlos ellos mismos. De ahí que comenzaran a construir abrigos amontonando piedras o colgando pieles secas alrededor de un palo o mástil. Si encontraban una cueva apropiada se refugiaban en su interior, donde no penetraba la lluvia ni la nieve y la fuerza del viento quedaba al menos mitigada. Los restos del *sinanthropus pekinensis* se encontraron en una cueva precisamente. En esta cueva se descubrió que el *homo erectus* ya utilizaba el fuego hace 500.000 años, a juzgar por las trazas de hogueras encontradas. Recientes investigaciones rebajan a un millón de años el uso del fuego. El uso del fuego diferencia al género *homo* de los demás seres vivientes. Ninguna criatura viviente aparte de los seres humanos o sus antecesores inmediatos emplea el fuego ni siquiera en su forma más primitiva. El fuego existe desde que la atmósfera cuenta con bastante oxígeno como para mantener la combustión, y la superficie terrestre está dotada de una cubierta vegetal susceptible de arder. Así pues, el "descubrimiento" del fuego supuso su dominio por el hombre. En algún momento el *homo erectus* aprendió a localizar objetos ardientes en los bordes de un incendio

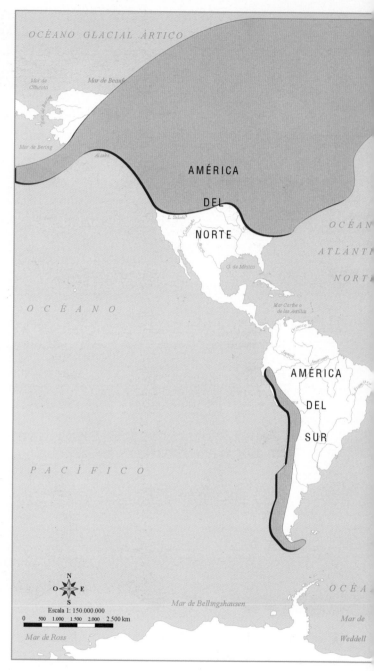

causado por un rayo, por ejemplo, y buscó la manera, primero, de conservar la llama, y luego de generarla por sí mismo. Durante todo el período glaciar la industria achelense evolucionó considerablemente. La dimensión de los útiles se redujo, se hicieron más precisos y adoptaron numerosas ramificaciones regionales.

Hace 300.000 años, los homínidos se habían desarrollado de tal modo que no sólo igualaban a los actuales seres humanos en peso, sino también en capacidad craneal. El primer vestigio de tales homínidos apareció en el valle del Neander, Alemania. Los homínidos que dejaron aquí sus huesos fosilizados se llamaron

OCÉANO GLACIAL ÁRTICO

EXTENSIÓN APROXIMADA DE LOS HIELOS
BOREALES DE LAS 6 GLACIACIONES
HABIDAS ENTRE 700.000-130.000

límite aproximado de la ocupación humana		
área de yacimientos achelenses		
extensión probable de las tierras		
movimientos migratorios		
principales yacimientos achelenses		
extensión máxima de las 6 glaciaciones habidas entre 700.000-130.000 a. C.		

desde entonces *homo neandertha-lensis* (hombres de Neanderthal). El *homo erectus* se extinguió tal vez aniquilado por el superior neander-thal, más fuerte y dotado de mayor capacidad craneal. Esto significó que los neanderthales se convirtie-ron en los únicos homínidos sobre la Tierra, al no convivir con otras especies, como ocurriera antes. Los neanderthales vivieron durante los períodos glaciares y se dedicaron a la caza del mamut, el rinoceronte lanu-do y el oso gigante, entre otras espe-cies. Sus útiles de piedra eran más variados, elaborados y precisos que cuantos se habían hecho hasta enton-ces. Fueron capaces de provocar el fuego, no sólo de conservarlo, lo que les dio mayor autonomía vital. Los neanderthales fueron los prime-ros homínidos en enterrar a sus muertos. Hasta entonces los homí-nidos se limitaban a dejar los cadá-veres al aire libre, donde se descom-ponían o eran devorados por los ani-males carroñeros.

INTERGLACIAR RISS-WÜRM
El Musteriense. Aparición del
homo sapiens (130.000-80.000)

Tras el duro período glaciar anterior, el clima se vuelve más templado durante el período interglaciar Riss-Würm. El clima es ahora muy próximo al actual, hasta que el inicio de la glaciación würmiense en el 80.000 vuelva a cubrir de hielo buena parte del hemisferio Norte. El hecho más notable de esta fase de la historia de la humanidad es la aparición del *homo sapiens* u hombre actual, ocurrido al final de este largo período interglaciar. No se sabe con exactitud dónde apareció esta nueva especie. Con respecto a los neanderthales, con los que parece que convivieron y, de los que tal vez provinieran, el *homo sapiens* era más alto y esbelto, y menos musculoso. El cráneo era algo más pequeño que el de los neanderthales pero mayor en la parte frontal. Esta característica nos permite aventurar (aunque no se puede asegurar con absoluta certeza), que el hombre actual poseía mayor capacidad intelectual y estaba en mejores condiciones de desarrollar un pensamiento abstracto y un lenguaje elaborado. Respecto al utillaje lítico, el Musteriense sustituye al Achelense en casi todo el orbe poblado. Toma su nombre del notable yacimiento francés de La Moustière, en la región de Dordoña. El Musteriense ofrece una gran dispersión sobre la Tierra y una enorme duración. Se extiende desde los campos de *loess* del norte de China, en el gran recodo del río Amarillo, hasta Gran Bretaña, y desde la gran llanura de Europa central hasta el Sáhara. Abarca un período larguísimo, unos 80.000 años, desde el fin de la glaciación de Riss hasta bien entrada la glaciación de Würm (125.000-35.000). Constituye también un mundo de gran complejidad. Ya no se sostiene la primera tesis de que el Musteriense era la "grosera y primitiva industria del hombre de neanderthal". La flora de este período ofrece una vegetación de taiga en las regiones boreales, que va ganando espacio a la tundra ártica, en el norte de Eurasia. Al sur

de esta zona predominan los bosques templados, y más al sur las estepas herbáceas. La fauna de un período de clima moderado como es éste se compone, entre otras variedades, de *elephas antiquus* y *rinocerus mercki*.

El Musteriense es variado y multiforme, comprendiendo varias ramificaciones que, tal vez desde un

común origen, evolucionaron con gran autonomía durante varios milenios. Asociada a la industria musteriense aparece la técnica *levallois*, que es un avanzado y específico sistema de tallar la piedra y el ya citado *homo sapiens* u *homo sapiens neanderthalensis* en una primera fase. La industria musteriense com-

Legend:
- límite aproximado de la ocupación humana
- extensión probable de las tierras
- expansión del Musteriense
- principales yacimientos musterienses

prende esencialmente dos tipos de útiles: puntas, raspadores y piezas denticuladas. Los hombres del Paleolítico Medio se refugiaron en cuevas y cavernas, adaptándolas para mejor habitación, como se aprecia en algunas grutas europeas, en las que se colocaron grandes piedras a la entrada y losas en el suelo para evitar la humedad. En lugares de climatología más templada, como Asia occidental o África, se levantan chozas en las riberas de los ríos. La caza y la pesca constituyen la base alimenticia. Desde el Paleolítico Inferior aumentan las especies cazadas por el perfeccionamiento de los útiles. De aquí se deduce que estas gentes eran nómadas, agrupadas en pequeños grupos u hordas, que se movían generalmente siguiendo el curso de los ríos, las líneas costeras o los desplazamientos de las manadas que cazaban. Utilizaban el rito de la inhumación, individual o colectiva, en fosas rectangulares, en montículos o bien en cuevas.

LA CUARTA GLACIACIÓN
Dispersión del *homo sapiens*
(80.000-35.000)

Al comienzo de la 4ª glaciación o Würmiense el clima se hace cada vez mas frío y seco. Los mares retroceden hasta 80 m. Este período es decisivo para seguir la evolución intelectual de la especie humana con la aparición de los más antiguos gráficos y esculturas y los primeros ritos funerarios que se pueden interpretar como una toma de conciencia sobre la condición humana más allá de la pura lucha por la supervivencia. En esta época el *homo sapiens sapiens*, a partir de su zona de origen de África meridional, pobló las regiones más apartadas del globo (Japón, Australia) e inició la penetración en América por Alaska. Duarante varios milenios tal vez convivieran las dos variedades del *homo sapiens* (el *homo sapiens neanderthalensis* y el *homo sapiens sapiens*). Incluso pudieron mezclarse ocasionalmente. Pero hace unos 30.000 años los neanderthales ya se habían extinguido totalmente. Una vez más, el menos avanzado es probable que pereciera a manos del más avanzado. En lo sucesivo ya no tiene sentido hablar de homínidos, sino de seres humanos, pues debe entenderse que todas las gentes que hoy viven sobre la Tierra y que han vivido en los últimos 30.000 años son miembros de una única especie, el *homo sapiens sapiens*. Los estudios genéticos sobre poblaciones actuales han permitido establecer un árbol genealógico aproximado de la humanidad. De acuerdo con el ritmo al que se supone que se produce el cambio genético, cabe deducir que todos los seres humanos descienden de una población ancestral común, posteriormente desgajada en grupos diversos. Aunque la humanidad presenta en la actualidad una notable diversidad, tanto en el aspecto físico como en el cultural y lingüístico, las características culturales se modifican con relativa rapidez, pero los rasgos físicos dependen de la más lenta transmisión genética.

En la industria lítica es apreciable un mayor perfeccionamiento en el acabado de los útiles, así como una tendencia cada vez más acentuada a disminuir su tamaño. Al régimen húmedo de la tundra va a suceder un clima riguroso y frío que dará lugar a la mayor extensión de la taiga. Escandinavia, Rusia septentrional, Siberia, las estepas del este de Asia central y las extensas llanuras de los ríos Yenisey y Obi, por su parte, se vieron cubiertas por una capa de hielo de varios cientos de metros de grosor, tal como hoy lo está Groenlandia. Y en las grandes llanuras nórdicas, desde el Atlántico hasta Manchuria, se mantiene una vegetación de musgos y líquenes, combinados con pequeñas agrupa-

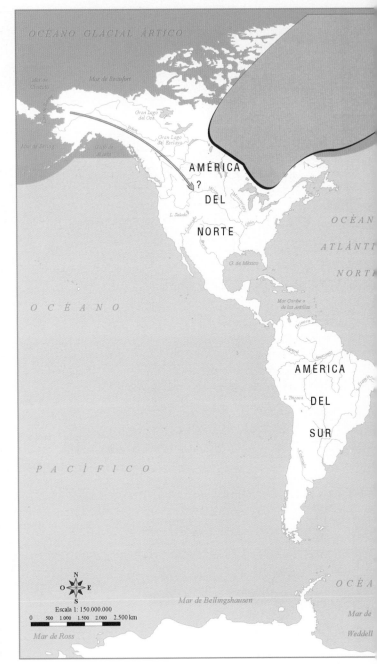

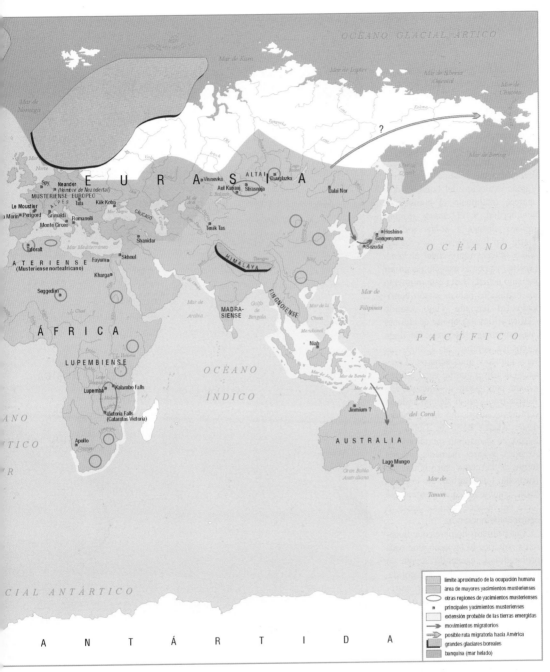

Labels on map:

OCÉANO GLACIAL ÁRTICO

Mar de Kara
Mar de Laptev
Mar de Siberia Occidental
Mar de Chukotka
Mar de Noruega
Mar de Bering

?

E U R A S I A

Spy
Neander (Hombre de Neanderthal)
MUSTERIENSE EUROPEO
Le Moustier
Tata
Kiik Koba
Morin
Perigord
Grimaldi
Romanelli
Monte Circeo
ALPES
CÁUCASO
Taforalt
Mar Mediterráneo
A T E R I E N S E
(Musteriense norteafricano)
Fayum
Skhoul
Kharga
Shanidar
Tesik Tas
Visnevka
ALTAI
Aul Kanaui
Strasnaja
Dvuglazka
Dalai Nor
Hoshino
Gongenyama
Sozudai
HIMALAYA

Seggedim
L. Chad

ÁFRICA

LUPEMBIENSE
Lupemba
Kalambo Falls
Victoria Falls (Cataratas Victoria)
Apollo

OCÉANO ÍNDICO

Mar de Arabia
MADRA-SIENSE
Golfo de Bengala
FINGNOIENSE
Mar de la China
Meridional
Niah
Mar de Filipinas
Mar de Java
Mar de Banda
Mar de Flores

OCÉANO PACÍFICO

Jimmium ?

AUSTRALIA
Lago Mungo
Gran Bahía Australiana

Mar del Coral
Mar de Tasman

OCÉANO GLACIAL ANTÁRTICO

A N T Á R T I D A

Leyenda:
- límite aproximado de la ocupación humana
- área de mayores yacimientos musterienses
- otras regiones de yacimientos musterienses
- principales yacimientos musterienses
- extensión probable de las tierras emergidas
- movimientos migratorios
- posible ruta migratoria hacia América
- grandes glaciares boreales
- banquisa (mar helado)

ciones boscosas de cedros y abedules. Más al sur aparece una vegetación de estepa y algunos bosques. La fauna es la propia de clima frío y riguroso: rinocerontes lanudos, mamuts, uros, bisontes, renos y osos polares. En las zonas de clima templado aparecen ciervos, caballos y otros équidos, hipopótamos o *elephas antiquus*. El glaciarismo fue especialmente intenso en la zona centro-septentrional de Eurasia, en Asia central, arco Himalaya-Pamir, Alpes, Cáucaso y el Tíbet. Las grandes terrazas fluviales de la India y el sudeste asiático se formaron en este período, y aquí aparecieron las primeras industrias del Paleolítico Superior. En la India, Indochina e Insulindia los efectos de las glaciaciones dieron lugar a fenómenos pluviales, al igual que en África. Unas condiciones ambientales tan extremas en las regiones frías imponen al hombre escoger como lugar preferente de habitación cuevas, con un hogar central, y abrigos rocosos.

43

APOGEO DEL GLACIARISMO
El poblamiento de América
(35.000-16.000)

La cuarta glaciación alcanza su grado más extremo entre los años 35.000 y 16.000 a. C. Se alcanzan las temperaturas más bajas desde hacía no menos de 100.000 años. La extensión máxima de los glaciares hace que los mares retrocedan 120 m. En las latitudes medias la sabana reemplaza al bosque ecuatorial. Rápida evolución del hombre: desaparece totalmente el hombre de neanderthal y el *homo sapiens sapiens* alcanza a poblar toda la Tierra. En Europa son los *cromagnones* quienes representan al *homo sapiens*, ya con el aspecto de un ser humano actual. Hasta este momento los homínidos habían estado confinados al llamado Viejo Mundo (África y Eurasia), aparte de algunas islas próximas a las costas. En algún momento anterior al 25.000, los seres humanos aprovecharon el descenso del nivel marino en el apogeo glaciar para pasar a América y a Australasia. Con el tiempo todo el continente americano fue poblado, desde Alaska hasta la Tierra del Fuego, en el extremo meridional de América; y hasta Tasmania, situada frente a la costa suroriental de Australia. La Antártida fue la única masa continental que permaneció fuera del alcance humano hasta la época contemporánea.

Los primeros hombres que llegaron a América lo hicieron, con toda probabilidad, cruzando a pie la región de Beringia, hoy sumergida, pero que entonces enlazaba el extremo oriental de Siberia con Alaska. Cuándo ocurrió tal hecho y en cuántas migraciones –porque se sabe que fueron varias– continúa siendo un misterio. En cuatro períodos, durante los últimos 60.000 años, el descenso del nivel marino hizo aflorar un puente intercontinental en el actual estrecho de Bering. No obstante la enorme extensión de los glaciares, existió un corredor libre de hielos que atravesaba el sur de Alaska y el oeste canadiense. En Alaska las pruebas más antiguas de ocupación humana se remontan a

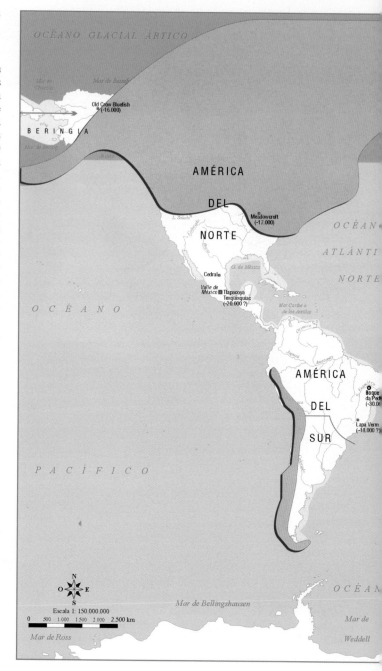

13.000 años en Bluefish Cave. Pero el yacimiento que ha dado los más antiguos vestigios de ocupación humana en América se encuentra en Brasil (30.000 años de antigüedad), bien lejos de la vía de acceso de Beringia, lo que demuestra las lagunas cronológicas que existen todavía en este campo. Posteriormente el desarrollo de las culturas americanas se produjo sin influencias posteriores comprobadas, hasta la Edad Moderna. Tras el poblamiento se han documentado en América cerca de mil lenguas, lo que demuestra la variada proliferación de comunidades humanas. En el resto del mundo se desarrollan las distintas cultu-

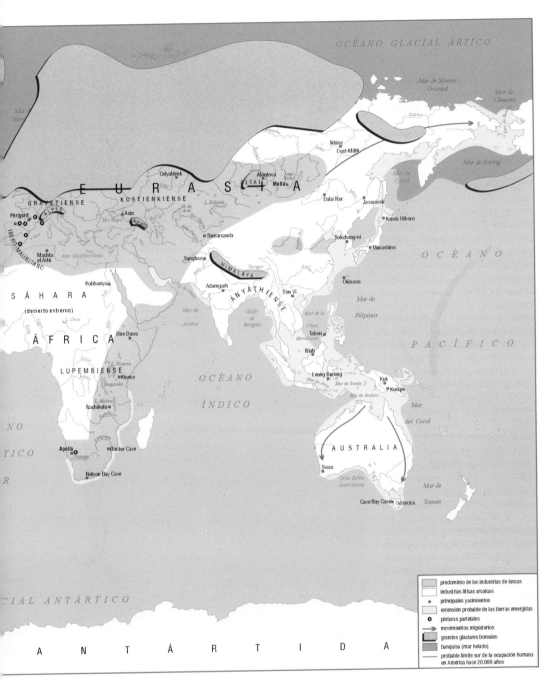

predominio de las industrias de lascas	
industrias líticas arcaicas	
principales yacimientos	
extensión probable de las tierras emergidas	
pinturas parietales	
movimientos migratorios	
grandes glaciares boreales	
banquisa (mar helado)	
probable límite sur de la ocupación humana en América hace 20.000 años	

ras del Paleolítico Superior. El Auriñaciense (35.000-20.000) es la primera gran cultura del hombre moderno, extendida por toda Europa por los cromañones. Sus características son la diversificación de los útiles –de piedra y hueso–, como punzones, raederas, láminas, bastones perforados, puntas planas, alargadas o triangulares, etc. El Gravetiense (27.000-18.000) se extiende por el este hasta Siberia, donde se encuentra el notable yacimiento de Malta, en la región del lago Baikal. La cultura Solutrense (19.000-16.000) se limita a Francia y España; en la llanura húngara aparece el Szeletiense y el Pavloviense, con un rico arte mobiliar y abundantes estatuillas femeninas y animales. África sufre una acusada aridez en el norte. Grandes dunas ocupan la zona entre el Senegal, el Níger y el lago Chad. En la costa mediterránea se desarrolla el Ateriense, y en el centro del continente las culturas Lumpembiense y Tschilotiense.

EL REFLUJO GLACIAR
El Magdaleniense
(16.000-12.000)

Un período menos frío anuncia el fin de la cuarta glaciación y la aparición de *inlandsis* (grandes glaciares continentales), desapareciendo poco a poco los hielos permanentes que cubrieron Eurasia septentrional y Norteamérica. El mar sube de nivel e invade muchas tierras bajas hasta entonces emergidas. Es la llamada transgresión flandriana. Esta mejora del clima influyó, como no podía ser de otra forma, en las condiciones de la vida humana. La cultura que da nombre a este período es el Magdaleniense (por el yacimiento francés de La Madeleine, Dordoña). Desde el punto de vista cronológico el Magdaleniense se encuentra entre el precedente Solutrense y el posterior Aziliense. El brillante Magdaleniense marca el punto álgido de la cultura paleolítica cuaternaria. Los hombres de esta época pertenecen a las razas de cromañón y chancelade. Sus útiles y utensilios, de una variedad y riqueza hasta entonces desconocidas, estaban constituidos por objetos de piedra (industria de hojas), de hueso –cada vez más utilizado en detrimento de la piedra–, astas, marfil (arpones, propulsores, bastones de mando, etc.). Sin embargo, lo más notable del Magdaleniense son sus creaciones artísticas, constituidas por grabados incisos en las paredes, o sobre los materiales antes señalados, esculturas en piedra y pinturas en cuevas y abrigos rocosos. Los escasos pobladores terrestres, agrupados en hordas poco numerosas, se dedicaban a la caza con trampa, a la pesca y a la recolección de alimentos silvestres. Además de seguir viviendo en cuevas y salientes rocosos, hacen chozas de madera o piel. Como cazadores nómadas, los seres humanos desarrollaron rituales para obtener éxito en sus expediciones cinegéticas. Al parecer, una manera de proceder era pintar representaciones de los animales a los que se cazaba con fortuna, acaso con la convicción, como apuntan algunos estudiosos, de que la vida imitara al

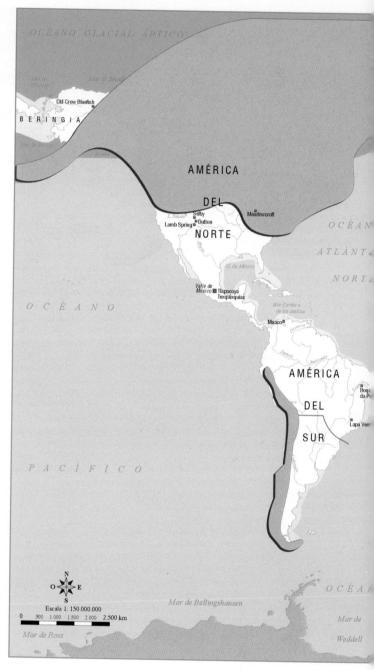

arte. En España se descubrió en 1879 la extraordinaria cueva de Altamira, luego considerada la capilla sixtina del arte cuaternario. La incomprensión inicial la tachó de fraude. Pero poco más tarde, el descubrimiento de otras cuevas en el norte de España y sur de Francia, en las que la técnica y temática pictóricas eran similares,

llevaron al reconocimiento general de este arte sin par. Se practicaban ritos mágicos relacionados con la caza; existen hechiceros, representados con bastones de mando. Se inicia el culto a la fecundidad. Y se habla incluso de una especie de antropofagia ritual. Según Marigner las graciosas estatuillas magdale-

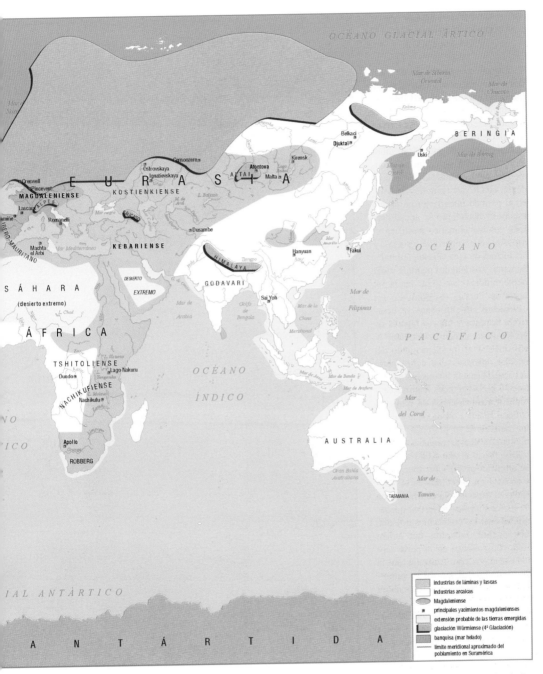

OCÉANO GLACIAL ÁRTICO

Mar de Siberia Oriental

Mar de Chucoto

Kolima

BERINGIA

Belkaci
Djuktaï

Uski

Mar de Bering

Cernozero

Ostrovskaya
Ignatievskaya

Atontova
Malta

Kirensk

EURASIA

ALTAI

Mar de Ojotsk

Creswell
Pincevent

MAGDALENIENSE

KOSTIENKIENSE

L. Baljash

Lascaux

Romanelli

Mar negro

Mar amarillo

Mar de Japón

IBERO-MAURITANO

Machta el Arbi

Mar Mediterráneo

Dusambe

KEBARIENSE

HIMALAYA

Hanyuan

Fakui

OCÉANO

DESIERTO EXTREMO

GODAVARI

Sai Yoh

SÁHARA
(desierto extremo)

L. Chad

Mar de Arabia

Golfo de Bengala

Mar de la China Meridional

Mar de Filipinas

PACÍFICO

ÁFRICA

L. Vicuña

TSHITOLIENSE

Lago Nakuru

Dundo

NACHIKUFIENSE

Nachikufu

OCÉANO

ÍNDICO

Mar de Java

Mar de Banda

Mar de Arafura

Mar del Coral

Apollo

ROBBERG

AUSTRALIA

Gran Bahía Australiana

Mar de Tasman

TASMANIA

IAL ANTÁRTICO

ANTÁRTIDA

industrias de láminas y lascas
industrias arcaicas
Magdaleniense
principales yacimientos magdalenienses
extensión probable de las tierras emergidas
glaciación Würmiense (4ª Glaciación)
banquisa (mar helado)
límite meridional aproximado del poblamiento en Suramérica

nienses deben haber sido una especie de representación de espíritus tutelares domésticos y, a la vez, símbolos de origen de la familia, el clan o la tribu, que representarían a la diosa Madre (*magna mater*). La estatuaria animal magdaleniense aparece en objetos usuales, como propulsores, en los que se aprecian tallas de un alto nivel. Los testimonios más relevantes del arte rupestre se encuentran, como vimos, en la zona franco-cantábrica, donde se localizan, entre otras, las cuevas de Altamira y Lascaux. Por otra parte, las más antiguas construcciones aparecen ya en el Próximo Oriente con la cultura Kebariense (16.000-12.000), donde se emplea la piedra en abrigos circulares artificiales. En América se testimonia la presencia humana y el arte rupestre en Brasil (zona de Minas Gerais y Piauí) con una antigüedad de 15.000 años. En el norte de este continente hay que esperar aún varios milenios para encontrar restos y fósiles fiables.

EL MESOLÍTICO
Retorno de la humedad
(12.000-8000 a. C.)

Entramos en una época de grandes transformaciones climáticas, ya iniciadas en el período anterior, como vimos. Se aprecia un calentamiento general del globo, se retraen los glaciares, sube el nivel de los mares decenas de metros y, sobre todo, se instala un clima húmedo, alejado de la sequedad del precedente, con lo que entramos de lleno en el período interglaciar en el que estamos viviendo en la actualidad. Este cambio climático modifica el aspecto de la superficie terrestre y las formas de vida vegetal, animal y humana. Los grandes mamuts y sus perseguidores emigran hacia el norte de Eurasia (Siberia). En los caudalosos ríos africanos se desarrolla la pesca y nuevos lugares de poblamiento surgen por doquier. Y en América, el fraccionamiento del enorme inlandsis que cubre parte del actual Canadá favorece el poblamiento de las grandes llanuras centrales norteamericanas de tradición cultural Llano. En Europa la cultura magdaleniense se prolonga por las numerosas cuevas pintadas encontradas. Hacia el año 8.000 a. C. ya se emplean propulsores mecánicos y arcos. Con la retirada de los glaciares el aspecto y la configuración de los continentes terrestres quedaron tal cual los conocemos hoy día. Los puentes terrestres que unían Asia con América en la parte septentrional, y con Australia en la parte meridional, quedaron sumergidos. La población que hasta ahora había ocupado ambas Américas y Australia quedó separada de la más numerosa que habitaba el Viejo Mundo. Y así continuó por espacio de más de 10.000 años. El litoral del Ártico quedó poco a poco libre de hielos y los pueblos esquimales (inuit), lapones y siberianos emigraron al frío norte. Durante el Mesolítico la economía de las escasas comunidades humanas no cambia bruscamente. La base alimenticia sigue siendo la caza y la pesca, y los lugares de habitación, en las zonas templadas, son las orillas de

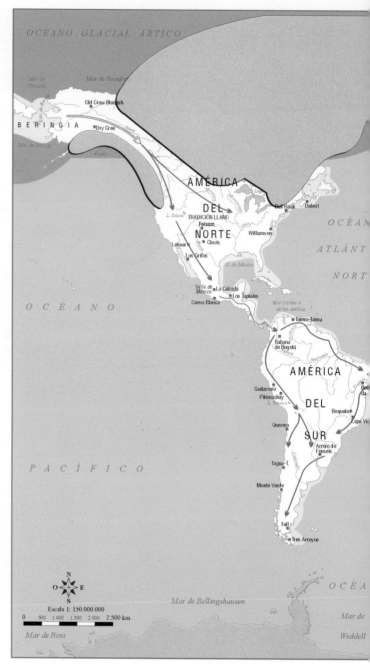

los ríos, las costas y los lagos. En cuanto al utillaje lítico se aprecia un cierto retroceso respecto al brillante Magdaleniense. Se trabaja el sílex en microlitos y aparece el hacha de talón. Las principales culturas mesolíticas abarcan Europa (Aziliense en Francia y España, Maglemoisiense y Erteboellense en Escandinavia y el Báltico, Tardenoisiense en Francia), y Asia, donde destaca el Natufiense (yacimiento de El-Natuf, Palestina).

La región del Próximo Oriente era a la sazón la más desarrollada tecnológicamente del globo. Los pobladores de esta zona domesticaron primero al perro, fiel aliado en sus partidas de caza desde entonces,

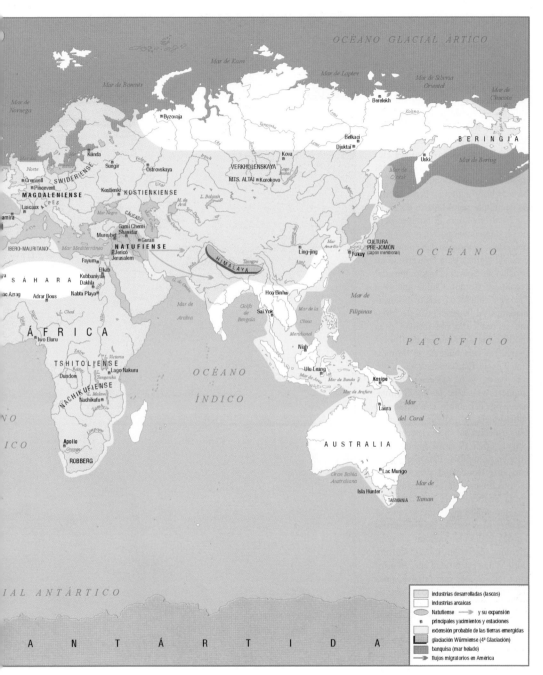

y luego a la cabra. Al norte de Mesopotamia, en el noveno milenio las gentes aprendieron a cultivar el cereal, concretamente cebada. La aparición de esta incipiente agricultura supondrá más adelante un radical cambio de vida de la especie humana. Al final de este período surgen, pues, las primeras manifes-

taciones pre-neolíticas con el inicio de la sedentarización, la domesticación de animales y plantas, el empleo de minerales y la vida en grandes poblados construidos con piedras o ladrillos. Este fenómeno comenzó, como dijimos, en el área mediterránea oriental y mesopotámica, donde se desarrolla la cultura Natufiense.

Otras manifestaciones pre-neolíticas son la horticultura de Nueva Guinea y la cerámica de Kukyu de Japón. El inicio de la agricultura provocará la primera "explosión demográfica" de la historia, posibilitando el aumento de la población. Se ha calculado que la población del mundo era entonces de 5 millones.

LA REVOLUCIÓN NEOLÍTICA
Expansión de la agricultura
(8000-6000 a. C.)

El Neolítico, o revolución neolítica, como también se le denomina por la radical mutación que supuso, entrañó un completo cambio en el desarrollo humano, sólo comparable a la Revolución industrial de la Edad Moderna. Varios son los elementos de la sociedad y la economía neolíticas, pero podemos considerar básicos la agricultura y la ganadería. Es decir, que en los lugares donde se inició el Neolítico, el hombre dejó de ser depredador poco a poco –porque estos cambios se dan en un proceso de siglos– para convertirse en productor. Sobre la aparición del Neolítico, Gordon Childe apunta a factores climáticos como desencadenantes. Al llegar el post-glaciarismo se reduce la pluviosidad y se modifica la distribución de flora y fauna. La vida humana se limita a ríos y oasis. Esta concentración, por una parte, y la selección natural impuesta a las especies por el clima, hacen que el hombre, con miras a su subsistencia, se dedique a conservar esas especies salvajes, especies que con el tiempo llegará a domesticar y criar en cautividad. Esta teoría no la comparte Braidwood, para quien el factor climático no es determinante en la aparición del Neolítico. En cualquier caso es evidente que el hombre sacó partido de los estímulos del medio para mejorar sus condiciones de vida. La agricultura implica una estabilidad que, en principio, no es más que relativa, pues los campesinos neolíticos han de desplazarse de un lugar a otro a medida que se agotan las tierras de labor, chocando con pastores nada dispuestos a ver sus tierras invadidas por agricultores. Es el inicio del secular enfrentamiento entre pastores nómadas y agricultores. Sobre la fecha de aparición del Neolítico, puede situarse en torno al 6850 a. C., cronología dada por carbono-14 al yacimiento de Jericó (Israel).

Las más antiguas aldeas agrícolas aparecieron en las tierras altas del norte de Mesopotamia. Aquí las lluvias eran suficientes para una

agricultura de secano y alimentar las praderas herbáceas en las que pastaban cabras y ovejas. En Europa, el mar aísla a las Islas Británicas del resto del continente. El hasta entonces húmedo Sáhara se ve reducido por la escasez de las precipitaciones. Escandinavia, libre de hielos, es colonizada. La estepa retrocede ante

el bosque y la gran fauna desaparece progresivamente. Una agricultura acerámica hace su aparición en Baluchistán (Mehrgarh), y en los Balcanes. Por otra parte, una cerámica sin agricultura se desarrolla en el Sáhara, en lo que puede ser el comienzo de la cría de animales. Lo mismo ocurre en partes de China y

OCÉANO GLACIAL ÁRTICO

Mar de Kara

Mar de Barents

Mar de Laptev

Mar de Siberia
Oriental

Mar de
Chucota

Mar de
Noruega

Komsa

Onion
Portage

PALEO-ALEUTIANOS

Trail Creek

Fosna

Kolima

CULTURA DE FOSNA-KOMSA

Kunda

Cuenca
del Kama

Tunguska

Kova

Mar de
Ojotsk

Mar de Bering

Maglemose

IS. ALEUTIANAS

Anangula

Star Carr

Mar del
Norte

Lena

Lago
Baikal

MAGLEMOISIENSE

Ural

SAUVETERRIENSE

L. Baljash

Dalai Nor

ALPES

CAUCASO

M. de
Aral

Argissa

Mar Negro

Hacilar

Çayönü

Shayuan

CULTURA
PRE-JÓMON
(Japón meridional)

OCÉANO

ocina

Columnata

Guran

Dadiwan

Laoguantai

Fukuy

CAPSIENSE

Mar Mediterráneo

Ouad Mya

Ah Kosh

Mehrgarh

Mar
Amarillo

Xianrendong

NEOLÍTICO SAHARIANO-SUDANÉS

HIMALAYA

Azul

Atakor

Acacus

Thanglo

Gonda

Adrar Bous
(fíodo de máxima humedad del Sáhara: 8000-6000 a. C.)

Nabta Playa

Hoa Binh
Bac Son

Mar de
Filipinas

sta interior
Níger

Tilemsi

Ouadi Howar

Mar de
Arabia

Jalahali

Golfo
de
Bengala

HOABINHIENSE

Termit

L. Chad

Mar de la
China
Meridional

PACÍFICO

Niah

TSHITOLIENSE

OCÉANO

Ulu Leang

Mar de Banda

Kuk

Zaire

L. Victoria

Tanganika

Mar de Arafura

NACHIKUFIENSE

ÍNDICO

L. Malawi

Mar
del Coral

Nachikufu

Limpopo

Orange

CULTURAS PALEOLÍTICAS
AUSTRALIANAS

VO

ICO

ALBANY

Gran Bahía
Australiana

Mar de
Tasman

TASMANIA

IAL ANTÁRTICO

industrias desarrolladas (lascas)

industrias arcaicas

primeros centros del Neolítico (agricultura,
ganadería, cerámica, cestería, etc.)

principales yacimientos

manifestaciones de cerámica

glaciares cuaternarios (en retirada)

metalurgia del cobre

A N T Á R T I D A

Tonkín (Vietnam). En América, en un estadio de desarrollo más atrasado respecto al Viejo Mundo, grupos de seminómadas practican la caza (aparecen microlitos) y la recolección de gramíneas.

En Mesopotamia se inician y desarrollan los avances que unos milenios más tarde darán lugar a las primeras civilizaciones urbanas de la historia y los primeros estados. Se realizaron intensos trabajos de canalización fluvial que, siglos más tarde, permitieron desecar los pantanos que cubrían los valles del Éufrates, el Tigris y el Nilo, para convertirlos en tierras de regadío, muy fértiles por sus limos aluviales. A la domestica- ción de la oveja y la cabra siguieron la vaca y el cerdo. Más adelante se introdujo el uso del caballo, inicialmente domado en las estepas del norte del Mar Negro y del Caspio. También empezaron a explotarse las minas de cobre de Anatolia, de los Montes Zagros (Irán) y del Sinaí, surgiendo las culturas calcolíticas.

EXPANSIÓN DEL NEOLÍTICO
La agricultura en América
(6000-5000 a. C.)

La domesticación vegetal es el denominador común del sexto milenio en todos los continentes, independientemente del grado de desarrollo tecnológico de las comunidades humanas. Muchas siguen aisladas y aún en pleno Paleolítico. La aparición de las primeras culturas urbanas es consecuencia de la revolución neolítica y del cambio climático iniciado en el Mesolítico. Se produce la desecación de grandes territorios (desde el Sáhara hasta Asia Central), lo que fuerza la emigración de las poblaciones a las riberas de los ríos. En palabras de Wittfogel, surgen de esta manera las primeras "sociedades hidráulicas". En Mesopotamia, los poblados se extienden por la llanura, se organizan las primeras irrigaciones y comienza la fabricación de cerámica. En Europa oriental –culturas de Karanovo, Starcevo y Sesklo–, se desarrolla un proceso de sedentarización similar y de desarrollo de la agricultura. En el área mediterránea la expansión del Neolítico va acompañada de la difusión de la "cerámica cardial" y en Egipto se comienza a cultivar el trigo en la región del delta del Nilo. En el continente asiático el Neolítico y la agricultura se desarrollan en la cuenca media y baja del río Amarillo (cultura pre-Yangshao, China) y en el valle del Ganges (India septentrional). En América, se cultivan judías, pimientos y calabazas en los Andes centrales (zona de Ayacucho, Perú) por agricultores nómadas. Más al norte, en Guitarrero (también en Perú), se cultiva el maíz por primera vez en América. En la región andina se inició también la domesticación de la llama y la alpaca (pequeños parientes americanos del camello asiático). En México se cultivan algodón y aguacates. En Asia meridional dátiles. En las estepas del norte del Mar Negro se domesticaba el caballo, de gran importancia para los pueblos nómadas que desde esas tierras se desparramarán en todas las direcciones siglos más tarde.

En esta época comienza en varias regiones del globo (Mesopotamia, Egipto, China, India) lo que algunos historiadores han dado en llamar la proto-historia. Es el período que media entre el final de la Prehistoria y el comienzo de los tiempos históricos propiamente dichos, que se inician con la invención de la escritura.

En Mesopotamia penetran los sumerios. No se sabe con seguridad su origen, si venían del norte, de la zona caucásica, o del este, de la meseta iraní. Su lengua no tiene vínculos con ninguna otra conocida, por lo que es imposible establecer relaciones de parentesco. En cualquier caso fueron los primeros en iniciar

OCÈANO GLACIAL ÁRTICO

Mar de Kara

Mar de Laptev

Mar de Siberia Oriental

Mar de Barents

Mar de Chucota

Onion Portage

Mar de Noruega

Komsa

PALEO-ALEUTIANOS

Fosna

CULTURA DE FOSNA-KOMSA

Kunda

CULTURA DEL KAMA

Mar de Bering

IS. ALEUTIANAS

Anangula

CULTURA DE KONGEMOSE

Mar del Norte

TARDENOISIENSE

CULTURA DE KELTEMINAR

Mar de Ojotsk

ALPES

Karanovo

CAUCASO

Sesklo

Çatal Hüyük

Dzeitun

Cishan

OCÉANO

Aïn Naga

Mar Mediterráneo

Halaf

Choga-Mish

Mehrgarh

CULTURA PRE-YANGSHAO

Beiligang

CULTURA PRE-JOMÓN (Japón meridional)

Fukuy

NEOLÍTICO SAHARIANO-SUDANÉS

El Omari
Dahlah
Kharga

El Obeid

HIMALAYA

Azul

Xianrendong

Mar Amarillo

periodo de máxima humedad Sáhara: 8000-6000 a. C.
periodo de desecación: 6000-2500 a. C.

Djebel Queinat

Adamgarh

Mar de

Azawagh

Jartum

Jalahali

Hoa Binh
Bac Son

Padah lin

BACSONIENSE

Mar de la China

Mar de Filipinas

L. Chad

Mar de Arabia

Golfo de Bengala

Meridional

PACÍFICO

Lowa Sera

Gua Cha

TSHITOLIENSE

HOHABINHIENSE

OCÉANO ÍNDICO

Kuk

Mar del Coral

(Arte Austral)

WILTONIENSE

CULTURAS PALEOLÍTICAS AUSTRALIANAS

Gran Bahía Australiana

Mar de Taman

TASMANIA

	industrias desarrolladas (lascas, láminas, microlitos, piedra pulimentada)
	industrias arcaicas
	regiones de economía neolítica (agricultura, ganadería, regadíos, etc.)
	agricultura y cerámica
▪ principales yacimientos	▪ cerámica
→	expansión de la cerámica cardial
Ⓒ	metalurgia del cobre

AL ANTÁRTICO

A N T Á R T I D A

el desarrollo de lo que podíamos definir como "civilización avanzada". En este milenio fundaron en el curso bajo del Éufrates, región conocida como Sumer, Sumeria, o Shinar por la Biblia, numerosas poblaciones, y empezaron a usar el regadío plenamente. Los gobernantes de estas incipientes ciudades-estado sumerias se aseguraron la estabilidad y el reconocimiento de su autoridad asociándose con la divinidad. Surgen, pues, los primeros-sacerdotes-reyes y toda una jerarquía sacerdotal encargada de la burocracia ciudadana. En Sumer las gentes aprendieron a utilizar el viento para propulsar embarcaciones. Gracias a velas desplegables, el viento empujaba sobre una amplia superficie y hacía avanzar pequeñas embarcaciones cuando no las empujaba la corriente, e incluso a contracorriente. Similares avances en agricultura fluvial y en materia de instituciones cívico-religiosas se dio en Egipto por esta misma época.

LA PROTO-HISTORIA
Nomadismo y sedentarismo
(5000-4000 a. C.)

El progresivo calentamiento del clima fuerza, como vimos, la emigración de numerosas poblaciones a los valles fluviales. El hasta hace unos siglos húmedo Sáhara (las pinturas rupestres Tassili en el actual y desolado macizo del Hoggar son muestra de ello) se despuebla. Una parte de sus moradores emigrará a las costas mediterráneas. Otros lo harán al sur, hacia el lago Chad y el río Níger, y el resto al Nilo. En esta época surgen los primeros indicios de la posterior y secular oposición entre la civilización urbana y el nomadismo ecuestre y guerrero. En el Próximo Oriente, las poblaciones sedentarias completan la irrigación y drenaje de extensas zonas. Grandes culturas agrícolas se desarrollan en Mesopotamia (El Obeid) y Europa oriental (Vinca). No muy lejos de estos centros avanzados de civilización, los pobladores de la estepa póntico-caspiana, muy sensibles a los cambios climáticos, consiguen domesticar al caballo y desarrollan una civilización nómada y guerrera (Srednij-Stog) que lanza sus primeras expediciones en torno al 4300 a. C. Desde ahora y hasta bien entrada la Edad Moderna, la irrupción de nómadas desde las estepas asiáticas será una constante en la historia europea.

La agricultura y la ganadería se extienden. En Egipto cada vez se cultivan más tierras y un incipiente estado se encarga de controlar las crecidas del Nilo. También a Europa occidental llega el Neolítico y se extiende por la India. En China se cultiva ya el arroz, que se convertirá en el soporte alimenticio de toda el Asia oriental y suroriental con el paso del tiempo. En la cuenca de México y el valle de Tehuacán continúan las primeras experiencias agrícolas. En el Sáhara se desarrolla la cría de bovinos. En la meseta iraní aparecen los primeros crisoles para la metalurgia del cobre, con lo que comienza la Edad de los Metales en esa parte del mundo. La agricultura va a propiciar una radical transformación de la sociedad. Como una parte de la población se halla libre de la dedicación a la obtención de alimentos, como consecuencia de esta nueva economía de cultivo, se diversifican las funciones sociales. Aparecen artesanos, soldados, sacerdotes, administradores, técnicos, etc. La articulación en estratos profesionales (vigente casi hasta la actualidad) surge de la división del trabajo y da lugar a una sociedad diferenciada, frente al igualitarismo de las sociedades nómadas de cazadores y recolectores. La ciudad surge entonces como centro de elaboración de productos y como lugar de intercambio de los

mismos. En Mesopotamia ejerce el poder en las ciudades-estado sumerias un rey-sacerdote, y en Egipto los primeros soberanos (luego conocidos como faraones) no sólo se hacen venerar como hijos de dioses, sino que en algún caso se consideran ellos mismos dioses. La centralización y jerarquización en estratos sociales rígidamente delimitados (soberano, sacerdotes, guerreros, comerciantes, agricultores, siervos y esclavos) y la organización administrativa (utilización de la escritura para la contabilidad) permiten resolver los específicos problemas de las sociedades urbanas. Las relaciones comerciales favorecen la aparición de los primeros mercados. Se imponen incluso prestaciones personales para acometer grandes obras, y el pago de tributos para sostener la administración. Estas embrionarias formas de estado darán lugar a lo largo del III milenio a los primeros grandes imperios de la Antigüedad en Mesopotamia y Egipto.

CIUDADES Y ESTADOS
El comienzo de la Historia
(4000-3000 a. C.)

Al comenzar el cuarto milenio la población mundial podía rondar los 85 millones. Hacia el 4000 a. C. los sumerios fundaron la cuidad de Ur en la desembocadura del Éufrates (el Éufrates y el Tigris desembocaban entonces por separado en el Golfo Pérsico). Durante varios siglos Ur fue la ciudad más importante de Sumeria, y pudo haber sido la mayor del mundo. Otras ciudades sumerias fueron Djemdat-Nasr, El Obeid, Uruk, Halaf, etc. En Egipto, Hieracómpolis testimonia ya una urbanización naciente. La escritura apareció a finales del cuarto milenio. Al principio se empleaba con fines puramente administrativos y contables. En Uruk, por ejemplo, se empleaba ya en la contabilidad y el archivo de documentos. Es una escritura diferente a la descubierta en Egipto alrededor del 3000 a. C., pero más elaborada.

Junto a otras muchas innovaciones técnicas, un considerable avance tuvo lugar en esta época: los metales. Desde hacía dos millones de años, desde que el *homo habilis* irrumpió en escena, el único material para la manufactura de útiles y armas había sido la piedra de una u otra clase. El arqueólogo danés Ch. Jurgenson Thomsen (1788-1864) llamó Edad de la Piedra a todo el período anterior al cuarto milenio, antes de que entraran en escena los metales. El hombre había encontrado ya desde mucho antes piedras brillantes y más pesadas que las ordinarias. No se partían al ser golpeadas y podían cambiar su forma, eran maleables. Hay docenas de metales, pero la mayoría aparecen combinados con otras sustancias. Tan sólo los metales inertes no se combinan con otros y pueden encontrarse libremente. Se trata del cobre, el oro y la plata. El cobre es mucho más corriente que la plata y el oro, y existe en ciertas menas en mucha mayor cantidad que el oro y la plata. Posiblemente el descubrimiento de la metalurgia del cobre fuera accidental, pero una vez conocida se extendió lentamente hasta alcanzar con el tiempo Eurasia y África. Pero la metalurgia no llegará a América y Australia, sino después de su descubrimiento por los europeos. La obtención de cobre a partir de menas significó un suministro mucho mayor de materia prima para la facturación de objetos y adornos.

Pero la búsqueda de metales más duros que el cobre, y a la vez maleables, dio con el descubrimiento del estaño que, aleado con el cobre dio como resultado el bronce. El bronce era lo suficientemente duro como para competir con la piedra, conservaba mejor el filo y admitía ser batido para cambiarle de forma. Los

Leyenda del mapa:

- área de economía productora (Neolítico)
- metalurgia del cobre (Calcolítico)
- inicio de la domesticación del caballo
- expansión de la cultura ecuestre
- π arquitectura megalítica
- **Obeid** principales yacimientos neolíticos
- otros yacimientos neolíticos

sumerios empezaron a usar el bronce ya en el 3500 a. C., iniciándose de esta forma la Edad del Bronce en Mesopotamia. En un principio su uso fue limitado, empleándose todavía la piedra y el cobre, por lo que los especialistas llaman Calcolítico (cobre-piedra) a estos primeros siglos de la Edad de los Metales. La

domesticación del caballo es la base de una nueva economía nómada y ganadera surgida en las llanuras de Europa oriental y Asia occidental por los pueblos de cultura "kurgán", así llamados por el tipo de enterramiento que practicaban. Algunos especialistas ven en esta cultura a los antepasados de los pueblos indo-europe-

os que más tarde entrarán en escena. En América aparece la cerámica (Valdivia, Ecuador) y en el norte de Colombia. En China aparecen las primeras ciudades en el curso inferior del río Amarillo, mientras el cultivo del arroz va ganando más superficie al sur, hasta llegar al valle del río Azul.

57

III

Edad Antigua
(3000 a. C.-450 d. de C.)

PRIMERAS CIVILIZACIONES
Egipto, Sumer y Acad
(3000-2500 a. C.)

La escritura sobrepasa inmediatamente sus objetivos meramente
contables y económicos y nos trans-
cribe todas las formas de vida y
pensamiento de las sociedades que
la empleaban. Una Mesopotamia
rica en ciudades, reyes, epopeyas,
expediciones guerreras o logros lite-
rarios. En Egipto nos habla de sus
monumentales construcciones, de la
magnificencia de sus gobernantes y
la laboriosidad de sus agricultores.
Pero la escritura no nos dice nada
del resto de la humanidad, que permanece en penumbra. La mayoría
de la población del mundo sigue
siendo depredadora, la sedentarización, la agricultura, la cría de animales y la irrigación avanzan lentamente. En China, que sigue de cerca
los logros de mesopotámicos y egipcios, comienza la época de los, más
míticos que históricos, emperadores
de la dinastía Hsia bajo la cultura de
Longshan. En la India, en concreto a
la largo del valle del Indo, surge la
cultura luego llamada como el propio río, que ya tiene en la ciudad de
Harappa una notable muestra de
desarrollo urbano. En África se
expande la agricultura y la ganadería por la costa mediterránea y en la
cuenca nigeriano-chadiana, además
de a lo largo del valle del Nilo, más
al sur de los dominos del Egipto de
las primeras dinastías tinitas. En
América se configuran dos focos
civilizadores, en lo que será a partir
de ahora una constante en su historia, el mexicano y el peruano o de
los Andes centrales. En Europa la
metalurgia del cobre se expande por
los Balcanes, mientras en el otro
extermo del globo, al norte de
Canadá, los nativos trabajan el
cobre nativo. La cultura de Jamnaïa
(o de las tumbas de fosa), en la
actual Ucrania, propaga la domesticación del caballo y la cultura
ecuestre, y hacia el 2800 a. C. lanza
hacia el oeste una oleada migratoria
que conlleva importantes novedades
técnicas como la rueda, el tiro animal y posiblemente el uso del arado
de madera.

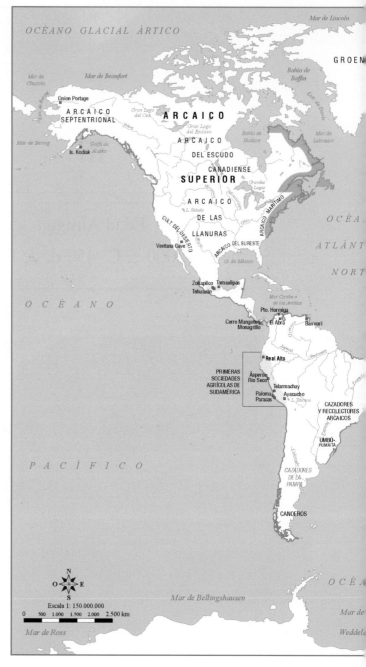

Pero en el cuadro de la historia
universal destaca sobremanera en
este período la formación de los primeros estados. En Egipto habían surgido siglos atrás los reinos del Alto y
del Bajo Egipto. Según la tradición el
faraón Menes (Narmer o Aha) unificó ambos territorios con capital en
Menfis. Más tarde se traslada la

capital a Tinis (2850-2650, dinastías
I-II) y se levantan las pirámides
(2650-2190, dinastías III-IV). Se
realizan incursiones contra los
beduinos del Sinaí, los nubios del
sur y a Biblos. En Mesopotamia los
sumerios (pueblo no semita), tal vez
emparentados con los creadores de
la cultura del Indo, crean numerosas

OCÉANO GLACIAL ÁRTICO

Mar de Kara

Mar de Laptev

Mar de Siberia
Oriental

Mar de
Chucota

Onion
Portage

Mar de Barents

Mar de
Noruega

Varanges

Tunguska

Mar de Bering

CULTURA
DE
CARELIA
Kargopol

Fatianovo

CULTURA
DEL KAMA

Goburnovo

CULTURA DE
SEROVO

TUNGUSES

Bratsk   Siskino

Lago
Baikal

Mar de
Norte

Báltico

CULTURA DE LAS
ÁNFORAS GLOBULARES

Remedillo

CULTURA DE
JAMNAIA

PUEBLOS URALO-
ALTAICOS

MINUSINSK

PUEBLOS INDO-
EUROPEOS

M. de
Aral

L. Balyash

Harbin

Mar de
Ojotsk

OCÉANO

Il Hili
LTURA

Cortaillod

SO

MPANIFORME

CULT. de
ALMERÍA

PUEBLOS BERBERO-LIBIOS

LÍTICO SAHARIANO-SUDANÉS

en proceso de desecación 6000-2500 a. C.)

PUEBLOS PROTO-BANTÚES

CÁUCASO

CULTURA
HELÁDICA

CRETA Cnossos CHIPRE

Troya
ANATOLIA

Djerodet-Nasr
Uruk

Gize

Menfis

Tinis

EGIPTO
ALTO
EGIPTO

Acad
SUMER
Ur

AKADIOS
(Ss. XXVIII-XXV)

KUSH

PUEBLOS
SEMITAS

PUEBLOS
CAMITAS

L. Chad

Níger

Zaire

Kasai

L. Victoria

L. Tanganika

L. Malawi

Zambeze

Orange

Limpopo

MESETA
DE IRÁN

Harappa

Mohenjo-
Daro

Amri

CULTURA
DEL INDO

Chanu-Daro

INDOSTÁN

G. de Omán

MESETA
DEL TÍBET

HIMALAYA

Tsangpo

CULTURA DE
LONGSHAN
(CHINA)

Azul

Longshan

Mar
Amarillo

Rojo

CULTURA
JOMÓN

Fukuy

OCÉANO

Mar de
Arabia

Golfo
de
Bengala

PUEBLOS
AUSTRONESIOS

Mar de
China
Meridional

Mar de
Filipinas

PACÍFICO

OCÉANO

ÍNDICO

Mar de
Java

Mar de Borneo

Mar de Arafura

Mar
del Coral

O

CO

CULTURAS PALEOLÍTICAS
AUSTRALIANAS

Gran Bahía
Australiana

Mar de
Taman

TASMANIA

AL ANTÁRTICO

▨	pescadores y recolectores costeros de América
●	cultura del vaso campaniforme de Europa occidental
→	expansión de la cultura ecuestre
→	migraciones de pueblos
○ ciudades	● capitales
▪	yacimientos arqueológicos

A   N   T   Á   R   T   I   D   A

ciudades-estado que se van suce-
diendo en la hegemonía de la media
y la baja Mesopotamia (Meslim de
Kish, dinastía I de Ur, dinastía I de
Lagash, etc.). Al compás de los ava-
tares políticos y bélicos se envían
caravanas a Elam, Siria (Amorru) y
Egipto. Desde la península de
Arabia, cuna de los pueblos semitas,

se producen sucesivas migraciones
hacia la próspera Mesopotamia. Una
de estas corrientes es la de los acadios, que con el tiempo crearán el
primer gran imperio mesopotámico.
Creta entró en la Edad del Bronce a
mediados del III milenio, cuando se
creó la sofisticada civilización
minoica (aglomeraciones urbanas en

edificios de dos pisos, puñales de
cobre y bronce, etc.). Los cretenses
no eran homogéneos, presentando
rasgos afines a la población pre-
griega. En la Grecia continental se
desarrolla la cultura heládica del
cobre y el bronce, y en las islas del
Mar Egeo la cultura cicládica, con
trabajos en mármol y estatuillas.

LA ÉPOCA DE LA ARQUITEC-TURA COLECTIVA
El Imperio acadio
(2500-2000 a. C.)

Las primeras grandes construcciones arquitectónicas, templos,
necrópolis, fortificaciones o palacios, surgieron en numerosos lugares del mundo durante el III milenio
a. C. Esto testimonia una evolución
social en la que se aprecia un remar-
cable sincronismo. En tal sentido
cabe señalar las fortificaciones y los
trabajos atribuidos a las aglomeraciones de Longshan (China), las
asombrosas y bien trazadas ciudades de la civilización del Indo
(2800-1700 a. C.), las numerosas
pirámides mandadas levantar entre
los años 2600-2400 a. C. por los
faraones egipcios (Gizé, Saqarrah).
Los cretenses levantaron sus palacios mientras el primer emperador
de Mesopotamia, el acadio Sargón I
el Antiguo, mandaba construir grandes palacios. Otras muestras de
arquitectura colectiva en la costa
pacífica de América del sur: Real
Alto, Río Seco y, sobre todo, los primeros templos levantados en la
zona andina en Kotosh. En Europa
occidental aparecen, provenientes
del este, la rueda de madera, el carro
de cuatro ruedas y el tiro animal, el
arado, etc. Todas estas novedades
son propagadas desde el foco de la
Cultura de la Cerámica Cordada,
asentada en Centroeuropa, pero de
origen más oriental.

En Sumeria la lucha entre las ciudades dio el triunfo a Lugalzaggisi
de Umma, que hacia el 2350 a. C.
sometió toda Sumeria. En el norte
de Sumeria los nómadas semitas
fundaron el reino de Akad. Bajo el
rey Sargón I (1350-1300), los acadios vencieron a Lugalzaggesi y
unificaron Sumer y Akad, creando
el primer imperio propiamente
dicho de la historia. Sargón fue el
primer gran conquistador de la historia. Tras unificar Mesopotamia,
los acadios invadieron Elam, al
sureste, Anatolia oriental, al noroeste y Canaán, en la costa mediterránea. La superioridad bélica acadia
se debió al empleo de venablos,
arcos y flechas, frente al pesado

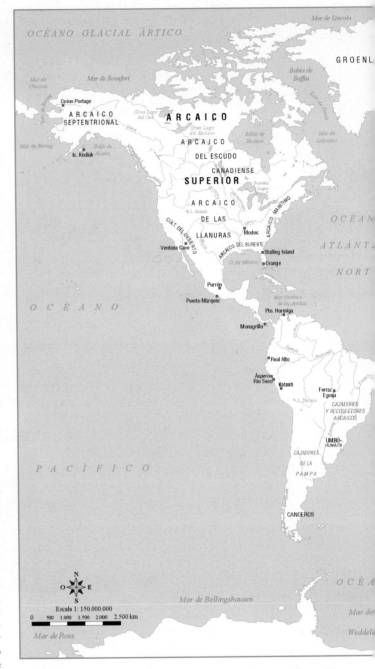

armamento sumerio. El Imperio acadio perduró hasta el 2180 a. C., en
que los nómadas guti de los Mts.
Zagros invadieron Acad, donde per-
manecieron un siglo. Esto permitió a
los sumerios recobrar la independencia. Gudea de Lagash fue un notable
caudillo, protector de las artes y
reformador religioso. Egipto se vio

envuelto en convulsiones políticas
que desembocaron en su escisión en
dos países entre 2190-2050 a. C.
hasta la reunificación por el príncipe Mentuhotep II de Tebas.

La cultura o civilización del Indo
se encuentra en su edad dorada. Dos
grandes asentamientos dan fe del
grado de desarrollo urbano alcanza-

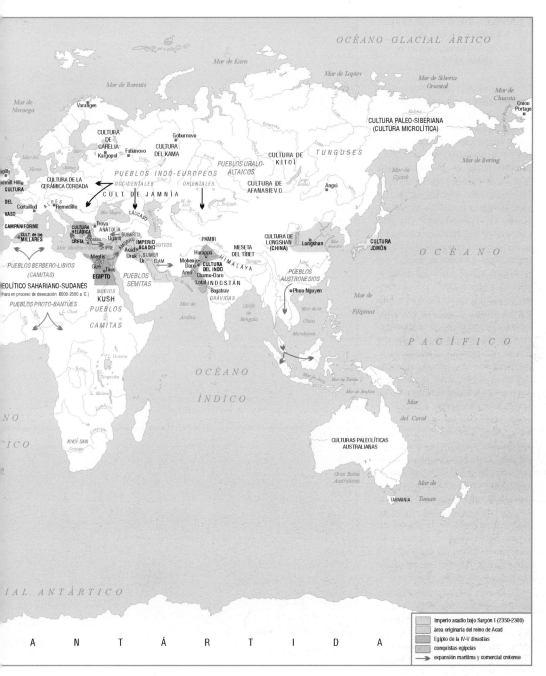

OCÉANO GLACIAL ÁRTICO

Mar de Kara
Mar de Laptev
Mar de Barents
Mar de Siberia Oriental
Mar de Chucota
Onion Portage
Mar de Noruega
Varánges
CULTURA PALEO-SIBERIANA (CULTURA MICROLÍTICA)
CULTURA DE CARELIA
Kargopol
Goburnovo
Fatianovo
CULTURA DEL KAMA
CULTURA DE KITOÏ
TUNGUSES
Mar de Bering
PUEBLOS URALO-ALTAICOS
Mar de Ojotsk
Mar del Norte
CULTURA DE LA CERÁMICA CORDADA
PUEBLOS INDO-EUROPEOS
OCCIDENTALES
ORIENTALES
CULTURA DE AFANASIEVO
Angxi
CULT. DE JAMNIA
CULTURA DEL VASO
Cortaillod
Remedillo
CAUCASO
L. Balkash
OCÉANO
CAMPANIFORME
CULT. de los MILLARES
CULTURA HELADICA
CRETA
Troya
ANATOLIA
Crossos
CHIPRE
Ugarit
SUBARTU
AMORRI
IMPERIO ACADIO
Acad
Uruk
SUMER
Ur
GUTEOS
ELAM
PAMIR
Harappa
MESETA DEL TÍBET
CULTURA DE LONGSHAN (CHINA)
Longshan
CULTURA JOMÓN
PUEBLOS BERBERO-LIBIOS (CAMITAS)
Mar Mediterráneo
Menfis
Gizé
Tinis
EGIPTO
PUEBLOS SEMITAS
Mohenjo-Daro
Amri
Chamu-Daro
Lotal
CULTURA DEL INDO
INDOSTÁN
HIMALAYA
NEOLÍTICO SAHARIANO-SUDANÉS
(ahora en proceso de desecación: 6000-2500 a. C.)
NUBIOS
KUSH
Bagatrav
DRAVIDAS
PUEBLOS AUSTRONESIOS
Mar de Filipinas
PUEBLOS PROTO-BANTÚES
L. Chad
PUEBLOS CAMITAS
Mar de Arabia
Golfo de Bengala
Phun Nguyen
Mar de la China Meridional
PACÍFICO
KHOÏ-SAN
L. Victoria
L. Tanganika
L. Molawi
OCÉANO ÍNDICO
Mar del Coral
CULTURAS PALEOLÍTICAS AUSTRALIANAS
Gran Bahía Australiana
Mar de Tasman
TASMANIA

GLACIAL ANTÁRTICO

A N T Á R T I D A

Imperio acadio bajo Sargón I (2350-2300)
área originaria del reino de Acad
Egipto de la IV-V dinastías
conquistas egipcias
expansión marítima y comercial cretense

do en esta parte del mundo: Harappa y Mohenjo-Daro. Ambas ciudades fueron trazadas siguiendo una estructura de tablero de ajedrez, con casas de ladrillo, una ciudadela central en lo alto de una colina, extensas superficies cultivadas en los alrededores y sistemas de alcantarillado y drenaje de aguas. Los

cretenses fundaron la primera talasocracia (imperio marítimo) conocida. A pesar de ignorar la escritura o la rueda, sus barcos se aventuraban por el Mediterráneo practicando la navegación de cabotaje. Aislados por el mar de sus poderosos vecinos egipcios o acadios, los cretenses crearon una original civilización insular. A

fines de este período, un grupo de pueblos conocidos como hititas y de origen indo-europeo, irrumpen en Asia Menor. Los pueblos indo-europeos, que ahora hacen su entrada en la historia, como los semitas, no formaban sino grupos lingüísticos, no necesariamente una comunidad racial, como a veces se ha sostenido.

LAS GRANDES MIGRACIO- NES INDO-EUROPEAS
El renacimiento sumerio
(2000-1800 a. C.)

El concepto indo-europeo no se basa en consideraciones étnicas sino lingüísticas: sirve para explicar las semejanzas de un amplísimo abanico de lenguas que, tal vez desde un idioma o tronco común, se expandieron desde el Indostán hasta Irlanda. Su núcleo originario estaba en la estepa de los kirguises (Kazakstán occidental y sur de Rusia), en vecindad con la otra gran comunidad lingüística de Eurasia, la uralo-altaica. La fase de dispersión de los indo-europeos se inicia en el Neolítico, cristalizando en distintos pueblos hacia el 2000 a. C. La primera gran migración llevó a los hititas a Anatolia, donde con el tiempo levantarán uno de los grandes imperios de la Antigüedad. Aqueos y jonios atravesaron los Balcanes y se establecieron en Grecia, mientras del grupo oriental se desprendían los pueblos que con el tiempo darían origen a medos, persas y arios de la India. Otros pueblos, como los tocarios, sacios y masagetas se dirigieron hacia Asia Central, y algunos llegaron hasta los confines occidentales de China. El grupo uralo-altaico, del que provienen pueblos y lenguas hoy tan separados como el turco, finés o mongol, tiene su núcleo originario en la región del Altai. Si los indo-europeos eran pueblos de estepa, los uralo-altaicos combinaban también su condición de pobladores de la estepa con la vida en los bosques siberianos e incluso en el inhóspito Ártico. La desecación del Sáhara, por su parte, hizo emigrar en distintas direcciones a sus pobladores dando lugar a la formación de nuevas familias lingüísticas. Al norte de África surgió el grupo berbero-libio y en la zona sudanesa el grupo proto-bantú, del que surgieron los pobladores y las muchas lenguas que hoy se hablan en la mitad meridional de este continente. El grupo camita se encontraba entre la cuenca del Nilo y el cuerno de África (Somalia), y a él pertenecen los nubios y los etíopes.

Egipto alcanza la máxima extensión territorial con los faraones tebanos de la XII (Sesostris III, 1878-1841): expediciones a Nubia, Punt (Somalia) y relaciones comerciales con Creta. En Sumeria los soberanos de la III dinastía de Ur (Urnamu, Shulgi, Bursin, Shushin e Ibisin) logran la unificación de sumerios y acadios, la restauración de los templos y de las grandes construcciones y la reconstrucción parcial del imperio de Sargón I. Pero bajo Ibisin los semitas del desierto (cananeos y amoritas) conquistan Mesopotamia, que se ve fraccionada en varias cuidades-estado, destacando Isin, Larsa y Babilonia. Los asi-

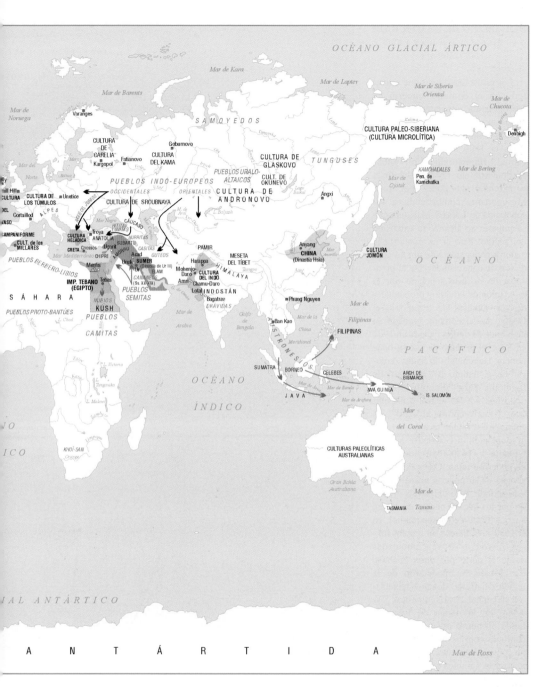

OCÉANO GLACIAL ÁRTICO

Mar de Kara

Mar de Laptev

Mar de Barents

Mar de Siberia
Oriental

Mar de
Chucota

Mar de
Noruega

Varanges

SAMOYEDOS

CULTURA PALEO-SIBERIANA
(CULTURA MICROLÍTICA)

Denbigh

CULTURA
DE
CARELIA
Kargopol

Goburnovo

Fatianovo

CULTURA
DEL KAMA

CULTURA DE
GLASKOVO

TUNGUSES

Mar del
Norte

KAMCHADALES
Pen. de
Kamchatka

Mar de Bering

ill Hill
CULTURA

CULTURA DE
LOS TÚMULOS

Unetice

PUEBLOS URALO-
ALTAICOS

PUEBLOS INDO-EUROPEOS

CULT. DE
OKUNEVO

Mar de
Ojotsk

DEL
VASO

Cortaillod
ALPES

OCCIDENTALES

CULTURA DE SROUBNAYA

ORIENTALES

CULTURA DE
ANDRONOVO

Angxi

OCÉANO

CAMPANIFORME
CULT. de los
MILLARES

CULTURA
HELÁDICA

Troya
ANATOLIA
HITITAS

CAUCASO

HURRITAS

PAMIR

Anyang

CULTURA
JOMÓN

CRETA
Cnossos

CHIPRE

Ugarit

SUBARTO

MESETA
DEL TÍBET

CHINA
(Dinastía Hsia)

PUEBLOS BEREBERO-LIBIOS

Mar Mediterráneo

Menfis

Uruk

Acad
SUMER
(Dinastía de Ur III)

CASITAS
GUTEOS

Harappa

HIMALAYA

IMP. TEBANO
(EGIPTO)

Tebas

ELAM

Mohenjo-
Daro

CULTURA
DEL INDO

Amri

Chamu-Daro

SÁHARA

KUSH

PUEBLOS
SEMITAS

Lotal

INDOSTÁN

PUEBLOS PROTO-BANTÚES

NUBIOS

PUEBLOS

Bagatrav
DRAVIDAS

Mar de

Phung Nguyen

Mar de

CAMITAS

Golfo
de
Bengala

Mar de
Arabia

Ban Kao

Mar de la
China
Meridional

FILIPINAS

Filipinas

PACÍFICO

SUMATRA

BORNEO

CELEBES

ARCH. DE
BISMARCK

OCÉANO

JAVA

Mar de Banda

NVA GUINEA

Mar de Arafura

IS. SALOMÓN

ÍNDICO

Mar
del Coral

CULTURAS PALEOLÍTICAS
AUSTRALIANAS

Gran Bahía
Australiana

Mar de
Taman

TASMANIA

IAL ANTÁRTICO

A   N   T   Á   R   T   I   D   A

Mar de Ross

rios se establecieron en el Tigris superior hacia el 2500 a. C. Eran un pueblo belicoso, mezcla de poblaciones anteriores no sumerias, que aprovecharon el fin de la dinastía III de Ur para extender su pequeño territorio. En Europa penetra la cultura del bronce desde el área balcánica y desde Creta, que se convierte

en un importante centro de irradiación para las culturas de Europa occidental, hasta que sea sustituida por Micenas. La cultura de Harappa alcanza su apogeo en el Indo: grandes aglomeraciones urbanas regidas por reyes *(rajás)*, levantadas a base de ladrillo. Trabajo de los metales, excepto el hierro. Agricultura evolu-

cionada, canalizaciones y comercio fluvial. Su escritura no se ha descifrado todavía. En América destaca la rápida expansión de los paleoesquimales, cazadores de caribús, venidos de Siberia oriental, que introducen en la zona ártica, desde Alaska hasta las lejanas costas de Groenlandia, la cultura microlítica.

EL IMPERIO DE HAMMURABI
El Bronce en Europa y China
(1800-1600 a. C.)

Los invasores semitas que acabaron con el dominio sumerio en Mesopotamia adoptaron, por otra parte, su superior cultura. La tribu amorita fundó Babilonia, donde hacia el 1800 a. C. estableció su capital. Hammurabi (1728-1668) se convirtió en rey de Babilonia y extendió su poder por toda Mesopotamia combatiendo a los soberanos de Larsa y Mari, aunque su imperio no alcanzó la extensión del acadio. Pero si ha pasado a la historia no ha sido sólo por su condición de conquistador. De la preocupación de este soberano por la regulación de la vida y propiedades de sus súbditos da testimonio el Código de su nombre, grabado en un bloque de diorita hallado en 1901 en Susa, el primero de que se tiene noticia. Hammurabi lo mandó colocar en el templo del dios Sol de Babilonia para "disciplinar a los libertinos y a los malos, e impedir que el fuerte oprima al débil". En Anatolia los hititas se impusieron a la población preexistente y bajo Labarna I (1680-1650) levantaron un poderoso reino. Creta alcanzó el apogeo de su poder e influencia en este período. Pero Egipto fue invadido por los hiksos, pueblo de origen hurrita (norte de Mesopotamia), en el 1650 a. C. Parece ser que los hiksos fueron a su vez empujados desde el norte por otros pueblos. Los hiksos se apoderaron de la región del Delta, donde establecieron su capital, Avaris (dinastías XV-XVI). En la región de Tebas se fundó un nuevo estado egipcio, en conflicto con los hiksos, a los que no conseguirán vencer sino un siglo más tarde. También hurritas eran los mitanis, que más tarde llegarán a dominar la parte central de Mesopotamia y Anatolia oriental, pero en este período se encuentran constreñidos entre los superiores hititas por el oeste, y los babilonios por el sureste. La historia de Asiria es confusa en este tiempo. Samshi-Adad (1749-1717) es uno de los soberanos más notables del Primer

Imperio asirio, pero tiene que reconocer la supremacía de Hammurabi.

La metalurgia del bronce se extiende de un extremo a otro de Eurasia. Llega al Atlántico y a China. En esta última, a la legendaria dinastía Hsia (o Xia) sucede hacia el 1770 a. C. la dinastía Shang o Yin, originaria de la costa de Shandong. Con los Shang aparecen en China la escritura y los famosos bronces Shang, notables tanto por su decoración como por su fabricación. La influencia china alcanzó Corea, adonde llega la metalurgia del cobre y el cultivo del arroz. A Europa llega el bronce por varias vías. Desde Anatolia al sureste y los Balcanes. A partir de la

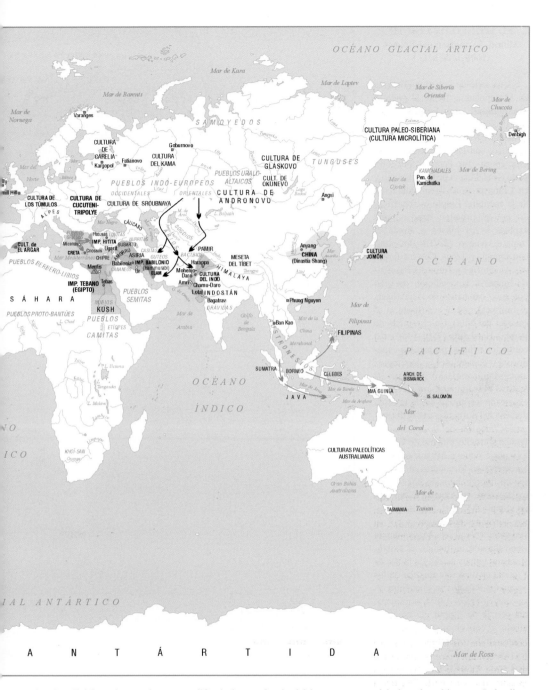

península Ibérica las culturas Almeriense y Argárica expanden el bronce desde el valle del Guadalquivir hacia el norte, así como la cultura del vaso campaniforme. Y a través de la cultura carpática de los túmulos, emparentada a su vez con la caucásica de Kubán, llegan a Europa las hachas de guerra y se

difunde la metalurgia del bronce en el centro del continente. Hacia 1700 el bronce ya ha llegado hasta las Islas Británicas. Aparecen en Europa grandes áreas culturales y una sociedad más compleja. Junto a la agricultura y la ganadería progresan la industria y la artesanía. El comercio, utilizando el trueque, usa como base

el ámbar, descubierto en Jutlandia y costa báltica. Los ríos continentales se convierten en vías de comunicación e intercambio. Una muestra del tráfico comercial continental son tanto los restos de ámbar báltico hallados en Micenas, como las piezas de loza fina egipcias localizadas en Gran Bretaña.

EL APOGEO DE EGIPTO
Mitani. Expansión del Bronce
(1600-1400 a. C.)

Una serie de imperios efímeros en Mesopotamia, frente al poderío deslumbrante del Egipto de la XVIII dinastía, y los túmulos de la llamada civilización del Bronce atlántico, son las características de esta época. En Fenicia, por otra parte, se elabora el primer alfabeto y en China progresa la implantación de la escritura. Egipto es reunificado por el príncipe Amosis, que expulsa a los hiksos y funda el Imperio Nuevo (XVIII dinastía), con capital en Tebas. Con los faraones Amenofis I y Tutmosis I asciende Egipto a la condición de gran potencia: campañas de Asia (hasta el Éufrates), por el sur (hasta la 3ª catarata del Nilo). En el reinado de la reina Hatsepsup (1501-1480), sin conflictos bélicos, priman las expediciones comerciales y los logros arquitectónicos. Bajo Tutmosis III (1480-1448) Egipto logra su mayor expansión territorial: desde la orilla derecha del Éufrates hasta la 4ª catarata. Conquista de la costa sirio-fenicia y establecimiento de la frontera norte junto a Mitani, potencia emergente en Mesopotamia. Mitani fue un reino gobernado por la aristocracia hurrita. Alcanzó su apogeo en el siglo XV a. C. Mantuvo buenas relaciones con Egipto y por su situación central en Mesopotamia frenó durante un tiempo el expansionismo hitita y asirio. En la isla de Creta la civilización minoica de los Segundos Palacios se encuentra en su apogeo (1570-1425), en sincronía con la de Egipto, de quien es aliado y con el que mantiene un intenso tráfico comercial. Pero a finales del siglo XV a. C. los aqueos de Grecia conquistan Creta. Con el fin de Creta la civilización micénica (aqueos) de la Grecia continental alcanza su máxima expansión geográfica y su período más brillante. Los aqueos intentaron también su expansión por Asia Menor. En esta región los hititas levantan su Primer Imperio con capital en Hatusas. Su soberano más notable es Mursil I. Incursiones hacia Siria y Mesopo-

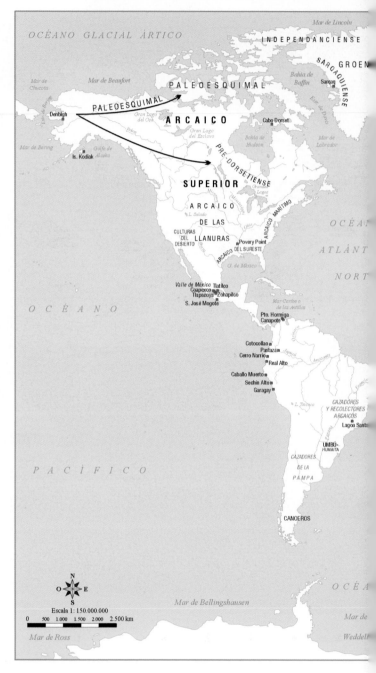

tamia (toma de Babilonia, 1513 a. C.), frenadas por Mitani. De la baja Mesopotamia (Babilonia) se apoderaron los coseos o casitas entre 1530-1160, pueblo procedente de los Mts. Zagros.

En la India las invasiones arias acaban con la milenaria y brillante Cultura del Indo. Los invasores,

dotados de carros de guerra, arcos y caballería, se imponen a la pacífica población drávida (un millón aprox.) y forman una serie de pequeños reinos gobernados por una belicosa aristocracia hereditaria. Comienza el primer período védico en la India. Los arios siguen luego su expansión por la llanura

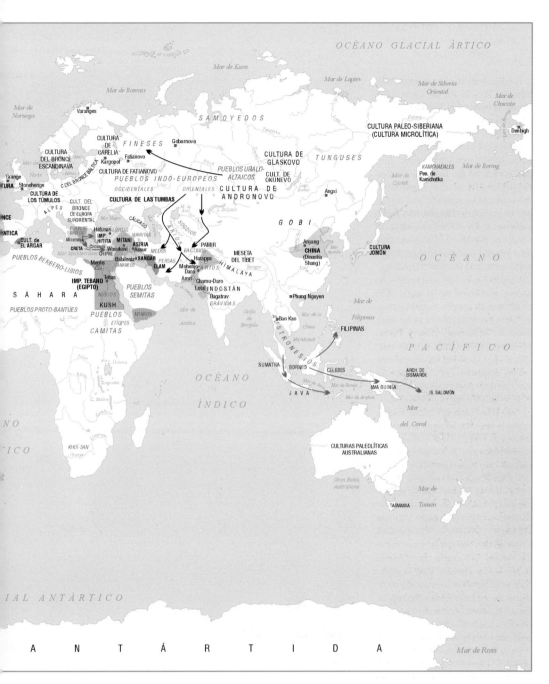

gangética. En China, bajo la dinastía Shang, se desarrolla una escritura tan compleja como la de Babilonia o Egipto. Esta dinastía pudo haber reinado sobre unos 5 millones de habitantes, por lo que China ya era entonces más populosa que cualquier otro reino de Eurasia. Y esto ha sido así hasta el presente. A

mediados del siglo XVI a. C. comenzaron los pueblos del sureste asiático la colonización de las islas del Pacífico, comenzando por el archipiélago indonesio, para alcanzar a lo largo de los 3000 años siguientes hasta la Polinesia. Incluso pudieron llegar a Sudamérica. En África septentrional se introduce el caballo. En

América progresa lentamente la sedentarización en las zonas más aptas para una rudimentaria agricultura. En el valle de México y la zona andina se levantan los primeros centros de culto o ceremoniales, preludio de lo que siglos más tarde serán las grandes construcciones de Teotihuacán, Tula o Tiahuanaco.

EGIPTO Y LOS HITITAS
La expansión micénica. China
(1400-1200 a. C.)

La Edad del Bronce alcanza toda Eurasia. Tras el fin de Creta, que nunca se recuperó, los griegos de Micenas, los belicosos aqueos, extendieron su influencia por los Balcanes y Asia Menor. En esta última región sitiaron y tomaron la ciudad comercial de Troya (a finales del siglo XIII a. C.), importante foco cultural en Anatolia y el Egeo, que se les opuso. Homero dio fama universal al suceso en la *Iliada*. Los aqueos no llegaron a formar un estado o imperio unitario, aunque dominaron en toda la península Helénica, Creta y el Egeo. Tras un período de luchas intestinas, en el siglo XV alcanzaron su apogeo. Construyeron fortalezas monumentales en las ciudades de Micenas, Tirinto y Pilos. La acrópolis de Atenas data de esta época. La sociedad micénica era feudal, gobernada por una aristocracia guerrera. A principios del siglo XIII levantaron nuevas fortalezas.

En Asia Menor los hititas levantan su II Imperio, en abierta competencia con Egipto. Bajo Supiluiluma (1380-1345 a. C.) los hititas conquistan casi toda Anatolia y someten a vasallaje a Mitani y a buena parte de la costa sirio-fenicia. Mursil II (1345-1315 a. C.) consolida las conquistas hititas. Al rey Mutalu (1315-1290 a. C.) cabe el honor de derrotar por primera vez a Egipto en la batalla de Kadesh (1299 a. C.). Durante todo el siglo XIV a. C. Siria fue la manzana de la discordia egipcio-hitita. La región era ambicionada por ambos por sus bosques (cedros del Líbano) y sus ciudades y emporios comerciales. A pesar de la derrota de Kadesh, los egipcios lograron con la dinastía XIX (Seti I y Ramsés II) recuperar la región poco después. Asiria aprovechó el fin de Mitani y el enfrentamiento egipcio-hitita para consolidarse como reino independiente con Eriba-adad (1390-1364 a. C.), entre tan poderosos vecinos. Asurubalit I (1364-1328 a. C.) prosiguió una brutal política imperialista contra los pueblos sometidos, que luego se

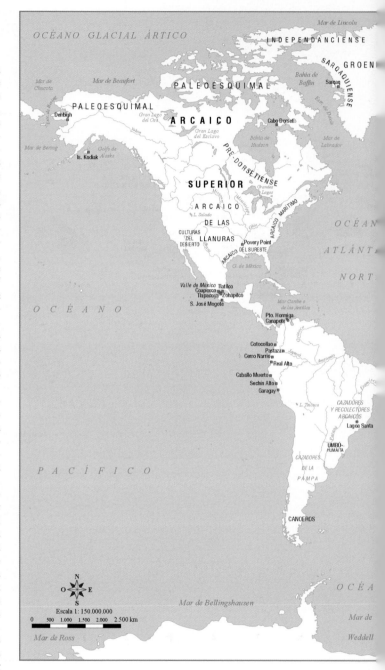

haría sistemática: deportaciones en masa y terror premeditado. Los historiadores explican este proceder por la condición periférica de los asirios, la pobreza de su medio natural y por un pasado de sometimiento a reinos más poderosos. Aprovecharon este período expansivo para ampliar sus capitales Assur y Nínive. En Canaán

se establecen los hebreos, huidos de Egipto a mediados del siglo XIII a. C. bajo el caudillaje de Moisés. La China de los Shang es ya una sociedad tan compleja como las mesopotámicas o egipcia. El soberano ejerce también funciones sacerdotales, se rodea de cortesanos y de un complejo ritual. El trabajo del bronce y

OCÉANO GLACIAL ÁRTICO

Mar de Kara
Mar de Laptev
Mar de Siberia
Oriental
Mar de
Chucota
Mar de Barents
Mar de
Noruega
SAMOYEDOS
CULTURA PALEO-SIBERIANA
(CULTURA MICROLÍTICA)
Denbigh
Varanges
CULTURA
DE FINESES Goburnovo
CARELIA
CULTURA Kärgopol Fatianovo
DEL BRONCE
ESCANDINAVA CULTURA DE
GLASKOVO
CULTURA DE FATIANOVO
PUEBLOS URALO- CULT. DE
PUEBLOS INDO-EUROPEOS ALTAICOS OKUNEVO
OCCIDENTALES ORIENTALES CULTURA DE
CULTURA DE LOS ANDRONOVO
CAMPOS DE URNAS
CULT. DEL BRONCE PÓNTICA HIONG-NU (HUNOS?)
MASSAGETAS
TOCARIOS
(YÜE-CHI)
CÁUCASO GOBI
IBEROS SOGDIOS
Hatusas CULTA
Micenas IMP. HITITA CULTURA
HURRITAS PAMIR Anyang JOMÓN
CULT. de ASIRIA MEDOS CHINA
EL ARGAR MESETA (Dinastía
Babilonia Assur BACTRIOS DEL TÍBET Shang)
CRETA SIRIA Susa
CHIPRE SANGAR ELAM
PUEBLOS BERBERO-LIBIOS CANAÁN HIMALAYA MIAO
Sais ARAMEOS PERSAS
Qued Bath Menfis
IMP. TEBANO Tebas INDOSTÁN Dong Duong
(EGIPTO) Amara Ban Chiang
PUEBLOS DRÁVIDAS Mar de Ban Kao
SÁHARA SEMITAS Arabia la
Napata China FILIPINAS
KUSH Golfo
PUEBLOS de
Termit MEROES Bengala
PUEBLOS PROTO-BANTÚES
CAMITAS
JOS
Oliga AUSTRONESIOS
ETÍOPES
IS. SALOMÓN
Nioro River Cave
Rwiyange Mar
del Coral
OCÉANO
Gwisho ÍNDICO CULTURAS PALEOLÍTICAS
AUSTRALIANAS

KHOÏ-SAN
Mar de
Tasmán
Gran Bahía
Australiana
TASMANIA

AL ANTÁRTICO

A N T Á R T I D A Mar de Ross

el cultivo del arroz se siguen extendiendo. Comienza la colonización del valle del río Azul (Yangtzé). Ciudades amuralladas con cuidadela central y templo en su interior. Luchas contra tribus vecinas, con el empleo de carros de guerra.

En el plano cultural hay que destacar el inicio de la metalurgia del hierro en Anatolia y el sur del Cáucaso, según todos los indicios. En esta zona se logró hacia el 1500 a. C. la técnica de fusión y carbonización del hierro. Durante casi dos milenios las armas se fabricaban con bronce. El hierro ya se conocía, pero se ignoraba su tratamiento. En su ayuda vino el empleo del carbón en

vez de madera para lograr temperaturas más elevadas en las fraguas en que se maleaba. Los hititas fueron los primeros en emplear el hierro. Pero mantuvieron durante un tiempo el monopolio de la metalurgia del hierro y guardaron celosamente el secreto de este nuevo descubrimiento hasta el siglo XII a. C.

LAS NUEVAS INVASIONES
Los pueblos del mar. Israel
(1200-1000 a. C.)

Un nuevo movimiento de pueblos cambió radicalmente la faz de una buena parte de Europa, el Mediterráneo oriental y Asia occidental a finales del siglo XIII y comienzos del XII a. C. Se trataba de una nueva oleada migratoria de pueblos de etnogenia indo-europea, conocidos en la zona mediterránea como "pueblos del mar" por las fuentes egipcias. Ademas de incorporar nuevas poblaciones a zonas ya pobladas y con una tradición histórica y cultural milenaria, esta oleada migratoria favoreció la expansión de la metalurgia del hierro, nuevos ritos funerarios y estilos constructivos, así como otros elementos en la cultura material y espiritual de las zonas afectadas. En Europa se impone la incineración funeraria, se introduce el caballo de tiro, la estabulación y otros avances en la agricultura. En el Próximo Oriente los invasores indo-europeos (frigios) acaban con el Imperio hitita, los pueblos del mar invaden Egipto por el norte y los arameos Mesopotamia por el sur. Aprovechando el fin de los grandes imperios (hititas) y el repliegue de otros (egipcios, asirios), entran en escena pueblos menores hasta entonces eclipsados por otros más poderosos. Se trata, sobre todo, de los hebreos y los fenicios, que conocen su edad dorada a lo largo del siglo XI a. C.

En Egipto, Ramsés III (1188-1156 a. C.) de la XIX dinastía, rechazó a los invasores con no pocos esfuerzos, hasta el punto de que el país ya no recuperará nunca su pasado esplendor imperial. En Mesopotamia los elamitas conquistaron por un tiempo Babilonia, hasta que Nabucodonosor I (dinastía IV) reunificó el país en el año 1137 a. C. A su muerte se apoderaron de Babilonia, o Caldea, los asirios. Éstos lograron con Tiglatpileser I (1116-1078) convertirse momentáneamente en gran potencia, hasta la invasión aramea del año 1000 a. C. Los israelíes triunfaron sobre los filisteos y se apoderaron de Canaán,

su tierra prometida, bajo Saúl y David. Fenicia se organizó como una especie de federación de ciudades-estado volcadas al comercio marítimo. Tiro, Sidón y Biblos fueron sus metrópolis más destacadas. Entre otras valiosas aportaciones los fenicios legaron a la posteridad, en este corto período de protagonismo histó-

rico, el alfabeto, la moneda y un sistema para navegar sin perder el rumbo. El alfabeto les sirvió para desenvolverse entre las complicadas escritura egipcia (jeroglífica) y babilónica (cuneiforme). En Asia Menor, el vacío dejado por el derrumbe hitita fue ocupado por los frigios. El mundo micénico griego

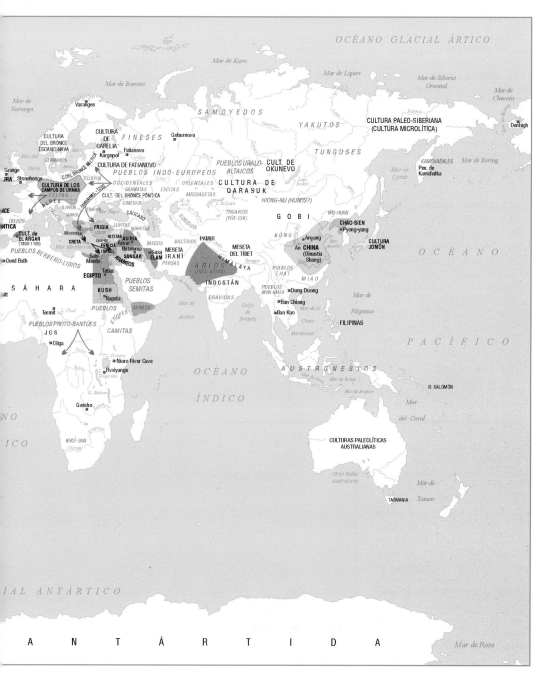

OCÉANO GLACIAL ÁRTICO

Mar de Kara

Mar de Barents

Mar de Laptev

Mar de Siberia
Oriental

Mar de
Chicota

Mar de
Noruega

Varanges

SAMOYEDOS

YAKUTOS

CULTURA PALEO-SIBERIANA
(CULTURA MICROLÍTICA)

Denbigh

CULTURA
DEL BRONCE
ESCANDINAVA

CULTURA
DE
CARELIA

FINESES

Goburnovo

TUNGUSES

GERMANOS

Fatianovo

Mar de
Ojotsk

KAMCHADALES
Pen. de
Kamchatka

Mar de Bering

Grange
JRA

Stonehenge

C DEL BRONCE BÁLTICA

CULTURA DE FATIANOVO

PUEBLOS URALO-
ALTAICOS

CULT. DE
OKUNEVO

PUEBLOS INDO-EUROPEOS

OCCIDENTALES

ORIENTALES

CULTURA DE
QARASUK

CHAO-SIEN
Pyong-yang

CULTURA
JOMÓN

CULTURA DE LOS
CAMPOS DE URNAS

ESLAVOS

SÁRMATAS

ESCITAS

MASSAGETAS

HIONG-NU (HUNOS?)

OCÉANO

ICE

CELTAS

ALPES

CULT. DEL BRONCE PÓNTICA

CIMERIOS

TOCARIOS
(YÜE-CHI)

GOBI

WU-HUAN

ÍBEROS
NTICA

ILIRIOS

CÁUCASO

L. Balkash

KÖNG

Anyang

Aó CHINA
(Dinastía
Shang)

CULTURA
JOMÓN

CULT. de
EL ARGAR
(1800-1100)

Micenas

CRETA

FRIGIA

LIDIOS

LUVITAS

HURRITAS

HITITAS

ASIRIA

Assur

BACTRIOS

PAMIR

MESETA
DEL TÍBET

HIMALAYA

Oued Bath

CHIPRE

FENICIA

ISRAEL

Sais

Menfis

Babilonia

SANGAR

ELAM

Susa

MESETA
IRANÍ

PERSAS

ARIOS
(INDO-ARIOS)

PUEBLOS
THAI

MIAO

EGIPTO

Tebas

MEDOS

ARAMEOS

INDOSTÁN

PUEBLOS
MON-KMER

Dong Duong

Mar de
China
Meridional

Mar de
Filipinas

SÁHARA

KUSH

Napata

PUEBLOS
SEMITAS

DRÁVIDAS

PUEBLOS
Ban Chiang

Ban Kao

FILIPINAS

OCÉANO

PACÍFICO

itt

Termit

L. Chad

PUEBLOS
MINEOS

ETÍOPES

Golfo
de
Bengala

Mar de
Arabia

PUEBLOS PROTO-BANTÚES
JOS

CAMITAS

Oliga

L. Victoria

Nioro River Cave

OCÉANO

AUSTRONESIOS

Mar de Banda

Rvviyange

Tanganika

ÍNDICO

Mar de Arafura

IS. SALOMÓN

Mar
del Coral

Gwisho

KHOÏ-SAN

Orange

CULTURAS PALEOLÍTICAS
AUSTRALIANAS

Gran Bahía
Australiana

Mar de
Taman

NO

TASMANIA

ICO

IAL ANTÁRTICO

A   N   T   Á   R   T   I   D   A

Mar de Ross

se vino abajo tras la invasión de los dorios, que introducen el hierro en Grecia. En paralelo a la conquista doria de Grecia, es posible que los etruscos, tal vez originarios de Asia Menor, emigraran al centro de Italia huyendo de los frigios. En la India, los arios continúan su asentamiento en la amplia llanura indo-gangética.

Introducen el hierro en el Indostán, mientras en otras zonas periféricas continúan perviviendo culturas calcolíticas (Bihar, Bengala, etc.). En el sudeste asiático se difunde el bronce, aunque el utillaje de piedra sigue siendo predominante. En China la dinastía Chou sucede a los Shang en el 1050 a. C. En Mesoamérica apare-

ce la primera de sus grandes civilizaciones: la cultura olmeca. En la zona andina surge la civilización de Chavín. La primera es una civilización predominantemente agraria, mientras en la segunda (Chavín) predomina la ganadería de llamas y alpacas. En ambos casos aparecen elaboradas instituciones políticas.

EL HIERRO EN EURASIA
Olmecas y Chavín en América
(1000-900 a. C.)

La metalurgia del hierro irrumpe lentamente en las culturas y sociedades eurasiáticas, modificando hábitos ancestrales. Desde Europa Central hasta la India el hierro sustituye poco a poco al bronce, al cobre o a la piedra como materias primas. En América se consolidan las culturas olmeca y de Chavín. La primera tiene en La Venta su centro más importante. Desde aquí la influencia olmeca llegará a toda la costa occidental y meridional del golfo de México y al interior mismo del altiplano. Chavín de Huantar irradia su influencia también hacia el norte (Lambayeque) y el sur (Ayacucho) de la costa pacífica peruana. En el resto de América las formas de vida se encuentran entre las prácticas paleolíticas (caza, pesca, recolección) y la agricultura y ganadería trashumantes. El siglo X a. C. es un tiempo de regresión en el Próximo Oriente y el Mediterráneo oriental. Anatolia se descompone en varias ciudades-estado hititas enfrentadas a los frigios. Grecia entra en los llamados "siglos oscuros" que siguen a la invasión doria. Egipto experimenta un retraimiento general, del que sale cuando es gobernado por algún soberano audaz, como en el caso de Sheshonk I, que invade Israel en el 920 a. C. Los judíos conocen durante el reinado de Salomón (966-926 a. C.) su único momento de cierto peso político en Oriente. Comerciaron con Arabia (Yemen, donde se hallaría el reino de Saba) y se asociaron con los fenicios para comerciar por el Mediterráneo. En efecto, bajo el rey Hiram I de Tiro (969-936 a. C.), los fenicios levantan una nueva talasocracia (como un milenio antes hicieran los cretenses) y extienden sus factorías por casi todos los rincones del Mediterráneo, e incluso fuera. Uno de los puntos tocados por los marinos fenicios fue la península Ibérica, donde fundaron Cádiz y entraron en relación con Tartessos. Incluso se aventuraron por el Atlántico hasta las Islas Británicas

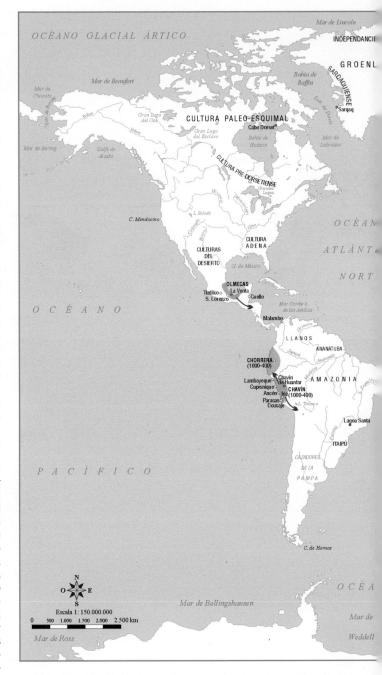

en busca de estaño. En Mesopotamia los asirios se recuperan de las invasiones arameas y se extienden hacia el oeste, buscando la costa mediterránea. Al norte de Asiria surge el reino hurrita de Urartu. Caldea (Babilonia) se encuentra oscurecida por Asiria. Aunque la expansión de la metalurgia del hierro tiende a refor-

zar el sedentarismo y la urbanización, extensas regiones escapan a este proceso. Se trata de la gran zona llana y esteparia de Europa oriental y Asia central, donde se reforzó la vida ecuestre y el nomadismo ganadero. Aquí aparecen los pueblos que durante varios siglos serán protagonistas centrales o late-

rales de la historia de Europa oriental, Asia occidental y la India: escitas, cimerios, sacios, alanos, massagetas, tocarios, etc. En la meseta de Mongolia y el Gobi aparecen una serie de pueblos conocidos luego como hunos (los hiong-nu de los añales chinos). Durante 1500 años estos pueblos serán un factor notable de la historia de China. En la India se produce la implantación del sistema de castas por los arios a lo largo del II período védico (1000-600 a. C.). La progresiva conquista del norte de la India por los arios desplaza al sur del subcontinente a los drávidas. La dinastía Chou de China evoluciona hacia un estado feudal, con lo que el poder imperial se ve reducido considerablemente. Las incursiones de los pueblos vecinos (hunos al norte, yüe al sur) llevan a fortificar las fronteras. En Europa central los proto-celtas llevan a cabo una vigorosa expansión hacia el sur y el oeste, y dan a conocer en estas zonas el hierro.

EL NOMADISMO ECUESTRE
Renacimiento de Asiria
(900-800 a. C.)

Las características climatológicas de este período –un clima más fresco y seco– inciden en la historia humana. Se generaliza el nomadismo ecuestre en toda la franja que va desde la llanura húngara hasta las llanuras del norte de China. Es decir, en la zona esteparia que hay al sur de los bosques de coníferas eurosiberianos y al norte del cinturón de desiertos que van desde la meseta del Irán al Gobi. Ante la imposición del nomadismo, las culturas que conservan una orientación sedentaria y agraria (cimerios de Ucrania, cultura de Qarasuk de Siberia meridional), declinan o desaparecen. El hierro también prende entre los pueblos fino-ugrios (del grupo altaico), que van sustituyendo sus útiles de piedra por el hierro.

Asiria continuó a lo largo del siglo IX a. C. su fortalecimiento. Bajo sus belicosos monarcas Asurbanipal II (883-859 a. C.) y su hijo Salmanasar III (859-824 a. C.), los asirios emprendieron campañas anuales contra sus vecinos. Esto les llevó a dominar en poco tiempo completamente Mesopotamia y someter a vasallaje Fenicia, Edom (arameos) e Israel, llegando a dominar la fachada oriental del Mediterráneo. La preponderancia asiria se vio favorecida por su superior táctica militar (Asiria era una sociedad militarizada), pero sobre todo por el empleo del hierro en la fabricación de armas. Los asirios aprendieron a obtener hierro en cantidad y su ejército fue el primero en estar completamente equipado con armas de hierro. Junto a esto, los asirios aprendieron a montar y dominar el caballo. El carro desapareció frente a la superioridad de caballo y jinete. En un Egipto replegado se establece la dinastía XXII, fundada por los invasores libios en el 950 a. C. En los primeros siglos del I milenio a. C. la población de la Europa Central creció considerablemente. Se roturan nuevas tierras y numerosas poblaciones se ponen en movimiento. En estas circunstancias se produjo la expansión celta, que desparramaron por la Europa atlántica y la península Ibérica la cultura de los campos de urnas. A Italia llegaron los pueblos itálicos, y los ilirios se establecen en las riberas del Adriático. En el África nor-sahariana, la población bereber (o libia, como la denominaron los griegos) se extiende por la costa mediterránea. La compartimentada configuración geográfica del Magreb, junto a la escasez de tierras de cultivo, favoreció la persistencia de sociedades pastoriles poco propensas a aceptar jefaturas. La fundación de Cartago por los tirios (fenicios) en el 810 a. C. pondrá por primera vez a los bereberes en contac-

OCÉANO GLACIAL ÁRTICO

Mar de Kara
Mar de Laptev
Mar de Siberia Oriental
Mar de Chucota
TAIMIR
Mar de Barents
Mar de Noruega
C. Norte

CULTURA PALEO-SIBERIANA

S I B E R I A

Mar de Bering
Mar de Ojotsk
KORIACOS

GERMANOS
BALTOS
PUEBLOS ESLAVOS
CELTAS
CULTURA DE LOS CAMPOS DE URNAS
VÉNETOS
LIGURES
DACIOS
CIMERIOS
TRACIOS
PUEBLOS ITÁLICOS
IBEROS
FRIGIA
Gordio
URARTU
Tuspa
PARTOS
ALANOS
SOGDIOS
BACTRIOS
KANG-GÜ
L. Baljash
M. de Aral
CULTURA DE QARASOUK
ESCITAS
Lago Baikal
HIONG-NU (HUNOS?)
GOBI
WU-SUN
YÜE-CHI
WU-HUAN
AINOS
CHAO-SIEN
Pyong-yang
CULTURA JOMÓN FINAL

OCÉANO

Cartago
Menix
Leptis
CRETA
CHIPRE
ASIRIA
Assur
Jerus.
Tiro
Babilonia
ISRAEL
Menfis
EGIPTO
Tebas
ARAMEOS
ELAM
Susa
PERSAS
MEDOS
TÍBET
PUNJAB
MALWA
DOAB
ARIOS
DRÁVIDAS DEL DEKKAN
Tsin-yang
Loyang
Wu
IMPERIO CHOU (CHINA)
Ying
Hsin
MIN-YÜEH
NUMIDAS
LIBIOS
Kufra (Oasis de)
SÁHARA
Tichitt
Kori Iwelen
Termit
TUBU
L. Chad
NOBATAS
JOS
Kintampo
SEMITAS
ARABIA
NUBIOS
Amara
Napata
Yeha
MINEOS
R. DE SABA
ETÍOPES
M. del Mediterráneo
Mar Rojo
G. de Persia
Mar de Arabia
Golfo de Bengala
Mar de China
Mar de China Meridional
Mar de Filipinas

OCÉANO PACÍFICO

L. Victoria
Kasai
Tanganika
L. Malawi
Zambeze
KALAHARI
KHÖI-SAN
Orange
C. de Buena Esperanza
MALAYOS
PUEBLOS AUSTRONESIOS
Mar de Java
Mar de Banda
Mar de Arafura

OCÉANO ÍNDICO

Gran Bahía Australiana
Mar del Coral
Mar de Tasman

IAL ANTÁRTICO

A N T Á R T I D A

Mar de Ross

to con una superior cultura. Pero sus efectos tardarán siglos en hacerse sentir. Al sur del Sáhara se descubren trazas de sedentarización y poblaciones permanentes en zonas del golfo de Guinea (entre Camerún y Gabón). En la región de los Grandes Lagos se atestigua el asentamiento de pueblos de etnogenia bantú o proto-bantú. En el extremo sur viven los cazadores y recolectores nómadas Köi-san.

En China el sistema feudal se revela eficaz para la defensa del reino frente a los enemigos exteriores nómadas, al favorecer la descentralización defensiva. Sin embargo, bajo el emperador Hsüan (827-782) los hsien-yün saquearon la capital, Hao. Más tarde –ya en el siglo VIII a. C.– el sistema feudal ocasionará el fin de la autoridad del emperador que, si bien sigue ejerciendo sus funciones, apenas tiene una autoridad efectiva frente a la que van ganando los estados semi-independientes en que se divide China.

La "edad oscura" griega termina hacia el 800-750 a. C. Las numerosas ciudades-estado griegas experimentaron un aumento de población en este tiempo y sacaron ventaja del dominio asirio en Fenicia para convertirse en los nuevos navegantes y marinos de la época, continuando así la tradición comercial y marinera que inauguraron los cretenses y siguieron los micénicos. Buscaban tierras en las que fundar colonias y materias primas para transformar. Así, las ciudades-estado griegas, sin otra autoridad por encima de ellas, se expandieron por el Mar Negro, Sicilia, norte de África, etc. Con el paso del tiempo no hubo rincón del Mediterráneo que no escudriñaran. La más notable de sus colonias tal vez fuera Siracusa (Sicilia) fundada el 735 a. C. El máximo competidor de los griegos fue Cartago. En las fértiles tierras negras de la actual Ucrania aparecieron varias tribus indoeuropeas que chocaron con los pueblos allí establecidos. Hacia el 750 a. C., irrumpen los cimerios en Crimea (que toma así su nombre) para luego dirigirse hacia el sur por el Cáucaso y combatir a Urartu. Hay que destacar en este siglo el inicio de la I Edad del Hierro en Europa o Cultura de Hallstatt (Austria). El hierro entronca con la cultura de los campos de urnas. La abundancia de hierro en la zona y las numerosas fundiciones propagan la metalurgia del hierro luego por el sur de Europa (desde España hasta Croacia). También se explotan minas de sal. La minería y la metalurgia ocasionan cambios sociales notables, al igual que lo ocurrido siglos antes en otras regiones que ya se iniciaron en la metalurgia del hierro: estratificación social en nobles, guerreros, artesanos, comerciantes, agricultores y esclavos, nuevas construcciones y ritos funerarios, etc.

En Oriente Medio Asiria despierta de un letargo de medio siglo. Bajo sus reyes Tiglatpileser VI (745-727 a. C.) y Salmanasar V (726-722 a. C.) los asirios rechazan a Urartu y

se presentan en las fronteras de un debilitado Egipto tras someter toda Siria y Palestina. Sargón II (722-705 a. C.) vuelve a rechazar a Urartu, que quería extenderse por la rica llanura mesopotámica. También se enfrenta a los medos en el este y derrota a Egipto en Rafia. Levantó una nueva capital en Kalaj. Egipto es conquistado por los etíopes de Napata, que logran detener, de momento, la conquista asiria. Aunque los principados arameos desaparecieron, no así su lengua, que se convirtió en lengua franca de la región medio-oriental hasta el comienzo de nuestra era.

En China los Chou se repliegan frente a los cada vez más numerosos

ataques de los nómadas de la estepa. La capital se traslada al este, a Loyang. Los historiadores suelen dividir la época de la nueva dinastía Chou Oriental en dos períodos: *Chunqiu* o período de primavera y otoño (722-480 a. C.), y período de los reinos guerreros (480-221 a. C.). Durante el primer período, el que

nos ocupa en este mapa, los monarcas chinos se encuentran en clara dependencia de los principados de la llanura del río Amarillo. Se trata de un fenómeno similar al que ocurrirá en Occidente durante la Edad Media. El país queda devastado por continuas guerras e invasiones nómadas. En el sudeste de Asia aparece la cul-

tura del bronce de Dongson. Se extendió también por Indonesia. En América del Norte, desde la zona de la bahía de Hudson, la cultura dorsetiense se extiende a todo el Ártico. Esta cultura perdurará hasta el siglo XVI, siendo todo un modelo de adaptación de las comunidades humanas de la zona a un medio tan adverso.

EL III IMPERIO ASIRIO
La expansión de los escitas
(700-600 a. C.)

La presión de los nómadas se multiplica. Desde el desierto del Gobi al Mar Negro su empuje se hace sentir en la periferia de las estepas. En la meseta de Mongolia y el Gobi aparecen los primeros testimonios de la cultura húnica, representados por las tumbas de losas. Cimerios y escitas emprenden sus correrías por Asia Menor y la meseta iraní. Los cimerios se dirigieron a Anatolia empujados por los escitas, hábiles jinetes. Éstos fueron los primeros de una larga serie de nómadas a caballo que desde Asia iban a caer sobre Ucrania, para desdicha de las poblaciones sedentarias del sur y, con el tiempo, del oeste. La desaparición de Urartu está relacionada con la irrupción escita del 620 a. C. En Anatolia los cimerios tropezaron con la oposición de Frigia primero, y de Lidia después. Luego aparecieron los escitas que completaron el fin de Frigia. Tras sus correrías por Asia Menor los escitas se vieron envueltos en las guerras entre asirios y medos. El rey medo Ciaxares los rechazó al norte del Cáucaso en el año 628 a. C. La hegemonía bélica de los escitas se debió a la superioridad de su táctica de combate en la estepa: jinetes a caballo con armas ligeras, con arcos de asta y flechas de bronce o hierro. Con el tiempo todos los ejércitos del Próximo Oriente adoptaron estas innovaciones. La gran potencia del momento es Asiria. Se vio envuelta en las convulsiones causadas por la invasión escita, pero esto apenas afectó a su encumbramiento. A lo largo del siglo VII a. C. se suceden tres grandes monarcas en el trono asirio, que no hacen sino aumentar las conquistas del anterior hasta el estrepitoso derrumbe del imperio al final del siglo VII: Senaquerib (704-681 a. C.), Asarhadon (680-669) y Assurbanipal (668-626). El primero asedió Jerusalem, acabó con Judá y destruyó Babilonia; el segundo conquistó Chipre, Egipto (671 a. C.) hasta Nubia, y ordenó reconstruir Babilonia; el tercero reconquistó

Egipto (que se independizó al poco de la primera conquista asiria), invadió Elam y destruyó Susa. A este último monarca cabe el honor de haber legado la gran biblioteca de Nínive (22.000 tablillas de arcilla). Los sucesores de Asurbanipal no pudieron mantener el imperio: los desórdenes internos, las invasiones escitas y la alianza de caldeos y medos terminaron para siempre con Asiria: sus ciudades fueron arrasadas (Assur en el 614, Nínive en el 612, Jarrán en el 608) y su población deportada. Tal era el odio de los vecinos de Asiria. Del derrumbe asirio los caldeos sacaron partido, que con Nabopolasar fundaron el

Imperio Nuevo babilonio (625-539). Egipto recuperó su independencia, primero con los monarcas etíopes de la XXV dinastía y luego con Psametico I (663-610) de la XXVI dinastía (saíta). Los medos vivían en el noroeste de Irán. Estuvieron en conflicto con Asiria, pero su desunión no les permitió enfrentarse con éxito a tan poderoso vecino. Hacia el 625 a. C. se unificaron bajo Ciaxares, que colaboró con los caldeos en el fin de Asiria. Después los medos levantaron un extenso, pero frágil, imperio desde Anatolia oriental al Turkestán. A China llega la metalurgia del hierro. Pero continúa la lucha entre los principados de Tsin, Chin y Chou por el predominio en el país, ante la pasividad de los monarcas Chou. En América la cultura agro-pastoril aparece en la ladera argentina de los Andes, mientras en Mesoamérica la influencia olmeca llega al Yucatán maya, donde se levantan los primeros edificios sobre plataforma.

EL FIN DE ASIRIA Y NUEVOS REINOS EN ORIENTE
(600-550 a. C.)

El omnímodo dominio que ejerció Asiria en todo el Oriente Próximo fue abatido por la coalición de caldeos y medos, junto a otros protagonistas menores, a fines del siglo VII a. C. Tras el fin de Asiria, y hasta que los persas levanten su imperio unas décadas después, se instala un equilibrio de poderes en el ámbito del Próximo Oriente-Mediterráneo oriental. El doble eje histórico que hasta entonces habían formado Mesopotamia y Egipto se ve desbordado por la entrada de nuevos pueblos, protagonistas activos desde ahora en el devenir histórico. En el oeste de Anatolia se afianza el reino de Lidia, que conoce con su rey Alyates (605-560) una gran expansión y establece relaciones con Egipto, Media y Babilonia. En este territorio se produjo la primera acuñación de moneda en serie, con lo que comienza la economía monetaria. Los medos llevaban varios siglos en el noroeste de Irán. Deiokes fundó el reino medo en el 715 a. C.). Pero fue Ciaxares (625-585) el creador del poderío medo: rechazó las invasiones de cimerios y escitas y, aliado a Babilonia, destruyó a Asiria, cuyos restos se repartieron ambos. Bajo soberanía meda se encontraban los persas, al sur de aquéllos, en el territorio que en tiempos fue del reino elamita. La capital meda se hallaba en Ecbatana (actual Hamadán). El otro reino es el de Caldea, también llamado Imperio neobabilonio. Los caldeos ocuparon el vacío político dejado por los asirios en Mesopotamia. Nabopolasar (625-606 a. C.) se proclamó rey de Elam, Mesopotamia oriental, Siria y Palestina. Su hijo y sucesor fue Nabucodonosor II (604-562). Afianzó el dominio babilonio sobre Siria, conquistó Judea (aliada de Egipto) y Jerusalem, y rechazó las pretensiones egipcias sobre Palestina (victoria en Karkemish). Este rey embelleció notablemente Babilonia, a la que dotó de grandes jardines y edificios, entre los que

destaca la mítica torre de Babel (un zigurat u observatorio astronómico, de 90 metros de altura). El último rey caldeo fue Baltasar, derrotado por los persas en el 539 a. C. Babilonia desapareció como reino para siempre y se convirtió en provincia persa. Egipto conoce un brillo crepuscular con la XXVI dinastía. Intentó la con-

quista de la costa sirio-palestina, pero fracasó frente a Babilonia, como vimos. Esto llevó a los egipcios a buscar la alianza de las ciudades griegas para contrapesar primero a los caldeos y luego a los persas.

En el abigarrado mundo griego las ciudades jonias se hallaban al frente de las demás en materia cul-

tural y desarrollo material. En Mileto y Éfeso se pusieron las bases de la filosofía especulativa y la física. En Atenas, el gobierno oligárquico era tan impopular que el reformador Solón echó las bases de la posterior democracia ateniense. En Europa occidental surgen las primeras entidades políticas. Se jerar-

quiza la sociedad. La colonización griega y los celtas llevan la metalurgia del hierro a Iberia y sur de Francia. Fin de la edad de oro de la cultura tartesia en España. Los cartagineses se afianzan en el sur ibérico. En el Mediterráneo occidental etruscos y cartagineses se alían para combatir a los griegos. China sigue con-

vulsionada por las luchas entre los distintos principados en que se halla dividida. En el Indostán los arios fundan los primeros reinos o principados a lo largo de la vasta llanura gangética. Se promulga el código de Manu (600 a. C.?), que regula todas las cuestiones morales y consagra el secular sistema de castas indio.

EL GRAN IMPERIO PERSA
Nuevas religiones. La filosofía
(550-500 a. C.)

El Imperio persa, también llamado Imperio aqueménida (debido a Aquemenes, un legendario monarca persa) fue el primer imperio gigante de la historia. Hasta ahora hemos visto poderosos reinos o imperios en Mesopotamia y Egipto de dimensiones modestas en cuanto a su extensión (entre 100.000-500.000 km² aprox.). Los persas levantaron en apenas medio siglo un imperio que llegó a extenderse desde Macedonia a la India en sentido oeste-este (4.000 km), y desde el Cáucaso a Arabia en sentido norte-sur (1.500 km). En tiempos de Darío I (522-484 a. C.) el Imperio pudo alcanzar los 5.000.000 km² aprox. y contar con 13.000.000 de habitantes, cifras desconocidas hasta entonces para la geografía política. Los persas continuaron la política expansionista de los medos, pueblo afín a ellos. Ciro II (559-529 a. C.) fue el fundador del Imperio. Desde el núcleo originario persa del sur de Irán, Ciro conquistó el reino medo (550 a. C.), Lidia (546), Babilonia (539) y toda la zona entre la meseta del Irán, la India y el mar de Aral. Darío I (522-484) conquistó Egipto, Tracia y Macedonia. Aunque para esta época suene un tanto desmedido o fuera de lugar, el propósito persa era lograr la hegemonía universal. Sus objetivos inmediatos eran asegurar la meseta del Irán, Mesopotamia y Anatolia dominando a los pueblos esteparios (escitas) situados al norte del Yaxartes (Sirdarya) y del Mar Negro, las ciudades griegas de Jonia y Egipto.

Darío fue el organizador del Imperio persa. Consciente de su vastedad, organizó el imperio en varias "satrapías" o provincias, construyó un complejo sistema viario y fundó una nueva capital, Persépolis. El zoroastrismo se convirtió en la religión oficial. Frente a Persia, gobernada por soberanos absolutos, en la pequeña y fraccionada Grecia, Atenas reforma su sistema político tendente a la evolución del régimen aristocrático a la

democracia merced a las reformas de Solón (594 a. C.). En Italia una desconocida Roma se independiza de los reyes etruscos (los Tarquinos) en el 510 a. C. El África septentrional (pueblos bereberes y libios) se integra paulatinamente en la dinámica del mundo mediterráneo a través de Cartago y la colonización griega.

Egipto se convierte en potencia marítima con el faraón Amasis (569-525 a. C.). Se alía con los lidios y griegos para frenar el expansionismo persa. Pero en el 525 es conquistado por los persas y se convierte en una provincia más de éstos. Al sur de Egipto el reino nubio de Kush se afianza en Meroé,

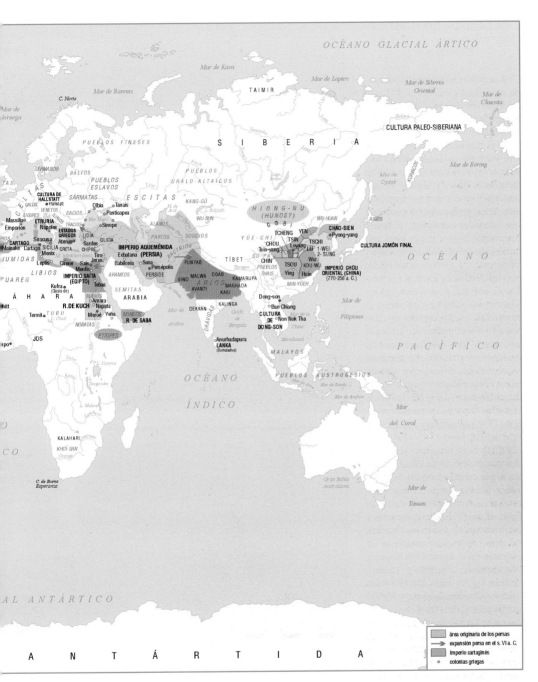

OCÉANO GLACIAL ÁRTICO

Mar de Kara

Mar de Laptev

Mar de Siberia
Oriental

Mar de
Chucota

TAIMIR

Mar de Barents

C. Norte

Mar de
Noruega

CULTURA PALEO-SIBERIANA

S I B E R I A

PUEBLOS FINESES

Mar de Bering

GERMANOS

BALTOS

PUEBLOS
URALO-ALTAICOS

PUEBLOS
ESLAVOS

Mar de
Ojotsk

KORIACOS

CULTURA DE
HALLSTATT

SÁRMATAS

E S C I T A S

KANG-GÜ

AINOS

CELTAS

GALOS • Hallstatt

Olbia • Tanais

WU-SUN

HIONG-NU
(HUNOS?)

Panticapea

LIGURES VENETOS

DACIOS

Sinope

G O B I

WU-HUAN

CHAO-SIEN

Massilia
Emporion

ETRURIA
Nápoles

TRACIOS

ALANOS

YÚE-CHI

TCHENG
CHOU

YEN

TSIN
TSCHI

Pyong-yang

CULTURA JOMÓN FINAL

O C É A N O

CARTAGO
Mainake Cartago

Siracusa
SICILIA

ESTADOS
GRIEGOS

Atenas

LIDIA

CILICIA

PARTOS

SOGDIOS

Tsin-yang

Loyang LU

1-WEI

2-SUNG

Menix

CRETA CHIPRE

Sardes

IMPERIO AQUEMÉNIDA

CHIN

Wu

JUMIDAS

Leptis

Cirene

Sais

Tiro-
Jerus.

Ecbatana (PERSIA)

TÍBET

SU-PA

TSOU

KOU-WU

LIBIOS

Menfis.

Babilonia

Susa

PUEBLOS
THAIS

Ying

Hsin

IMPERIO CHOU
ORIENTAL (CHINA)
(770-256 a. C.)

TUAREG

IMPERIO SAÍTA
(EGIPTO)

Tebas

Persépolis

ARAMEOS

PERSIDE

ARIOS

PUNYAB

KAMARUPA

SIND

MALWA

DOAB

MAGHADA

MIN-YÜEH

SÁHARA

NUBIOS

Amara

SEMITAS

ARABIA

AVANTI

KASI

Dong-son

Mar de
Filipinas

Whitt

R. DE KUCH

Napata

Yeha

MINEOS

DEKKÁN

KALINGA

Bari Chiang

Termit

TUBU

Meroé

R. DE SABA

Arabia

Golfo
de
Bengala

CULTURA
DE
DONG-SON

Non Nok Tha

P A C Í F I C O

NOBATAS

JOS

ETÍOPES

DRAVIDAS

Anurhadapura
LANKA
(Sinhalativa)

MALAYOS

Mar de
Aragh

KALAHARI

KHOÍ-SAN

Orange

PUEBLOS AUSTRONESIOS

O C É A N O

ÍNDICO

Mar
del Coral

C. de Buena
Esperanza

Gran Bahía
Australiana

Mar de
Taman

A L   A N T Á R T I C O

A   N   T   Á   R   T   I   D   A

área originaria de los persas
expansión persa en el s. VI a. C.
Imperio cartaginés
colonias griegas

desde donde propagarán la metalurgia del hierro por la zona circundante. Comienzo de la brillante civilización Nok (bantúes) en el curso medio del Níger. En Centroamérica surge Monte Albán como gran centro político y religioso con notables construcciones. En Perú entran en declive Chorrera y Chavín.

Este siglo tiene la particularidad de ver surgir simultáneamente en varias partes del mundo importantes movimientos religiosos y filosóficos, aparentemente desconectados entre sí. En Grecia se inicia el pitagorismo y el movimiento filosófico que será fundamento luego de toda la cultura occidental. Zoroastro (628-551) pre-

dica su religión en Persia (el zoroastrismo o mazdeísmo). En la India hacen lo propio Buda (563-483) y Mahavira (540-468), fundador del jainismo. En China es la época de Confucio (551-479) y Lao-tse (570-490), fundador del taoísmo. Y en Israel Jeremías, Ezequiel y Daniel llaman a la concordia universal.

LA EDAD DE ORO GRIEGA
Los "reinos guerreros" de China
(500-400 a. C.)

Los persas intentaron la conquista de Grecia (490-479 a. C.) para afianzar su dominio del Egeo. A pesar de los ingentes medios que pusieron en ello (la primera expedición la formaban 200 embarcaciones y 25.000 soldados persas, además de las tropas auxiliares), tras las batallas de Platea y Micala, los persas deben renunciar a sus pretensiones. Y los griegos logran conservar sus libertades culturales y políticas. La contraofensiva griega lleva a la liberación de las ciudades de Jonia y al ascenso de Atenas como ciudad rectora de Grecia, frente a los recelos de Esparta. Atenas crea la Liga Délica para contener a los persas en el exterior y a los espartanos en el interior. Esta liga será el medio, por otra parte, para que los atenienses levanten un gran imperio marítimo y comercial, calificado por algunos como imperialismo ateniense. La hegemonía ateniense fue indiscutible entre el fin de las guerras médicas (479) y el comienzo de las guerras del Peloponeso (431-404). Este conflicto entre atenienses y espartanos por el domino de Grecia terminará, por contra, dando la hegemonía a Tebas y luego a Macedonia. Atenas conoció bajo Pericles su edad de oro. Florecieron las artes y las ciencias en todos los órdenes, mientras la marina ateniense se imponía en el Egeo, Mar Negro y Mediterráneo oriental y central. Atenas llegó a tener 150.000 habitantes aproximadamente (50.000 ciudadanos y 100.000 esclavos). En Persia se sucedieron en el trono del Gran Rey (shasanshah) Jerjes I (486-565), Artajerjes I (465-424) y Darío II (424-404). Estos monarcas mantienen la unidad del país, pero desde la derrota en Grecia gobiernan ya sobre un imperio frágil. Se suceden las rebeliones de algunas satrapías: Egipto, Babilonia, India. Los escitas occidentales entran en contacto con las colonias griegas del Mar Negro y sufren una parcial helenización. Los orientales continúan amenazantes en las fronteras

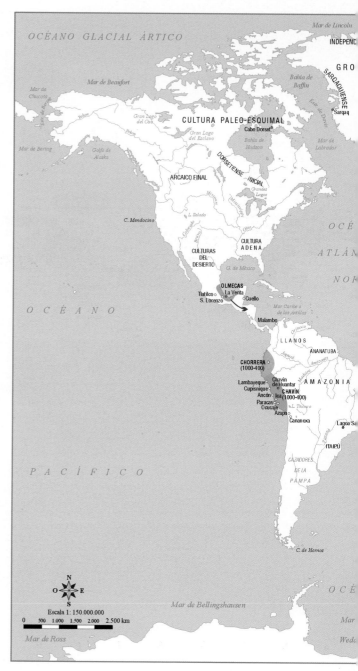

asiáticas del Imperio persa, junto a los massagetas (una tribu escita u otro pueblo, según qué autores). En Europa comienza la II Edad del Hierro, el período de La Tène. El hierro entra en la vida cotidiana. Agricultura extensiva, cereales, ganadería vacuna y porcina, etc. Expansión celta en sucesivas olea-

das, generalmente pacíficas. En Escandinavia también entra la metalurgia del hierro. Cultura de Lusacia en el centro del continente. En Italia declina Etruria. La Roma republicana se afianza en el Lacio y reglamenta su constitución política (Ley de las Doce Tablas, 450 a. C.). Al otro extremo de Eurasia, en China,

la secular lucha entre los principados chinos, entra en su fase aguda. Los anales chinos se refieren a los últimos siglos de la dinastía Chou oriental como el "período de los Reinos Combatientes" (481-221 a. C.). Entre estos reinos aparece al oeste Chin, baluarte frente a los nómadas hunos, que con el tiempo unificará el país. La descomposición política de China es aprovechada por los pueblos vecinos para realizar incursiones contra la llanura china. En la India, la presencia persa en el río Indo favorece la creación de nuevos reinos. En el este (Bengala) surge el importante reino de Magadha. Los olmecas ceden el testigo cultural de Mesoamérica a Monte Albán (Oaxaca), mientras en África la civilización Nok se consolida. Probablemente tuviera relaciones con el reino de Meroé. Aparece el núcleo de los pueblos mandingos y soninké en el oeste. La metalurgia del cobre llega hasta el sur del continente (zona del río Zambeze).

EL IMPERIO MACEDONIO
La expansión celta en Europa
(400-300 a. C.)

La II Edad del Hierro se impone en prácticamente toda Europa al compás de la expansión céltica. Esta nueva fase del hierro recibe influencias escitas por el este a través de los Cárpatos y la llanura húngara. Y por el sur doblemente a través de la importante colonia griega de Masalia (Marsella) y de la cultura etrusca a lo largo del Po. Los celtas difunden desde su núcleo originario del norte de los Alpes esta nueva cultura y la civilización urbana a zonas que se habían quedado culturalmente rezagadas, bien por su condición periférica o por malas comunicaciones (Islas Británicas, Iberia, macizo de Bohemia). Con la adopción de esta cultura se produce la celtización de las poblaciones receptoras. Los celtas no suplantaron a las poblaciones de los lugares en que se asentaron; generalmente se mezclaron con ellas o se superpusieron. La vigorosa expansión celta de este siglo tomó cuatro rutas: hacia el oeste en dirección a Francia, Iberia e Islas Británicas; hacia el sur en dirección a Italia, donde chocarán con el naciente poderío romano; por el sureste llegaron a los Balcanes, y por el centro del continente a Bohemia (país de los boios, tribu celta). En otras partes de Eurasia también se producen importantes movimientos de población. Los sármatas, próximos a los escitas, progresan por Ucrania y sur de Rusia. Y los massagetas presionan sobre las fronteras nororientales del moribundo Imperio persa, enseguida sustituido por el macedonio.

En efecto, en Grecia y, sobre todo, en Macedonia se produjeron importantes cambios políticos tendentes, primero, a la formación de una fuerte monarquía y, luego, un extenso imperio. En Grecia las guerras del Peloponeso (431-404) dieron la hegemonía a Esparta hasta el 362, en que fugazmente pasa a Tebas. Este conflicto fratricida entre griegos dejó al país inerme frente al ascenso de Macedonia. Los macedonios eran culturalmente griegos,

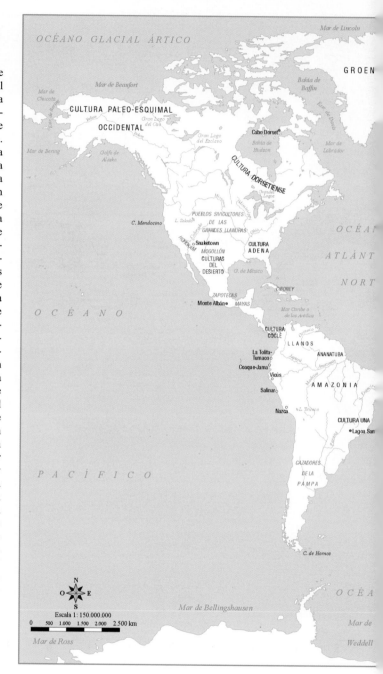

pero a ojos de los demás griegos no eran sino unos bárbaros (extranjeros incultos). Macedonia ya era un reino desde tiempo atrás, pero en el reinado de Filipo II (359-336 a. C.) se convirtió en gran potencia con la conquista de Tracia. Después Filipo se volvió contra las ciudades griegas, a las que agrupó en la Liga de

Corinto bajo su hegemonía. Murió cuando se decidía a invadir Persia. Su hijo y sucesor Alejandro Magno (336-323) consolidó primero las posesiones macedonias en Europa y emprendió luego la conquista de Persia, realizada en un tiempo brevísimo (334-330). A ello contribuyeron la debilidad del Imperio persa

OCÉANO GLACIAL ÁRTICO

Mar de Kara

Mar de Laptev

Mar de Siberia Oriental

Mar de Chucota

TAIMIR

Mar de Barents

C. Norte

Mar de Noruega

PUEBLOS FINESES

S I B E R I A

Mar de Bering

GERMANOS
BALTOS
PUEBLOS ESLAVOS
CELTAS
AS
CULTURA DE LA TÉNE
SÁRMATAS
GALOS
VENETOS
DACIOS

PUEBLOS URALO-ALTAICOS

ESCITAS
KANG-GÜ
WU-SUN
HIONG-NU (HUNOS?)
GOBI
WU-HUAN
AINOS
KORIACOS
CULTURA PALEO-SIBERIANA

Mar de Ojotzk

OCÉANO

Marsella
Emporion
ROMA
Nápoles
Roma
Siracusa
MACEDONIA
GRECIA
Atenas
Mileto
CRETA
CHIPRE
Menix
CARTAGO
Cartago
Mainake
IBEROS
Tiro
SIRIA
Jerus.
R. NABATEO
Petra
Alejandría
Menfis
EGIPTO
Tebas
Kufra (Oasis de)
Amara
Termit
KORDOFÁN
Daima
NOK
JOS
PUEBLOS BANTÚES
ntampo
CULTURA UREWE
LUBA
KALAHARI
KHOÍ-SAN
C. de Buena Esperanza

TRACIA
BITINIA
LIDIA
Gordio
Tuspa
ARMENIA
Sinope
HIRCANIA
PARTIA
Maracanda
SOGDIANA
Bactra
BACTRIANA
IMPERIO MACEDONIO
Babilonia (hasta 323 a.C.)
Susa
PERSIA
Persépolis
MAKÁN
Pátala
IMP. MAURYA
MALWA
AVANTI
ANDHRA
KALINGA
KASI
KOSALA
MAGADHA
Patna
PUNYAB
CACHEMIRA
Taxila
TIBET
HIMALAYA
TOCARIOS
YÜE-CHI
DESIERTO DE TAKLA-MAKÁN
CHORASMIA
PARTIA
TSIN
CHIN
Tsin-yang
HAN
Loyang
CHAO
WEI
LU
TSCHI
YEN
CHAO-SIEN
Pyong-yang
SUNG
Souchun
Wu
JOMÓN FINAL-CULTURA YAYOI

IMPERIO CHOU ORIENTAL (CHINA) (770-256 a.C.)

TSOU
Ying
Hsin
MIN-YÜEH

DRAVIDAS
PUEBLOS THAIS
CULTURA DE DONG-SON
Dong-son
Ban Chiang
Non Nok Tha
LANKA
Anurhadapura

OCÉANO PACÍFICO

NUMIDAS
LIBIOS
TUAREG
SÁHARA
SONINKÉ
Tichitt
ÑOS
SEMITAS
ARABIA
MINEOS
R. DE SABA
Matrib
Yeha
Chawa
NUBIOS
Napata
KUCH
Meroé
NOBATAS
ETÍOPES

Arabia

Golfo de Bengala

Mar de Filipinas

Mar de China Meridional

MALAYOS
PUEBLOS AUSTRONESIOS

OCÉANO ÍNDICO

Mar de Banda
Mar de Arafura

Mar del Coral

Gran Bahía Australiana

Mar de Taman

IAL ANTÁRTICO

A N T Á R T I D A

Mar de Ross

(un gigante con pies de barro) y la pericia militar de Alejandro junto al sistema de combate macedonio. La expansión se realizó en tres fases: a) conquista de Anatolia y Egipto; b) irrupción en Mesopotamia y meseta de Irán; y c) campañas por Oriente (Bactriana, Sogdiana e India). Alejandro murió en Babilonia, a la vuelta, y comenzó la lucha entre sus generales (los diadocos) por su herencia territorial y política. En la India, la incursión de Alejandro Magno puso en guardia a Magadha y otros reinos del Indo y el Ganges, que reforzaron su defensa frente a los macedonios. En China se impone la metalurgia del hierro totalmente. La permanente guerra entre los principados chinos, y de éstos contra los nómadas hunos, favorece un extraordinario desarrollo de los talleres y artes relacionadas con éste metal. Hacia el 350 a. C. el estado de Chin, dotado de una administración centralizada y un fuerte ejército, se impone en el oeste de China.

EL HELENISMO Y ROMA
Reunificación de China. Asoka.
Inicio de la civilización maya
(300-200 a. C.)

Da la sensación de que en Eurasia los estados de la periferia toman el relevo a los del centro. Esta afirmación se ve corroborada por el hecho del surgimiento de tres grandes estados que pronto desbordan sus fronteras originarias: Roma, el Imperio Maurya de la India y la China reunificada por la nueva dinastía Chin. Entre tanto, del gran Imperio macedonio surgen una serie de reinos en casi permanente discordia en toda la zona que se extiende de Grecia a la India. Roma y Cartago se enfrentaron en la II guerra púnica (218-201 a. C.) por el dominio del Mediterráneo occidental. Roma resultó vencedora a pesar de la brillante estrategia del caudillo cartaginés Aníbal. Cartago nunca se recuperará de esta derrota. Los romanos se convierten en una formidable potencia que, al poco tiempo, intervendrá también en el otro extremo del Mediterráneo. El Imperio de Alejandro Magno se lo repartieron sus generales: Tracia a Lisímaco, Macedonia y Grecia a Antípatro, Egipto a Ptolomeo, Frigia y Lidia a Antígono y el resto de Asia a Seleuco. A los pocos años de este reparto apenas queda nada en pie. Con el paso del tiempo de estos territoros surgirán nuevos reinos, sobre todo en Asia, que complicarán notablemente la fisonomía política de toda la región. Tan sólo Egipto y las posesiones de Seleuco alcanzaron cierta estabilidad y poder. El resto fueron cayendo en manos de otras fuerzas emergentes, como Roma. Egipto volvió a ser con los lágidas (dinastía fundada por Ptolomeo) un importante emporio comercial y foco cultural gracias a su capital Alejandría. El Imperio seleúcida (capital: Babilonia) conoció bajo Antíoco II (287-246 a. C.) su período más notable. Luego, por el este, los partos iniciaron la penetración en la región del mar Caspio, y en Bactriana nació un singular reino greco-bactriano que sincretizó el helenismo con el budismo.

En la India, los soberanos de Magadha, de la dinastía maurya, fundada por Chandragupta I (321-297 a. C.), rechazaron los intentos de los seleúcidas de ir más al este del Indo. Asoka (272-231) fue el fundador del primer Imperio indio al logar la conquista de casi todo el subcontinente (sólo escapó a su control el extremo sur de cultura drávida). Soberano belicoso al principio, más tarde se convirtió al budismo y se volvió tolerante con todas las confesiones. La impronta de este soberano en la historia de la India llega hasta la actualidad. Algo similar ocurrió en China con el régimen de Shih Huang Ti (258-210 a. C.) de la casa

Chin. Este monarca depuso a la dinastía Chou oriental y unificó *manu militari* toda China. Creó un estado unitario y centralizado, dirigido por funcionarios, no por aristócratas. Dividió el país en provincias y comandancias militares, unificó pesas y medidas, la moneda y la escritura. El trazado de la gran muralla data de esta época. Al morir este enérgico emperador de la China reunificada, ascendió la dinastía Han occidental, que mantuvo las reformas de los Chin. Al norte de China se formó la primera confederación de los hunos, con la que los monarcas de la casa Han mantendrán cuatro siglos de conflictiva relación. Un rápido recorrido por América nos lleva de las culturas esquimal y dorsetiense (cazadores y pescadores) del Ártico, a los silvicultores de las grandes llanuras, al nacimiento de la civilización maya en Mesoamérica, centrada en este momento en Tikal. Al sur del continente destacan los notables focos de Nazca y Pucara.

LA EXPANSIÓN ROMANA
El Imperio Han de China
(200-100 a. C.)

Durante los cuatro siglos siguientes, Roma y China van a protagonizar, con sus altibajos, la historia de Eurasia. Los romanos resultaron vencedores de la II guerra púnica (218-201 a. C.), se convirtieron en dueños del Mediterráneo occidental e iniciaron la conquista de Hispania. En el este conquistaron Iliria, los reinos de Épiro y Macedonia, y el resto de Grecia a lo largo de la primera mitad de este siglo. Luego pusieron pie en Asia Menor, donde entraron en conflicto con los seleúcidas de Siria. De esta manera los romanos se adueñaron de toda la ribera norte del mar Mediterráneo (su *mare nostrum*, poco después) y de parte de la meridional (Numidia y Túnez). A la par de esta rápida expansión exterior de la república romana, en el interior estallan, en el último tercio del siglo II a. C., las primeras luchas sociales entre patricios y plebeyos, que se prolongarán a lo largo del siglo siguiente, no obstante las reformas sociales introducidas por los Gracos (133-121 a. C.). La inesperada invasión de los cimbrios, teutones y escordiscos (pueblos germanos, 113-101 a. C.) frenarán la expansión territorial romana momentáneamente.

En el otro extremo del continente, la dinastía Han (202 a. C.-220 d. C.) inaugura en China un período de cuatro siglos de prosperidad y poder político. La dinastía Han occidental fue fundada por Liu Pang (202-195 a. C.). Con el soporte moral del confucionismo, los Han dotaron a China de un estado burocrático, un eficaz sistema impositivo, grandes proyectos hidráulicos (el canal imperial) y reforzaron la gran muralla para contener a los hunos de Mongolia, que se unificaron en el siglo anterior. El momento álgido de este período es el largo reinado del enérgico Wu Ti (140-87 a. C.): rechazó a los hunos al interior de Mongolia, conquistó el Turquestán oriental (Kashgaria) y abrió la ruta de la seda; en el sur, la frontera china llegó hasta Tonkín. Por su

extensión, población y desarrollo técnico, China se encontraba, sin duda, a la cabeza del mundo desarrollado de la época. Entre Roma y China, de oeste a este se encontraban varios reinos en diverso grado de desarrollo y poder. En Asia occidental el poder seleúcida se encontraba en franco retroceso: por el oeste presionaban los romanos, y por el este el poderoso reino de los partos arsácidas. Los partos fundaron un estado semi-feudal que heredó la tradición histórico-política de los persas. Más tarde Partia será la gran rival de Roma en el este. Egipto es en esta época el más próspero de los reinos helenísticos. También de cultura

OCÉANO GLACIAL ÁRTICO

Mar de Kara

Mar de Laptev

Mar de Siberia
Oriental

Mar de
Chucota

Mar de Barents

TAIMIR

C. Norte

Mar de
Noruega

LAPONES

Mar de
Ojotsk

Mar de Bering

PUEBLOS FINESES

SIBERIA

CULTURA PALEO-SIBERIANA

VOGULOS

GERMANOS
SEPTENTRIONALES

ESCOTOS

YUTOS

Mar de Bering

BÁLTICO

BRITANOS

BÁLTICOS

PUEBLOS
ESLAVOS

PUEBLOS
URALO-ALTAICOS

KORIAKOS

GERMANOS
GALOS

ESCITAS

KANG-GÜ

HIÓNG-NU
(Mao-tun, 209-174 a. C.)

SÁRMATAS

VOLCOS

DACIOS

Olbia R. del
BÓSFORO
Panticapea

Tanais

WU-SUN

WU-HUAN

AINOS

Massilia REPÚBLICA
ROMANA

TRACIA

Sinope

YÜE-CHI
KASGARIA

CHAO-SIEN
Pyong-yang

OCÉANO

Tarraco
ANIA

Roma
Nápoles

EPIRO MACED

BITINIA
PERG GAL

PONTO

ARMENIA

PARTIA

SOGDIANA

YEN

TSCHI

CULTURA YAYOI

Siracusa
Cartago

Atenas
CRETA

Mileto
CHIPRE

SIRIA

IMPERIO ARSÁCIDA
(PARTO)

Bactra

Taxila CACHEMIRA

CHAO
Loyang

WEI
LU

Wu

NUMIDIA

Menix

Alejandría

Ecbatana

PERSIA

ARACOSIA

DOB-DSHI
(TIBETANOS)

Tsin-yang

IMPERIO CHINO

Souchun

GAETULIOS

Leptis

Menfis

ISRAEL
Jerus.

Petra
R. NABATEO

Susa

Kermán
Harmotia

IMPERIO
GRECO-
BACTRIANO

KOSALA

Ying

Hsin

LIBIOS

IMPERIO LÁGIDA
(EGIPTO) Tebas

SEMITAS

MAKÁN

Patala

AVANTI

Patna

MAGHADA

Nan-hei

MIN-YÜEH

TUAREG

Kufra
(Oasis de)

ARABIA

MINEOS

Lothal

Paithán

ANDHRA

Palura

KALINGA

Dong-son

Beikthamo

Ban Chiang

Mar de
Filipinas

SÁHARA

TUBU

KUCH

Amara
Napata

KORDOFÁN

Meroé

Matrib
R. DE SABA

Chawa

Amaravati

SATIYA-
PUTRA

Sopatma

Non Nok Tha

Termit

Daima

NOBATAS

NÓBATAS

CHERA

CHOLA

PANDYA

Anurhadapura

CINGALESES

LANKA

PACÍFICO

NOK

JOS

PUEBLOS
BANTÚES

ETÍOPES

CULTURA DE DONG-SON

PUEBLOS
THAIS

MALAYOS

OCÉANO

ÍNDICO

PUEBLOS AUSTRONESIOS

CULTURA
UREWE

LUBA

Mar
del Coral

Chifumbaze

KALAHARI

Gran Bahía
Australiana

KHOÏ-SAN

C. de Buena
Esperanza

Mar de
Taman

AL ANTÁRTICO

ANTÁRTIDA

▨	territorio romano en el 200 a. C.
▨	conquistas romanas a lo largo del s. II a. C.
▨	China al acceder al trono los Han (206 a. C.)
→	expediciones chinas al oeste y el norte
▢	conquistas chinas a lo largo del s. II a. C.

helenística era el reino greco-bactriano (239-130 a. C.), fundado por
Menandro. Llegó a extenderse
desde las estepas de Asia central a la
llanura del Ganges y englobó una
variadísima gama de poblaciones,
culturas, economías y credos religiosos. Desapareció en el 130 a. C.
ante el ataque de sacios y tocarios

(yüe-chi). En la India se disolvió el
Imperio maurya. Diversas soberanías
se reparten el territorio: los andhra (o
savavahanas) en el Dekán, Kalinga, y
tamiles, drávidas y cingaleses en el
sur. Al este Magadha, bajo los sunga.
En Sudamérica surge la cultura
mochica en el valle de Chicama
(franja costera desértica de Perú), y

en el altiplano del lago Titicaca se
levanta Pucará. Kaminaljuyú se
convierte en el principal centro
maya en Mesoamérica. En África
los bereberes organizan un sistema
caravanero y comercial que enlaza
Egipto y Nubia (reino de Kuch) con
el lago Chad, el valle del Níger (cultura Nok) y oeste del continente.

CHINA Y EL IMPERIO HUNO
Mayas y mochicas en América
(100-0 a. C.)

Desde el mar Báltico al mar Amarillo, al norte de la zona de los grandes estados (Roma, Partia, Imperio sacio, China) se produjeron importantes movimientos de pueblos. En Centroeuropa los germanos inician su marcha hacia el sur desde sus lugares de origen de la Escandinavia meridional y costas del Báltico. Los primeros en sentir su presión son los pueblos celtas y luego Roma. Al finalizar el siglo dominan el cuadrado formado por el Rin, el alto y medio Danubio y el Vístula. Más al este, en las llanuras pónticas, los sármatas se convierten en pueblo hegemónico hasta el Turquestán occidental, desplazando a los escitas. Éstos, o una rama de sus ramas, los sacios, levantarán en Bactriana un gran imperio. Los hunos son, entre los pueblos nómadas, los que se convierten en una gran potencia en esta época. La presión de los chinos les forzó a retirarse al interior de Mongolia y a Zungaria, pero no por ello perdieron empuje. A mediados de siglo dominaban hasta el Turquestán oriental y empujaron hacia el oeste a los tocarios o kusanios (los yüe-chi de los chinos), que a su vez empujaron hacia el sur –a Bactriana y la India– a los sacios. Los chinos mantuvieron sus dominios en Asia central hasta el gobierno de Wang Mang (9 a. C.-23 d. C.). La cultura china alcanzó las más apartadas regiones de Asia oriental (Corea, Indochina, Japón) y desde entonces se convirtió este país en un punto de referencia político y cultural para sus más atrasados vecinos.

Roma inicia este siglo debilitada a causa de una expansión territorial tan rápida y de la presión de los germanos por el norte y los bereberes por el sur. Además, estallan las guerras sociales y civiles, que no concluirán sino con el establecimiento del sistema imperial por Octavio Augusto (27 a. C-14 d. C.). En este intervalo, al compás de las guerras civiles, Roma siguió ampliando sus territorios: conquista de la Galia

(por Julio César), Egipto, Asia Menor e Hispania, hasta alcanzar la línea Rin-Danubio. En el plano interior, a la dictadura de Sila (-88-79) siguió el gobierno de Pompeyo, y luego el primer triunvirato entre César, Pompeyo y Craso (-60-45), el breve gobierno de César (-45-42) y el segundo triunvirato (-43-27) entre

Augusto, Lépido y Marco Antonio. Augusto resultó vencedor y el Senado le otorgó todos los poderes: había nacido el Imperio romano. En Asia occidental, los partos arsácidas frenaron la expansión romana. Como ninguna de las dos potencias estaba en condiciones de aniquilar a la otra, llegaron al compromiso de

OCÉANO GLACIAL ÁRTICO

Mar de Kara
Mar de Laptev
Mar de Siberia Oriental
Mar de Chucota
Mar de Barents
TAIMIR
C. Norte
Mar de Noruega
LAPONES
CULTURA PALEO-SIBERIANA
Mar de Bering
S I B E R I A
PUEBLOS FINESES
VOGULOS
GERMANOS SEPTENTRIONALES
ESCOTOS
yute
BALTOS
PUEBLOS URALO-ALTAICOS
Mar de Ojotsk
KORIACOS
Mar de Bering
ESCOTOS
BRITANOS
GERMANOS
PUEBLOS ESLAVOS
E S C I T A S
KANG-GÜ
HIONG-NÚ
WU-HUAN
AINOS
GALIA
SÁRMATAS
Olbia R. del BOSFORO Tanais
M. de Aral
L. Balkash
VOLCOS VENETOS
DACIOS
Panticapea
WU-SUN
GOBI
YEN TSCHI CHAO-SIEN
Massilia REPÚBLICA ROMANA
TRACIA
Sinope
YÜE-CHI (KUSANIOS)
KAN-SÚ CHAO
Pyong-yang
Tarraco
Roma
ÉPIRO MACED. BITINIA PONTO
SOGDIANA
Loyang WEI LU
CULTURA YAYOI
CANIA
Nápoles
ACAYA ASIA CILICIA
ARMENIA
Bactra
Tsin-yang IMPERIO CHINO
OCÉANO
Siracusa
Atenas
Mileto SIRIA
PARTIA
CACHEMIRA
Souchun Wu
Cartago
CRETA CHIPRE
Taxila
BOD-DSHI (TIBETANOS)
DIAN Ying Hsin
NUMIDIA
Menix
ISRAEL
IMPERIO ARSÁCIDA (PARTO)
Alejandría Jerus.
Echatana PERSIA
HIMALAYA
IMPERIO SACIO
KOSALA
Nan-hei MIN-YÜEH
GAETULIOS
Leptis
Petra R. NABATEO
Susa Kermán
(Indo-escitas)
Patala Patna
PUEBLOS THAIS
Menfis
Harmotia
MAKÁN
Patala
MAGHADA
LIBIOS
EGIPTO
AVANTI
Mar de Filipinas
TUAREG
Kufra (Oasis de)
SEMITAS
Tebas
Lothal
ANDHRA Patura
KALINGA Beikthamo
MON-KMER
S Á H A R A
ARABIA
NUBIOS
Amara
Paithán
Amaravati Golfo
CHAM
TUBU
KUCH
Napata
Adulis
SATIYA-PUTRA Sopatma
China
Mar de la
NINIKÉ
Termit
KORDOFÁN Meroë
R. DE SABA
Chawa Mar de
CHERA CHOLA
Mendisnal
chitt
L. Chad
Matrib
Arabia
PANDYA
NOK
Daima
NOBATAS
Axum
Anurhadapura
JOS
AZANIA
CINGALESES
LANKA
Tipo
PACÍFICO
PUEBLOS BANTÚES
MALAYOS
PUEBLOS AUSTRONESIOS
Mar de Java
OCÉANO
CULTURA KWALE
Mar de Banda
L. Victoria
Mar de Arafura
ÍNDICO
LUBA
L. Malawi
Chifumbaze
Zambez.
Mar del Coral
Dambwa
KALAHARI
KHOÍ-SAN
Gran Bahía Australiana
Mar de Taman
C. de Buena Esperanza

AL ANTÁRTICO

A N T Á R T I D A

territorio romano el 100 a. C.
el Imperio romano tras la muerte de Augusto (14 d. C.)
campañas militares romanas

fijar en el Éufrates su frontera común. Los partos controlaban el comercio con la India y la ruta de la seda con China, al estar justo en el centro de las rutas caravaneras que hacían este recorrido. Partia fue para Roma un obstáculo infranqueable. La Europa céltica fue absorbida poco a poco por Roma; los pueblos

celtas independientes quedan relegados en el occidente insular europeo (Gran Bretaña e Irlanda). El nuevo peligro para los romanos en el norte son ahora los germanos. En la India se levanta sobre lo que fue el reino greco-bactriano el nuevo Imperio sacio de Maues, pronto sustituido por el de los kusanios, que presionan

desde el norte. En las grandes llanuras de Norteamérica surgen las primeras sociedades agrícolas. En el centro del continente se expande la ciudad zapoteca de Monte Albán. En el área maya se agranda Tikal y aparecen los primeros calendarios mayas (Izapa). Mochicas y Nazca extienden su influencia en Perú.

LA "PAX ROMANA". PARTIA
Nacimiento del cristianismo y expansión del budismo
(1-100 d. C.)

Siglo marcado por importantes transformaciones políticas en los grandes imperios de Eurasia (Roma, China, Partia) y por el surgimiento de otros, como el kusanio. Junto a esto, el nacimiento de una nueva religión, el cristianismo, llamada a ser más tarde una de las mayores confesiones religiosas del mundo, y la universalización del budismo al propagarse por China y Extremo Oriente. El cristianismo apareció en Palestina como un movimiento reformador del rígido judaísmo ortodoxo. Más tarde, merced al proselitismo de los discípulos de Jesucristo y los viajes y escritos de Pablo de Tarso, el cristianismo adoptó su fundamento doctrinal y se convirtió en credo propio separado del judaísmo. A la difusión del cristianismo contribuyó la paz romana, el latín como lengua franca y el agotamiento de la religión tradicional. En el primer siglo de Roma como imperio, los gobernantes romanos se empeñaron en redondear sus dominios alrededor de las costas del Mediterráneo, incorporar nuevas tierras (Britania, Tracia, Mauritania, Capadocia, Armenia, etc.), contener a germanos y bereberes y reforzar las fronteras orientales frente a los partos. La Europa germánica nos es conocida por Tácito (55-120), que describe los distintos pueblos y sus formas de vida: dinámica vida agropastoril, dominio del hierro, buenos jinetes, acentuado espíritu de independencia, ocasionales confederaciones tribales entre ellos, etc.

El Imperio parto se ve sacudido por algunas crisis dinásticas tras los reinados de Artabán III (18-43) y Vologeso (51-70). Sin embargo lograron contener a los romanos, que querían llevar sus fronteras al golfo Pérsico para comerciar directamente con China sin el intermedio parto. El zoroastrismo se convirtió en la religión oficial de Partia. Encajonada entre partos y romanos se encontraba Armenia, que a duras penas mantuvo su independencia

ante tan voraces vecinos. En China, el usurpador Wang Mang (9 a. C. -23 d. C.) es depuesto, y los Han vuelven al trono. Liu Tsiu funda la dinastía Han oriental (23-220). Nuevo florecimiento del Imperio chino: se recupera el Turquestán (campañas de Pan-chao) y se reabre la ruta de la seda por tierra y mar, desde el puerto

de Nan Hai (Cantón) hasta Roma, se inventa el papel, y la influencia China se extiende por doquier. Al este de los partos y al oeste de China, aparece el Imperio kusanio en sustitución del indo-parto o indo-escita. Kaniska I el Grande (80-120 a. C.?) es su soberano más notable: los kusanios llegaron a controlar

una extensa área desde Irán oriental al norte de la India. El budismo se encontraba en franco retroceso frente al brahmanismo en la India, su lugar de origen, cuando los soberanos kusanios se hicieron budistas. Luego el budismo llegó a China por la ruta de la seda y más tarde los chinos lo expandieron por Corea, Japón e Indochina. En esta última región (valle del bajo Mekong) apareció el reino de Funán, de cultura india y religión brahmánica. Fue el primero de una serie de reinos que surgirán a partir de ahora en Indochina, merced a la influencia india y china, y al desarrollo del comercio. Por otro lado, en América comienza la construcción de la impresionante ciudad y centro ceremonial de Teotihuacán (México). Se levantó según un plan previo y poco después su influencia llegará a los mayas y a toda Centroamérica. La cultura de Hopewell (grandes túmulos funerarios con ofrendas) se extiende por el valle del río Ohio.

LOS IMPERIOS DE EURASIA
Expansión de Teotihuacán
(100-200)

El Imperio romano alcanzó su mayor extensión en el siglo II, el llamado "siglo de los Antoninos" (96-192). Trajano (98-117) conquistó Dacia (act. Rumania), Armenia y Mesopotamia, relegando a los partos más al este. Adriano (117-138) restableció la paz con los partos devolviendo las conquistas de Trajano y aseguró Britania. El Imperio se extendió casi unos 5.000 km en sentido oeste-este y llegó a tener unos 50 millones de habitantes (la China Han unos 60 millones, los reinos de la India unos 35 millones y el Imperio parto 4 millones aprox.). Pero bajo el reinado de Marco Aurelio (161-180), el "emperador filósofo", comienzan las primeras amenazas de los germanos sobre el "limes" romano del Rin y el Danubio. A las guerras contra los marcómanos hay que sumar el desplazamiento de los godos desde Escandinavia y el Báltico hacia el sureste y la aparición en el fluido mundo germánico de nuevos pueblos (burgundios, vándalos, francos, sajones, etc.). En este contexto continúa la lenta expansión del cristianismo por el Imperio romano y la formación de las primeras comunidades cristianas notables.

El Imperio parto arsácida se mantuvo firme frente a Roma y continuó controlando un importante tramo de la ruta de la seda bajo su enérgico rey Cosroes (107-130). Vologeso III (148-192) aprovechó las disensiones en Roma durante el reinado de Comodo (180-192) para reconquistar Armenia. Al este del Imperio parto, y a caballo de Asia central y la India, se encuentra el Imperio kusanio con capital en Purusapura (act. Peshawar). Era un reino de firme confesión budista, como lo manifiestan las grandes esculturas de inspiración religiosa levantadas en este tiempo. En esta época surgieron las dos corrientes budistas, el hinayana y mahayana. En la India se encuentra en su apogeo el reino sacio de Ksatrapa. En el Dekán, expansión de los satavahanas de

Andhra. Al sur aparecen los primeros reinos dravidianos (Chera, Pandya, Chola, etc.). Pandya llegó a enviar embajadas a Roma.

En China, la dinastía Han oriental mantuvo el dominio del Turquestán oriental casi todo el siglo II. Pero al final de éste, con la revuelta de los "Turbantes amarillos" (184), la dinastía entra en un proceso de descomposición en medio de una corte cada vez más corrompida (regencias de eunucos y emperatrices, dictaduras militares, etc.). Y, como en Roma, amenazas en las fronteras de los nómadas (hunos, hsien-pi, etc.). La dinastía Han se mantuvo hasta el 220. En Indochina se consolida

Escala 1: 150.000.000

0   500   1.000   1.500   2.000   2.500 km

OCÉANO GLACIAL ÁRTICO

como una talasocracia comercial el reino de Funán, que llega a comerciar con Roma a través del estrecho de Malaca, Ceilán y el golfo Pérsico. El budismo penetra en estas tierras desde China y la India.

En Mesoamérica, Teotihuacán llega a cubrir, durante el período Micaotli (150-250 aprox.), una su-

perficie de 23 km^2 y una población de entre 20.000-60.000 habitantes, según las estimaciones.

En Norteamérica la cultura agraria de Hopewell prosigue su brillante desarrollo. Se extiende por las grandes llanuras hasta el Mississippi. En Alaska se desarrolla la cultura Ipiutak, basada en la pesca funda-

mentalmente. Es de destacar su notable producción artística, con influencias tan lejanas como las del arte escita-siberiano. En el área peruana las culturas Mochica y Nazca alcanzan un nivel de desarrollo cultural no superado hasta la colonización. Ambas son en realidad pequeños estados regionales.

La cada vez mayor presión de los bárbaros (extranjeros) sobre las fronteras de Roma y China provocaron una aguda crisis en la primera y el fin de la segunda como gran imperio. Desde Escandinavia hasta Manchuria se estaban produciendo importantes movimientos de pueblos al norte de la "línea de civilización" que representaban Roma, Persia y China. En Occidente, la migración de los godos al norte del Mar Negro cristalizó en la formación del primer reino ostrogodo, en Ucrania. Los sármatas se someten o se retiran a los Urales y los alanos son sometidos. Otros pueblos germánicos se desplazan: los francos invaden la Galia, aunque son asimilados, los visigodos se apoderan de la Dacia y los sajones asolan las costas britanas y galas.

En el Imperio romano el siglo III está marcado por la anarquía militar y una seria crisis económica. Septimio Severo (193-211) inicia la dinastía de los Severos. Caracalla (211-217) logró la unidad jurídica del Imperio al conceder la ciudadanía romana a todos los provincianos libres. Hasta la llegada de Diocleciano (284-305) se multiplican los problemas en el interior y el exterior. En el interior se separan la Galia y Britania (luego reducidas) y forman el Reino Gálico (260-274). En Palmira, la reina Zenobia funda otro estado, formado por Siria y Egipto, separado de Roma. Fue aniquilado en el 272 por Aureliano. Diocleciano puso fin a este estado de cosas reforzando por una parte el poder imperial y por otra descentralizando la administración del Imperio. De esta forma Roma se aseguró un siglo y medio más de existencia. De los enemigos de Roma en el exterior (germanos, bereberes, mauritanos, etc.) el más peligroso es ahora el representado por el Imperio persa de los sasánidas o Imperio neopersa. Este imperio fue fundado en el año 227 por Ardasir I, que puso fin al imperio de los partos venciendo a su rey Artabano IV. Fue una formida-

ble potencia hasta el siglo VII en Asia occidental, más poderoso incluso que Partia. Su forma de gobierno era un estado teocrático de inspiración aqueménida y su religión siguió siendo el mazdeísmo o zoroastrismo reformado. Durante todo el siglo III continuaron las luchas contra los romanos en Mesopotamia, Armenia

y Siria. Sapur I (241-272) llegó incluso a apresar al emperador romano Valeriano en Edessa (259).

En China, al fin de los Han siguió la división del país en tres reinos (Wei, Wu y Su Han, 220-280). En el 240 el norteño reino de Wei conquistó los otros dos y reunificó provisionalmente China. Fue una uni-

dad precaria, en medio de fuertes presiones de pueblos desde el norte (pueblos tunguses) y el oeste (tibetanos). Al norte, en Mongolia, los tunguses hsien-pi se convierten en pueblo dominante, desplazando a los hunos al centro y oeste de Asia, donde desplazan a otros pueblos (vogulos y ostiacos) hacia Siberia.

En Corea se forman los reinos de Kokurio, Paekche y Silla. Japón entra en la historia en el período mítico-histórico de Yamato. La tradición japonesa remonta al 660 a. C. la fundación del Imperio Yamato por Jimmu-Tenno. Bajo influencia china, a través de Corea, se extiende la agricultura, conocen el papel y elaboran

su escritura. Período de luchas entre clanes japoneses y contra los ainos de Hokaido.

En América se inicia la época clásica de la avanzada cultura maya. Teotihuacán (valle de México) y Monte Albán (Oaxaca), capital zapoteca, mantienen contactos y mutuas influencias artísticas.

GRANDES MIGRACIONES
Los Gupta. Declive de Roma
(300-400)

La fisonomía de Eurasia experimenta en este siglo una radical transformación política y étnica merced a las grandes migraciones de pueblos acaecidas a lo largo de este siglo. En Mongolia los hsien-pi gozaron durante varias décadas de un poder omnímodo. En el 350, por presión de los recién llegados avaros (o jua-juan de los chinos) invadieron China junto a los hunos orientales, y una de sus tribus, los toba, fundaron un reino. Los avaros se convertirán poco después en señores de las estepas de Mongolia. Los hunos occidentales, asentados ahora en las estepas kazacas, levantaron una formidable confederación tribal, que con el tiempo arrastraría a todos sus vecinos nómadas y alteraría la vida de los grandes imperios, Persia y Roma. En su marcha hacia el oeste, los hunos alcanzaron en el 379 los límites del reino ostrogodo de Ucrania, que resultó engullido por los hunos. Varios pueblos eslavos, los sármatas y muchos godos se integraron en este imperio flotante de los hunos. También muchos pueblos germanos se sometieron, y otros se dirigieron contra las fronteras del Imperio romano, como los visigodos, que atravesaron el Danubio e invadieron Tracia (378). Otra rama de los hunos se dirigió hacia Persia y la India. Roma abrió el siglo IV con el gobierno de Diocleciano y lo cerró con Teodosio, que dividió el Imperio en dos mitades (395). Entre ambos monarcas Constantino I el Grande (324-337) reforzó el absolutismo monárquico, fortaleció el ejército (75 legiones con 900.000 soldados) y sentó las bases para que el cristianismo se convirtiera en religión oficial de Roma con Teodosio (391). Los romanos hicieron en este convulso siglo un gran intento por no verse desbordados por las invasiones bárbaras. El obispo Ulfilas (311-383) predicó el cristianismo arriano entre los pueblos germanos.

En el otro extremo del continente se hunde China. A la precaria uni-

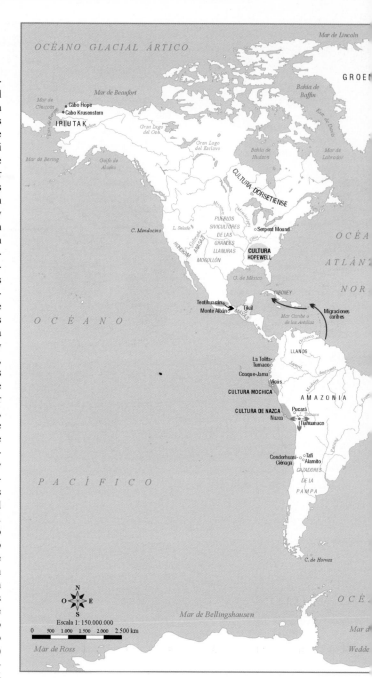

ficación de Wei siguió una división territorial de casi tres siglos (304-589), período conocido como de "los Dieciséis Reinos del Norte y las Seis Dinastías del Sur". En el norte la anarquía favoreció la formación y desaparición de varios reinos bárbaros de origen huno o hsien-pi. Cada uno de ellos se arrogaba pretensiones imperiales. De todos estos reinos, el llamado a tener un futuro más notable y duradero fue el fundado por los toba en Wei (396). En el sur de China las Seis Dinastías continuaron la tradición política china sobre un menguado pero estable territorio. Se desarrolló el comercio marítimo, aumentó la población y la cultura

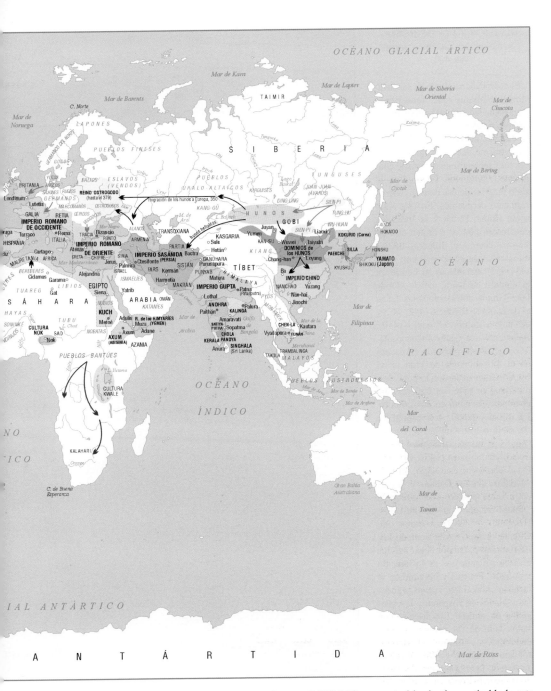

china se siguió expandiendo por Indochina. Los persas sasánidas terminaron por conquistar el Imperio kusanio y llevar sus fronteras hasta la India durante el reinado de Sapur II (309-379). Al final del siglo aparecieron los hunos en la frontera de Persia. Los Gupta de Maghada (308-470) unifican el norte de la India bajo Chandragupta I (308-335) y sus sucesores. Nueva edad de oro en la cultura india. La capital del Imperio gupta es Pataluputra (act. Patna). Renace el hinduismo y se levantan monumentales templos. Los gupta convirtieron a la India en el centro del comercio marítimo del Índico, pues las convulsiones en Asia central hacían impracticable la ruta de la seda por tierra. Japón pone pie en Corea, algo que será una constante de su política exterior hasta el siglo XX. En África se consolida el reino cristiano de Axum (Abisinia), que controla el comercio del Mar Rojo e invade Yemen, gobernado por los himyaríes.

DIVISIÓN Y FIN DE ROMA
Germanos, bizantinos y persas
(400-450)

El desencadenamiento de las invasiones bárbaras que recorrieron Eurasia de lado a lado pudo deberse, además de al exceso de población y la escasez de recursos, al relativo enfriamiento del clima en las latitudes más septentrionales de este continente. China fue víctima en el siglo anterior de ese masivo desplazamiento de pueblos. En este siglo serán Roma, Persia y la India los destinatarios de las migraciones. En Europa central el Imperio de los hunos alcanza su apogeo con Atila (434-453). Estableció su centro en la llanura húngara, desde donde lanzó implacables campañas hacia el oeste (437), Bizancio (442, 447) y de nuevo contra el oeste (450). Solamente una coalición de romanos y germanos pudieron derrotarlo en el 451 al norte de Francia: el Imperio huno desapareció poco después para siempre. Teodosio dividió el Imperio romano en dos mitades. La mitad oriental, con capital en Bizancio o Constantinopla, logrará sobrevivir mil años más, pero la otra mitad sucumbirá en el 476. En efecto, al comenzar este siglo, suevos, vándalos, alanos, francos y godos, entre otros pueblos, desbordan el "limes" romano e invaden la Galia, Hispania y las provincias de Oriente. Incapaces de contenerlos, los romanos optan por llegar con los invasores a acuerdos de instalación y defensa. Francos y burgundios se instalan en la Galia, suevos, vándalos y alanos en Hispania y los visigodos en ambas. Los hérulos, en Italia. Uno de sus reyes, Odoacro, depondrá al último emperador romano-occidental y el Imperio desaparecerá. Pero la tradición política de Roma permanecerá hasta el punto de que todos los reinos germánicos justificaron su existencia en algún tipo de acuerdo o pacto con Roma anterior a su caída. Bizancio logró sobrevivir a las invasiones y consolidar sus fronteras en Europa frente a los germanos, en Asia frente a los persas y en África frente a los nómadas del desierto y los ván-

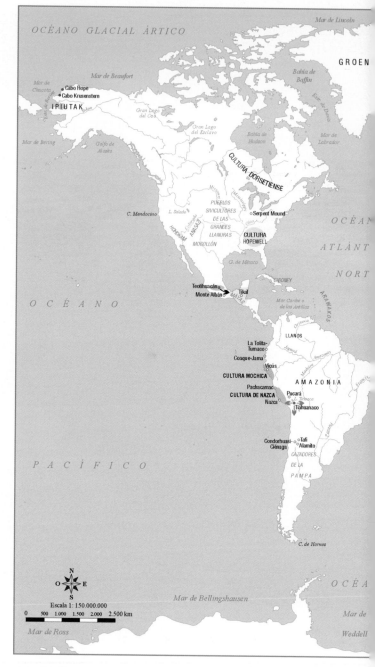

dalos emigrados de España. Al este de Bizancio, los sasánidas cada vez cobraban mayor fuerza, aunque no faltaron turbulencias internas de carácter político (entre la monarquía y los nobles) o religioso (persecuciones contra disidentes del mazdeísmo). Cuando el Imperio alcanzaba su mayor extensión, con la frontera

oriental en el río Amu Daria, a finales de siglo aparecieron los hunos blancos o heftalitas, que invadieron la rica provincia de Jorasán.

En Asia central, al este de los hunos blancos, los avaros se colocaron al frente de una gran confederación de tribus turcas originarias del Altai. La presión de estas tribus

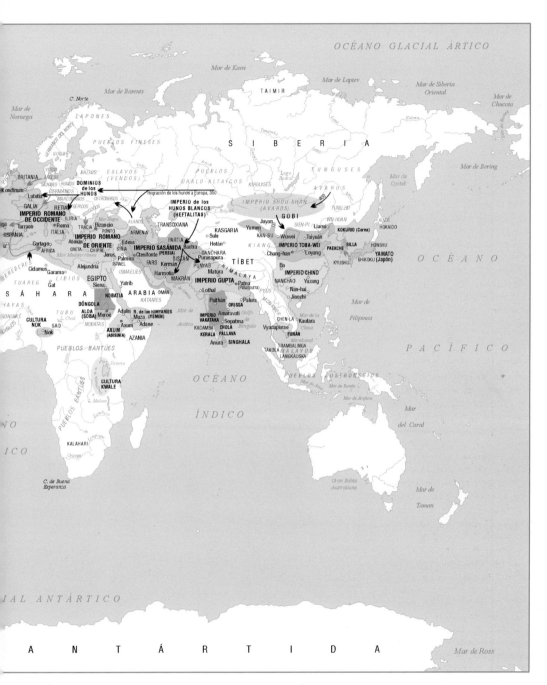

sobre los hunos forzó a éstos a su vez a marchar al sur, contra Persia y el norte de la India. El Imperio gupta de la India sufrió la invasión de los hunos en el 425. Parte de ellos fueron rechazados, mientras algunas tribus (los hunos del sur, bajo Toramana) se establecieron en el norte, en Gandhara. En la meseta del Dekán se establece el reino vaka-taka y en el sur los tamiles cholas conquistan Ceilán (430-460) y levan-tan un gran imperio marítimo que establece relaciones con Funán, en Indochina. Se acentúa la indianiza-ción política, cultural y religiosa (expansión del budismo y el hinduis-mo, literatura y arte indios en Birmania, Camboya e Indonesia) del sudeste de Asia. En China, el reino de Wei se impone sobre los demás reinos fundados por los nómadas del norte, se hace budista y se chinifica progresivamente. En la China del sur (capital en Nankín) la dinastía Chin oriental (317-420) es sustituida por los Sung (420-479).

IV

Edad Media
(450-1450)

LOS REINOS BÁRBAROS
Nuevos pueblos en las estepas
(450-500)

El Imperio romano de Occidente desapareció "de jure" el 476. Sobre su suelo se erigieron varios estados germanos que poco a poco son ganados por la superior cultura de los vencidos romanos. Hispania quedó para los visigodos, que también poseyeron hasta el 505 la mitad sur de la Galia, el país de los francos desde ahora. En el noroeste de Hispania sobrevivió hasta el año 575 el reino suevo. La mitad norte de Francia fue ocupada por los francos merovingios. Anglos, sajones y yutos invadieron Britania, donde arrinconaron en Escocia y Gales a las poblaciones celtas, y crearon la Heptarquía (siete reinos). Los vándalos emigraron del sur de España y se establecieron en Túnez. Los burgundios se asentaron en el este de Francia y los ostrogodos en Italia, tras derrotar a los hérulos. En los confines próximos de lo que fueron las fronteras romanas, encontramos el reino gépido en Panonia (Hungría), en el lugar en el que se asentara el núcleo principal de los hunos, el reino alamán, al sur Alemania. Turingios y sajones levantaron sus reinos en la cuenca del Elba. Bizancio consumió su primer siglo de existencia entre luchas contra los bárbaros y conflictos religiosos (monofisismo, arrianismo, nestorianismo, etc.). Tras la caída de Roma, Bizancio reclamará para sí su herencia política y territorial. El fundamento político de Bizancio es el Derecho romano; pero el cultural es la lengua griega (no el latín) y la cultura helenística. El emperador León I el Grande (457-474) es el monarca más notable de este período. Los pueblos eslavos aprovecharon la marcha de los germanos hacia el oeste para extenderse por el centro de Europa y los Balcanes. Otra vez la estepa herbosa que desde Hungría se extiende hasta el norte de China ve nacer nuevas confederaciones tribales al caer el Imperio de los hunos. La base económica de estos pueblos sigue siendo, como siglos atrás, la cría de ganado en

régimen comunal. Conocen la metalurgia del hierro desde hace siglos, y son creadores de una rica artesanía en hierro, piel, cobre, madera o piedra. Desde el punto de vista político caracteriza a estos pueblos un sistema de gobierno basado en el caudillaje. Poseen una gran capacidad organizadora y carecen de la idea de

territorialidad –su imperio está donde están los pastos con los que alimentan a sus ganados, sobre todo a sus caballos– o de nacionalidad –la horda la forman todos los nómadas que se comprometen a respetar un código básico de ayuda mutua–. Las dispersas hordas hunas siguieron dominando Asia central, aunque

acabaron mezclándose con otros pueblos: eslavos, sármatas, búlgaros, avaros, turcos, alanos, etc. En las estepas de Mongolia siguieron dominando los avaros, gracias, parece ser, al empleo del sable y del estribo, desconocidos en otras partes. En el norte de África, los bereberes se enfrentaron a los vándalos por las escasas tierras de cultivo y por mantener su independencia, recuperada tras el fin del Imperio romano. En la Persia sasánida los hunos siguieron presionando desde el noreste. Algunos monarcas, como Firuz en el 457, incluso recurrieron a ellos para recuperar el trono de un usurpador. Pero los persas lograron contener a los hunos. Peor suerte corrió la India. Las invasiones de los hunos blancos del 445 y del 484 acabaron con el brillante Imperio gupta. Hacia el 500 Bactriana y todo el norte de la India se hallaba en poder de los invasores hunos. Los monarcas gupta sólo pudieron conservar el este del Imperio (Bengala).

LOS NUEVOS IMPERIOS
La reunificación de China
(500-600)

Los nuevos imperios que surgen este siglo no son sino una nueva fase expansiva de viejos pueblos o estados recién salidos de décadas o siglos de postración. El emperador bizantino Justiniano (527-565) quiso reconstruir el Imperio romano de tiempos de Augusto. A tal fin firmó con los persas la "paz perpetua" del 532, y volcó sus energías en Occidente: conquistó el norte de África a los vándalos (535), la Italia ostrogoda (553) y el sur de España a los visigodos (554). Pero en el 568 los bizantinos han de abandonar Italia a los lombardos, otro pueblo germano. Durante el "siglo justinianeo", Constantinopla se convierte en el espejo del Imperio y tal vez en la ciudad más grande del mundo (1.000.000 de habitantes aprox.). Otro gran imperio, los persas sasánidas. Supieron hacer frente a los hunos, derrotarlos y después devolver al Imperio persa una nueva época de brillo. Cosroes I (531-579), contemporáneo de Justiniano, firma con éste la paz, expulsa a los hunos del Jorasán (560) y conquista Bactriana (562). Los persas se imponen en el sur de Arabia, conquistando Yemen y Omán (575-630): estaba de nuevo en juego el control de las rutas comerciales marítimas. En el oeste de Europa, los reinos anglosajones se reparten Britania; los francos y los visigodos estabilizan y extienden sus respectivos reinos en Francia (conquista de Burgundia, Turingia y Provenza, 531-536) y España (conquista del reino Suevo, 575). En el Extremo Oriente, China inicia el siglo dividida y lo termina reunificada por los Sui en el 580. El reino de Wei había logrado la reunificación del norte de China y frenado los intentos de conquista de los nómadas del Gobi. La emperatriz Hou (515-528) embelleció Loyang, luego capital de toda China, y protegió el budismo. Pero Wei se dividió en dos reinos en el año 534: Wei oriental (capital en Anyang) y Wei occidental (capital en Changhan). La unidad del norte

de China se restableció en el 577 por obra de la casa Chou. Poco después fueron sustituidos por la dinastía Sui. El sur de China conoce un período de estabilidad bajo Liang Wu-ti (502-550), de la dinastía Liang (502-577), que establece el budismo mahayana como religión de estado. A los Liang suceden, aunque por poco tiempo, la dinastía Chen (577-589). En efecto, los Sui ya han unificado el norte de China, como vimos. Yang Kieng termina por incorporar el sur y reunificar toda China en el 589 bajo la casa Sui (589-604). Aunque esta dinastía apenas se mantuvo en el poder dos décadas, puso las bases para que con los Tang, poco después, China

Bizancio en el 527

conquistas (534-555)

se convierta de nuevo en una gran potencia asiática.

Los turcos del Altai se convirtieron en los señores de Mongolia tras la marcha a Europa de los avaros en una impresionante cabalgada (552-558). El fin de los temibles hunos blancos ocurrió por fin merced a la alianza de los turcos (por el norte) y los persas (por el sur). Sin embargo, los persas sustituyeron a un enemigo temible por otro más aún. El Imperio turco –más bien una laxa confederación tribal– se mantuvo unido entre 540-582. Después se fraccionó en dos grupos: el kanato oriental, en Mongolia, y el occidental, en el Turquestán, que recibe precisamente su nombre de los turcos. En la India, al fin de los hunos (525) siguió la recuperación política de la zona norte, donde reinan varias dinastías guptas. En el sur nacen los Imperios chalukya, pallava y kerala. En Indochina surgen dos reinos llamados a tener larga duración y brillo: Chen-la (Kmer) y Champa.

LA ECLOSIÓN DEL ISLAM
La China de los Tang
(600-700)

Hasta ahora las grandes religiones (cristianismo, budismo, zoroastrismo, etc.) se expandieron por la vía del proselitismo y la actividad misionera, más que por el ímpetu militar o conquistador. La irrupción del Islam, y su vertiginosa expansión posterior, supone la aparición de una nueva religión, un pueblo –el árabe– hasta ahora relegado al olvido, y un imperio para sustentarla y expandirla. La península Arábiga no había despertado hasta ahora el interés de las grandes potencias vecinas, salvo en las zonas costeras. Un interior casi despoblado, desértico y pobre no era atractivo. Antes del Islam habían florecido algunos principados tribales, como el de Kinda, en el centro de la Península. A Mahoma (570-632) correspondió la tarea de unificar las dispersas y belicosas tribus árabes, hacerlas abandonar sus creencias paganas y dotarlas de una nueva fe. Estableció su centro en Medina al ser rechazado en La Meca, pero a su muerte toda la Península estaba unida bajo una sola autoridad. Bajo el mandato de sus inmediatos sucesores Abu Beker, Omar, Otmán y Alí (632-661) los árabes salieron de Arabia, conquistaron Siria (635), Persia (642) y Egipto (442). La capital califal se traslada a Damasco. Con los Omeyas (661-750) se inicia un nuevo período de expansión territorial que lleva a los árabes a alcanzar el Atlántico por el oeste y el Indo por el este. En este momento el califato Omeya es, junto con la China de los Tang, una gran potencia asiática. Pero además, los omeyas, que ya dominaban todo el norte de África, pronto pondrían pie en la España visigoda. La eclosión del Islam hay que explicarla por el doble motivo del ímpetu misionero y militar de un pueblo recién incorporado al devenir histórico, y por el agotamiento de los dos imperios que cerraban Arabia por el norte: persas y bizantinos. En efecto, mientras Mahoma predicaba su doctrina en Arabia, persas y bizantinos sostenían una

guerra sin tregua por el dominio de Asia occidental y Egipto. Los persas querían reconstruir el Imperio aqueménida de Darío del siglo VI a. C. Cosroes II (590-628) incluso llegó a conseguirlo brevemente. Pero los bizantinos rechazaron el doble ataque de ávaros y persas contra su capital (626) y expulsaron a los per-

sas de Egipto en el reinado de Heraclio (610-641). Los bizantinos hubieron de abandonar los Balcanes a los pueblos eslavos para frenar a los árabes, pero salvaron el Imperio. No así los persas, que fueron arrollados por el empuje militar árabe. Su último soberano fue Yazgard III (632-651). Persia se hizo islámica,

OCÉANO GLACIAL ÁRTICO

Mar de Kara

Mar de Laptev

Mar de Siberia
Oriental

Mar de
Chucota

TAIMIR

Mar de Barents

Mar de
Noruega

C. Norte

Mar de Bering

LAPONES

CARELIOS

PUEBLOS FINESES

S I B E R I A

Mar de
Ojotsk

SUECOS

ESTONIOS

WEPSES

NORUEGOS

ESCOTOS

YOTES

ANGLO-
SAJONES
(Heptarquia)

SAJONES

LITUANOS

CHEREMISOS

MAHYARES

MERAS

Volga

URDOS

AROLETAS

PRUSIOS

CHEREMISOS

BÚLGAROS
DEL VOLGA

Irtisch

PUEBLOS
URALO-ALTAICOS

TUNGUSES

Mar de Bering

MAZOVIOS

DREGOVICHES

PUEBLOS
URALO-ALTAICOS

KIRGUISES

UIGURES

AINOS
HOKAIDO

R. de los
FRANCOS

Tolosa

POLACOS

BASKIROS

VISLANOS

CHECOS

Milán

AVAROS

BÚLGAROS

Kázaros, 679

KÁZAROS

PÓLOVCIANOS

KANATO DE LOS
TURCOS ORIENTALES

KITAI

TUNG-HU

Ravena

Mar Negro

ITALIA

Roma

TRACIA

Bizancio

PONTO

ALANOS

OGUZ

TURCOS OCCIDENTALES

L. Balkash

JUNGARIA

KARLUCOS

Juyan

GOBI

Liaoxi

AINOS
HOKAIDO

Toledo

Tarraco

Córdoba

Cartago

SICILIA

Atenas

CRETA

Éfeso

IMP. BIZANTINO

ARMENIA

Edesa

IRAQ

KASGARIA

Sule (china, 645-754)

KAN-SU

Yumen

Wuwei

Taiyuan

Loyang

SILLA (COREA)

Seúl

HONSHU

MAGREB

BEREBERES

Tripoli

Cirene

Mar Mediterráneo

Alejandría

Damasco

Jerusalén

IMPERIO ÁRABE
(CALIFATO OMEYA)

GANDHARA

PERSIA

SISTÁN

Bactra

MAWARANAR

Purusapura

PUNYAB

Hotán

KIANG

TÍBET
(TUFÁN)

Chang-han

Lhasa

IMPERIO TANG
(CHINA)

Ba

Yúzang

Nan-hai

KYUSHU

YAMATO (Japón)

SHIKOKU

OCÉANO

Cidamus

Garama

EGIPTO

Tebas

Ormuz

Kermán

SIND

IMP. de HARSHA
(606-647)

Matura

Lothal

Patna

KAMARUPA
(ASSAM)

NANCHAO

Jiaochi

TUAREG

LIBIOS

ARABIA

Medina

Gat

ÁHARA

NOBATIA

La Meca
(primera sede
del Califato)

OMÁN

GUJARAT

Paithán

KONGODA

ORISSA

PYUS

MON

THAIS

Mar de
Filipinas

YAS

Tondibaru

DÓNGOLA

Dóngola

Faras

YEMEN

Muza

Adulis

HADRAMAUT

Arabia

IMPERIO
CHALUKYA

Amaravati

Golfo de

Sopatma

CHEN-LA

Indrapura

CHAMPA
(LIN-YI)

TUBU

ALOA

Meroe

NOBATAS

Axum

Adane

PALLAVA

Bengala

Angkor

OVARAVATI

PACÍFICO

CULTURA
NOK

SAO

L. Chad

Nok

AXUM
(ABISINIA)

AZANIA

KERALA

Anura

SINGHALA

MALAYA

TAKOLA

TRAMBALINGA

MALAYOS

LANGKAUSKA

Ifé

PUEBLOS BANTÚES

SUMATRA

BORNEO

Djambi

SRIVIJAYA

PUEBLOS AUSTRONESIOS

OCÉANO

Mar de Banda

Mar de Arafura

CULTURA
KWALE

L. Victoria

JAVA

TARUMA

UPEMBA

Zambeze

ÍNDICO

Mar
del Coral

KALAHARI

MADAGASCAR

Limpopo

Orange

C. de Buena
Esperanza

Gran Bahía
Australiana

Mar de
Tasman

AL ANTÁRTICO

A   N   T   Á   R   T   I   D   A

dominio islámico al morir Mahoma (632)

conquistas árabes durante el s. VII

expansión árabe-islámica

conquistas chinas bajo los monarcas Tang

expansión china en el siglo VII

pero la superior cultura persa pronto conquistó a los árabes y la dirección del Islam pasará a lo largo del siglo siguiente a los persas. La China de los Tang (622-907) es la otra gran potencia de Eurasia. En el reinado de Taizong (626-649) China alcanzó el auge de su poderío: el Turquestán volvió a ser chino, como en la época de los Han, los turcos fueron rechazados al norte y el oeste, y se realizó una expedición a Corea. Según los anales chinos 88 pueblos asiáticos reconocían la soberanía china. En la India Harsha (606-647) reunifica el norte del subcontinente. En Europa se consolidan los reinos germánicos, a pesar de la fragilidad de sus estructuras políticas, aunque con el soporte de la administración heredada de Roma. Los visigodos completan la unificación de la península Ibérica (Suintila, 621-631), y los francos restablecen la unidad del reino bajo Clotario II y Dagoberto I (613-639). En Italia los lombardos se hacen cristianos.

113

EL CALIFATO ABASIDA
El Imperio carolingio. Huari
(700-800)

La expansión árabe encuentra sus límites tras un siglo de constante expansión territorial. Bajo Walid I (705-715) los omeyas alcanzan su máximo poderío. En el 711 conquistaron el reino visigodo de España e invadieron Francia. Pero en la batalla de Poitiers (732) resultó frenada la expansión árabe por Europa y ya no salieron de Al-Ándalus (España). Tampoco pudieron tomar Bizancio (718), pero conquistaron Asia central hasta los límites del Imperio chino. En la incierta batalla de Talas (751) chinos y árabes llegaron al límite de su expansión territorial. En la India del norte se encontraron con una confederación de príncipes hindúes que no les dejaron avanzar más al este del Indo. Los abasidas (750-1258) sustituyeron a los omeyas en el gobierno del Imperio y trasladaron la capital de Damasco a Bagdad. Esta ciudad se convirtió, junto con Constantinopla y la capital de China Changhan, en uno de los centros mundiales de poder político y esplendor cultural. Los abasidas alcanzaron su máximo poder bajo los califas Al-Mansur (754-774) y Harum-al-Rashid (786-809), coetáneo de Carlomagno. Después se inició un proceso de descomposición político y territorial del Islam: independencia de Al-Ándalus (756), dinastías independientes en el norte de África (Idrisíes en Fez, Rusteníes en Tahert, Aglabíes en Kairuán) y en Asia central (Tahiríes). En Europa los francos agrandan su reino, frenan la invasión árabe por el sur y Carlomagno (768-814) se siente lo suficientemente fuerte como para coronarse emperador de Occidente (800) y desafiar al poder de Bizancio. Los bizantinos consiguen frenar a los árabes bajo León III el Isaurio (716-740). Pero el siglo VIII bizantino estará marcado por las querellas religiosas internas (conflicto iconoclasta). China mantiene con Xuangzong (712-756) el poderío de sus antecesores. Pero tras este gobernante los chinos se retiran del Turquestán y concentran sus esfuer-

zos en defenderse de los tibetanos y de los pueblos nómadas de Mongolia y Manchuria (tunguses, turcos azules, kitanes y kirguises). No obstante este repliegue, China sigue siendo, sin duda, la mayor potencia de Eurasia. El Tíbet estrena gobierno monárquico-teocrático bajo la versión tibetana del budismo. En Japón, muy influido por China, comienza el período de Nara (707-784). Nara se convierte en la primera capital permanente del Imperio. En la India reina la confusión en toda la planicie indo-gangética y se suceden numerosas soberanías: Pala (en Bengala), Varman, Karkotas y Gúrjara-Pratihara. Esta última fue la

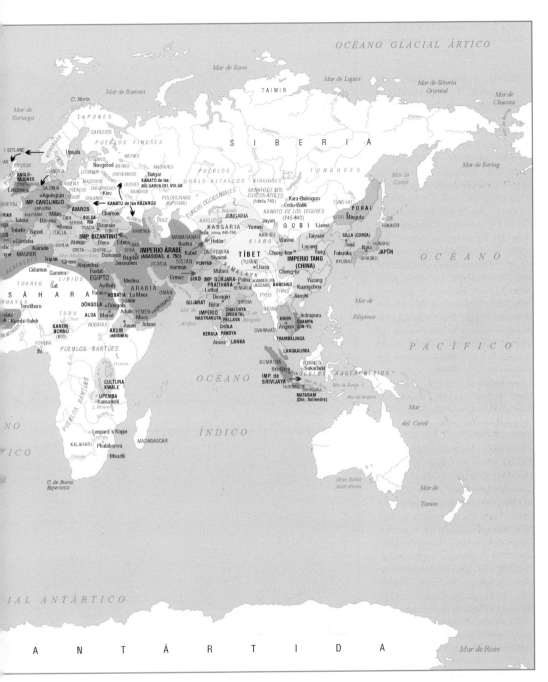

que evitó la primera invasión islámica de la India. En el centro los Rastrakuta suceden a Chalukya, y Krishna I (758-775) levanta el monumental templo de Ellora. Indochina es zona de influencias cruzadas de chinos e indios. Surge el estado-tapón de Nanchao, al suroeste de China. Kmer (Camboya) domina el valle del Mekong y los Sailendras budistas de Java levantan un gran imperio marítimo.

En Centroamérica, época de turbulencias: Teotihuacán sufre un incendio y Monte Albán es abandonado, con lo que el sistema político zapoteca se viene abajo. En los Andes centrales las antiguas culturas desaparecen o son conquistadas por el Imperio Huari, nuevo poder en ascenso. En el territorio de Huari se levantan nuevos centros urbanos y administrativos, como Wilcawain, Pikillacta o Cajamarquilla. En su apogeo, la cuidad de Huari llegó a albergar 50.000 habitantes sobre una extensión de 1.000-1500 hectáreas.

NUEVAS MIGRACIONES
Declive de los grandes imperios
(800-900)

Durante el siglo IX se abate sobre la menguada Europa occidental cristiana una nueva oleada migratoria. El Imperio carolingio se mantuvo hasta el 843 (Tratado de Verdún). Ya no hay ningún poder sólido en Europa capaz de enfrentarse al empuje de vikingos o normandos (por el norte), húngaros (por el este) y árabes (por el sur). En Verdún se sentaron las bases del reino de Francia y del futuro Imperio alemán. De Escandinavia salieron los vikingos o normandos (hombres del norte). Con sus ágiles embarcaciones descendieron por las costas atlánticas (de Holanda a España), invadieron Inglaterra y entraron en el Mediterráneo. Por el noreste los varegos (suecos) atravesaron el Báltico, penetraron en Rusia, donde contribuyen a la unificación de las tribus eslavas y finesas, y alcanzan Constantinopla (860). A finales de siglo surgen los tres reinos de Suecia, Noruega y Dinamarca. Los magyares (húngaros) penetraron en Centroeuropa a lo largo del siglo IX, desde su lugar de origen de los Urales. Ocuparon toda la llanura danubiano-carpática (Hungría) y sometieron durante varias décadas al oeste continental a innumerables incursiones. Por otra parte, la presión arábigo-islámica por el sur fue menos intensa. Los emires cordobeses de Al-Ándalus no tenían intereses mas allá del marco peninsular, pero los aglabíes de Túnez invadieron Sicilia (827), Cerdeña (827), Córcega (850) y el sur de Italia.

En Europa desaparece el Imperio carolingio como restaurador del Imperio romano de Occidente, y en Asia los califas abasidas ven surgir por doquier dinastías regionales que escapan a su poder: a los tuluníes de Egipto (868-905) siguen los samánidas de Transoxiana (875-1000), luego los tahiríes del Jorasán (821-873), en Sistán los saffáridas (867-900), los alíes de Tabaristán (864-928), los qármatas de Bahrein (d. 890) o los ziyadíes (820-1018) y yafuríes (861-993) de Yemen. China

experimenta un repliegue político y territorial ante el surgimiento del Tíbet como potencia asiática y la presión de los pueblos limítrofes: thais en el suroeste, tangutos en el noroeste y turcos, tunguses, kitanes y uigures en el norte. En las estepas aparecen nuevos pueblos y tribus, algunos con un notable grado de de-

sarrollo y poder, como el kanato kazaro, al sur de Rusia. Al este se encuentran los pechenegos y cumanos (o polovcianos), y en Mongolia y Manchuria una sucesión de pueblos de lengua turca como los kirguises, los oguz o los uigures. Estos últimos se convirtieron al budismo y se sedentarizaron. Los demás conti-

OCÉANO GLACIAL ÁRTICO

Mar de Kara

Mar de Barents

Mar de Laptev

Mar de Siberia Oriental

Mar de Chucota

TAIMIR

Mar de Noruega

C. Norte

JAPONES

Mar de Bering

CARELIOS

PUEBLOS FINESES

SIBERIA

I SETLAND

Upsala

WEPSES

NORUEGA

SUECIA

Novgorod

Tunguska

ESCOCIA

UTIGUR

Kama

PUEBLOS

Lena

TUNGUSES

Mar de Ojotsk

INGLA-TERRA

DINAMARCA

Volga

BÚLGAROS DEL VOLGA

URALO-ALTAICOS

Aquisgrán

POLONIA

PRINCIPADO DE KIEV

Lago Baikal

KITAI Minguta

AINOS

Londres

ALEMANIA

BOHEMIA

ULICHES

Kiev

BASKIROS

PECHENEGOS

OGUZ

E. Balyash

UI GURE

Kara-Balasgun

TUNG-HU

HOKAIDO

París

FRANCIA

HUNGRÍA

KANATO de los KÁZAROS

POLOVCIANOS (KIPCHAK)

KANATO DE LOS KIRGUISES (840-917)

POHAI

BORGOÑA

ITALIA

Juyan

KITAI

Milán

PRO-VENZA

Cherson

CIRCA-SIANOS

OGUZ

Balasagún

KANATO de los Sule KARLUCOS

Yumen

GOBI

Liaoxi

SILLA (COREA)

HONSHU

Toledo

Barcel.

Roma

BULGARIA

Bizancio

GEORGIA

Bujara

KAN-SU

Taiyuán

Seúl

Nara

JAPÓN

Córdoba

IMP. BIZANTINO

KURDISTÁN

TABARISTÁN

SAMANÍES

Hotán

Wuwei

Loyang

Yang

Fukiroa

KYUSHU

SHIKOKU

OCÉANO

Kairuán

Tahert

Atenas

Efeso

CRETA

CHIPRE

Edesa

SIRIA

IRAQ

Bagdad

Herat

TAHIRÍES

Kabul

CACHEMIRA

Srinagar

TÍBET (TUFÁN)

Chang-han

Cheng-tu

IMPERIO TANG (CHINA)

Yuzang

Kuangchou

EMIRATO RUSTENI

EMIRATO AGLABI

Tripoli

Cirene

Alejandría

Damasco

CALIFATO ABASIDA

SAFARÍES (867-911)

SIND

Kanauj

Patna

KAMARUPA (ASSAM)

NANCHAO

TUAREG

Gat

Fustat

EGIPTO

Medina

BAHREIN

Órmuz

PRATIHARA

Lothal

BENGALA

PYÚS

Jianchi

ÁHARA

Faras

NOBATIA

La Meca

Suakin

OMÁN

Devagiri

IMPERIO RASTRAKUTA

ORISSA

Mar de Filipinas

IYAS

DÓNGOLA

Dóngola

Adulis

Arabia

Bidar

CHALUKYA

ORIENTAL

MONS

IMPERIO KMER

Indrapura

Tondibaru

SONGHAI

TUBU

ALOA

Meroé

YEMEN (ZAIDÍES)

Adén

IMPERIO CHOLA

Bangala

Angkor

CHAMPA (LIN-YI)

Kumbi-Saleh

KANEM-BORNÚ

NOBATAS

Áxum

AXUM (ABISINIA)

KERALA

PANDYA

DVARAVATI

PACÍFICO

YORUBA

Ifé

PUEBLOS BANTÚES

Mogadiscio

Anura

LANKA

TRAMBALINGA

LANGKAUSKA

Manda

SUMATRA

Srivijaya

BORNEO

Sukadana

PUEBLOS AUSTRONESIOS

Mar de Banda

CULTURA KWALE

UPEMBA

Kansanshi

Kilwa

I. COMORES

IMP. de SRIVIJAYA

TARUMA

Borobudur

MATARAM

(Din. Sailendra)

Mar de Arafura

OCÉANO

Mar del Coral

ÍNDICO

MADAGASCAR

Sofala

KALAHARI

Phalaborwa

Msuzili

Gran Bahía Australiana

C. de Buena Esperanza

Mar de Taman

AL ANTÁRTICO

ANTÁRTIDA

Mar de Ross

nuaron con su forma de vida nómada. En el Turquestán se forma el
kanato de los turcos karlucos, el primer pueblo turco que se hizo musulmán, antes de la conversión en masa
de los turcos occidentales.

En Japón al período de Nara
sucede el de Heian (794-1192), con
capital en Kyoto. Las relaciones con
China se retraen. La India ve consolidarse en el norte al Imperio hindú
de Gúrjara-Pratihara (783-1018), una
gran barrera contra el islam. En el
centro dominan los rastrakutas,
mientras en el extremo sur las luchas
entre chalukyas, pallavas y pandyas
favorecen el ascenso de los tamiles
cholas. En África, el Egipto tuluní
(868-905) se convierte en una gran
potencia islámica. Los reinos cristianos de Nubia y Etiopía declinan
frente a Egipto. En América aparece
la brillante cultura esquimal de
Thulé, que se extenderá desde
Alaska hasta Groenlandia. En el
Pacífico los navegantes polinesios
acaban poblando todas las islas.

NUEVOS REINOS EN EURASIA
La expansión vikinga. Ghana
(900-1000)

La ausencia de grandes poderes en Eurasia favorece la multiplicación de reinos y soberanías. Particularmente destacable es la aparición y consolidación de nuevos estados en los márgenes continentales, desde Escandinavia a Indonesia. Desde Islandia (Noruega desde el 840) los vikingos se establecen con Erick el Rojo en Groenlandia en el 982, y desde aquí alcanzan las costas de América hacia el año 1000 (expedición de Leif Erickson). Sin embargo, la colonización de estas tierras no llegó a prosperar. La Inglaterra anglosajona, unida por Edgardo (959-975), vive las permanentes invasiones danesas durante el siglo IX. Con los capetos nace el reino de Francia (987), Otón I (936-973) funda el Imperio germánico (962) y frena definitivamente las incursiones de los húngaros, que se sedentarizan y adoptan el cristianismo. Nace el reino de Polonia y los príncipes varegos de Kiev extienden sus territorios por Europa oriental. Entablan relaciones con Bizancio y adoptan las formas culturales y políticas de este imperio. Luchas contra los kázaros del sur. En España Abderramán III (912-961) funda el Califato de Córdoba, el principal estado islámico de Occidente. En este abigarrado cuadro de reinos, estados y soberanías múltiples, sólo Bizancio se mantiene como gran potencia y puente entre Occidente y Oriente. Es una época de despliegue comercial, industrial y artístico bajo las fuertes personalidades de Constantino VII (913-959) y Basilio II (963-1025). Este último conquistó Bulgaria e impuso la hegemonía bizantina en los Balcanes. En China cae la dinastía Tang y se inaugura el turbulento período de "las Cinco Dinastías del Norte y los Diez Estados del Sur" (907-960). En el norte se suceden, pues, las dinastías Liang (907), Tang Posterior (923), Jin (936), Han Posterior (947) y Chou (951). De Manchuria surgen los kitanes o kitais. Los kitanes eran un pueblo manchú pero de origen

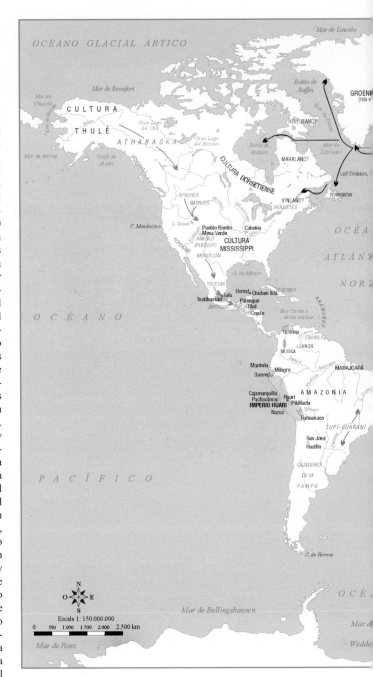

tungú. Expulsaron de Mongolia a los kirguises y acabaron con su kanato en el 924. Conquistan Bo-hai, parte de Corea (930) y Pekín, y fundan el Imperio Liao (947-1125). En el sur de China cada región se hizo independiente al frente de un caudillo militar. La reunificación del país vendrá de la mano de la nueva dinas-

tía Sung (960-1279) fundada por el emperador Taizu (960-976). La nueva capital de China se estableció en Kaifeng. La unidad religiosa del Islam se deshace en el siglo X, al establecerse dos califatos más, aparte del de Bagdad: en Córdoba por los omeyas y en Kairuán por los fatimíes. En el sudeste asiático

Tonkín (Vietnam) se independiza de China. El reino thai de Nan-chao declina y comienzan las migraciones thais hacia el sur, por el valle del Mekong. Los kmer de Camboya son la potencia dominante en Indochina, aunque no pueden conquistar Champa. En el archipiélago indonesio Srivijaya levanta una gran tala-

socracia (imperio marítimo y comercial), amenazada de cerca por el crecimiento de Mataram (Java) y del Imperio Chola del sur de la India. En esta última, aparecen un sinfín de dinastías regionales (paramaras, chalukyas, cahamanas, chandellas, kalacuris, etc.) que complican sobremanera la geografía política del subcon-

tinente. En África, los fatimíes chiítas de Kairuán unifican toda la costa mediterránea y conquistan Egipto (969). Al sur del Sáhara se consolida el reino de Ghana en la cuenca del Níger como importante centro político y comercial, además de barrera contra la expansión del Islam en el área negra y sudanesa.

EUROPA. LA CHINA SUNG
El Imperio selyúcida
(1000-1100)

El fin de las invasiones, que desde hacía medio siglo alteraron la faz de Europa, permiten la paulatina recuperación material y política del continente. A lo primero contribuyó la introducción de nuevas técnicas agrarias e industriales, el inicio del desarrollo comercial, la expansión del arte cluniacense, etc. En lo político se configura en el mismo centro del continente el extenso Imperio germánico (Sacro Imperio Romano Germánico) como un restaurado Imperio carolingio o romano, con la pretensión de hegemonía sobre todo el orbe cristiano durante la dinastía de Franconia (1024-1125) con los emperadores Conrado II (1024-1039), Enrique III (1039-1056) y Enrique IV (1056-1106). Por su parte, el rey danés Canuto I el Grande (1016-1035) conquistó Inglaterra y levantó un gran imperio nórdico, disuelto a su muerte. Los ingleses recobran su independencia bajo el rey Eduardo el Confesor (1042-1066). Pero de nuevo es conquistada Inglaterra por los normandos en el 1066 por Guillermo el Conquistador (1066-1087), duque de Normandía. En España se disuelve el califato cordobés (1035) y los reinos cristianos del norte llevan sus fronteras hacia el sur, antes de que los almorávides norteafricanos frenen su avance a finales de siglo. En Escandinavia se cristianizan Suecia, Noruega y Dinamarca, y se levantan las primeras diócesis. En la Europa eslava, Polonia se consolida y debe hacer frente a la expansión germana hacia el este. En Rusia, los príncipes de Kiev Vladimiro I el Santo (978-1015) y Yaroslav I el Sabio (1019-1054) levantan el primer estado unitario ruso, después de desprenderse de la tutela de los varegos (suecos) y unificar las distintas tribus eslavas. Bizancio domina los Balcanes y Anatolia hasta la irrupción de los turcos selyúcidas, que derrotan a los bizantinos en Manzicerta (1071). En el 1054 se produjo el Cisma de Oriente, o separación definitiva de la Iglesia griega de la obediencia

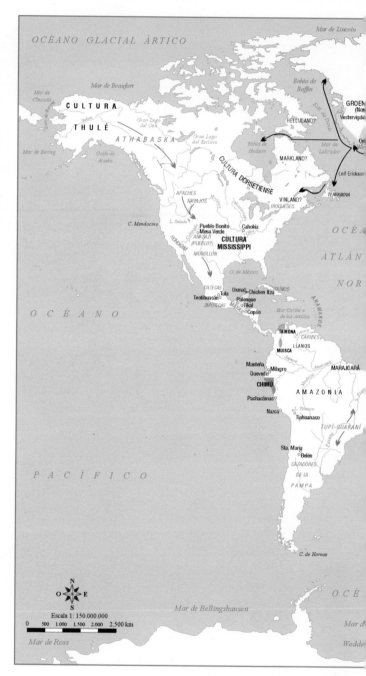

papal. A partir de ahora el patriarca de Constantinopla se erige en cabeza de la Iglesia griega (ortodoxa) y de las iglesias de los pueblos eslavos orientales (serbios, búlgaros, rusos).

En el mundo islámico se produce una radical transformación política al aparecer los turcos selyúcidas (1038-1194) en la dirección del Islam oriental. Bajo los sultanes Toghrul Beg (1038-1063), Alp Arslán (1063-1073) y Malik Shah (1073-1093) los selyúcidas levantaron un gran imperio extendido desde Anatolia a Asia Central. El califa de Bagdad quedó desprovisto de poder político y reducido a una simple jefatura religiosa. En el

extremo occidental del mundo islámico, en el noroeste de África,
surge la reforma almorávide, plas-
mada luego en el extenso Imperio
almorávide. A fines de siglo los
beréberes almorávides eran señores
de un vasto imperio extendido desde
el río Senegal al Ebro. El Egipto
chiíta de los fatimíes es el otro gran

estado musulmán. Alejado del rigo-
rismo religioso de turcos y almorávides, los tolerantes fatimíes fueron
una gran potencia comercial y militar. Comerciaban con los estados
cristianos, el Mar Rojo y el océano
Índico y se opusieron a la expansión
selyúcida por Siria. La China de los
Sung (960-1279) ya no era la formi-

dable potencia militar de los Tang,
pues se vieron obligados a pagar tri-
buto a los nómadas del norte (kitanes y tangutos) para mantener la paz
en las fronteras. Pero inauguraron
en China una nueva edad de oro de
su cultura, que se extiende de nuevo
por Corea (apogeo de la cultura clásica coreana), Japón y Tonkín.

EL DESPLIEGUE DE EUROPA
Nuevos estados islámicos. Chimú
(1100-1200)

La primera cruzada (1096-1099) señala el ascenso de Europa occidental a la categoría de actor de primera fila en el ámbito mediterráneo, junto a bizantinos, fatimíes de Egipto y turcos selyúcidas. Desde este momento, y hasta el siglo XX, este progreso europeo ya no se interrumpirá hasta alcanzar, siglos después, todos los rincones del globo. En este despliegue de Europa intervienen como factores desencadenantes el belicismo y dinamismo de la sociedad feudal, el aumento de la población, el poder eclesiástico con pontífices fuertes (Gregorio VII, 1073-1085; Alejandro III, 1159-1181, o Inocencio III, 1198-1216) las nuevas órdenes religiosas (Cluny y Císter, entre otras). La interrupción del peregrinaje a Jerusalem tras la conquista selyúcida (1070) y las dificultades para el comercio desencadenaron las siete cruzadas (1096-1291), en las que tuvieron especial protagonismo normandos, flamencos e ingleses. En la península Ibérica, otro frente abierto entre cristianos y musulmanes, al dominio almorávide sucede el de los almohades en la mitad sur (1150-1212). Los reinos cristianos, encabezados por la cada vez más poderosa Castilla, se coaligan para expulsar al Islam de Iberia y repartirse sus tierras. En el occidente europeo los ingleses conquistan la mitad de Francia y levantan un gran Imperio anglo-angevino bajo el rey Enrique II (1154-1189). Además, este rey inicia la costosa conquista de Irlanda. En Alemania la dinastía de Suabia (1137-1254) sustituye en el trono a la de Franconia. La lucha entre el Papado y el Imperio por la supremacía política en Italia y en toda la cristiandad occidental llega a su punto álgido con Federico I *Barbarroja* (1152-1190). Hungría alcanza con Bela III (1172-1192) un período de notable poder, influencia y expansión territorial. En los Balcanes, serbios y búlgaros consiguen zafarse poco a poco del dominio político de Bizancio, aprove-

chando las dificultades de este imperio en Asia y los conflictos internos durante la dinastía de los Ángel (1185-1204). El gran Imperio selyúcida se disuelve tras morir Malik Shah (1192). Sobre sus territorios se levantan varios sultanatos: en Anatolia nace el de Konia, los ayúbidas se apoderan de Siria y otras

dinastías surgen por doquier. El Imperio de Jorezm (o de Chorasmia, 1197-1231) fue el principal heredero de los selyúcidas. Este efímero estado, también turco, logró unificar casi toda el Asia islámica y convertirse en una gran potencia en muy poco tiempo. En la India se produjo la conquista islámica por los ghóri-

das de Afganistán (Muhammad de Ghor, 1186-1202) y la fundación del Sultanato de Delhi, el primer estado musulmán en la India. Los reinos hindúes del sur se opondrán resueltamente a los sultanes de Delhi. Las estepas de Mongolia vieron caer un imperio (el de los kitanes) y surgir otro (el de los Chin churches) en

1125. Los kitanes se desplazaron al oeste y fundaron el Imperio Liao occidental en el Turquestán. Los churches invadieron luego el norte de China, se apoderaron de Kaifeng y obligaron a los Sung a refugiarse en el sur (1125-1279), donde mantendrán la tradición y cultura chinas. Entre el Altai y el Gobi, al norte del

Imperio Chin, Gengis Kan unificaba las tribus mongolas. En América, época de grandes cambios: dominio tolteca en el Yucatán, migración chimimeca al centro de México desde el norte. En esta migración van los aztecas. Apogeo de la cultura anasazi, en el valle del Colorado, y de la cultura mississippi, al este.

EL GRAN IMPERIO MONGOL
El Islam en la India. Mali
(1200-1250)

El siglo XIII está marcado en casi toda Eurasia por el denominador común del surgimiento y posterior expansión del Imperio mongol. Hasta entonces ningún imperio nómada había transformado la faz política, étnica y cultural de todo un continente de forma tan radical. Para encontrar algo similar hay que remontarse a la migración de los hunos un milenio antes. Gengis Kan (1155-1227) logró la unificación de las tribus de Mongolia en el 1206. A favor suyo estuvieron el interés del Imperio Chin por el norte de China más que por las estepas, y la refundación del Imperio Liao en el Turquestán, lejos de Mongolia. El nacimiento del Imperio mongol se vio, por lo tanto, favorecido por la situación de los estados limítrofes, y por las innegables dotes militares y organizativas de Temujin (luego Gengis Kan). Durante su reinado (1206-1227) los mongoles pusieron en pie un sistemático plan de conquista con vistas a lograr –según proclamaban– la hegemonía en todo el mundo conocido: conquista del Imperio tanguto de Xi-Xia (1205-1209), del Imperio Chin, Manchuria y Pekín (1211-1216), marcha hacia el oeste y conquista del Turquestán, Jorezm (1218-1225) e invasión de Rusia. A pesar de tal extensión, los mongoles no pueden administrar este Imperio de forma eficaz y tienen que recurrir a administradores foráneos (chinos, uigures, persas, etc.). Las guerras de estos años paralizan el comercio por tierra (ruta de la seda), que pasa a hacerse por mar, controlado por los árabes. Más tarde, con la "pax mongolica" se reabrirá la ruta terrestre. Ogodei (1229-1241) reemprende las campañas: invasión de Europa oriental, toma de Kiev (1240) y derrota del ejército polaco-alemán en Liegnitz (1241). Cuando parecía que los ejércitos mongoles invadirían Europa occidental, volvieron al este al morir Ogodei. Occidente se salvó, sin duda. Guyuk (1241-1251) sucedió a Ogodei. Mangu (1251-1258)

organizó nuevas expediciones: una bajo Hulagu contra Persia, y otra bajo Kublai contra China. Luego comienzan las disensiones entre los caudillos mongoles por los territorios del Imperio, pero Mangu mantiene unido el Imperio, que se extiende desde Anatolia a Corea, y desde Siberia al Índico. La capital se establece en Karakorum (Mongolia). Ante este formidable despliegue de poderío militar, los estados vecinos palidecen: los principados rusos y los emires turcos de Asia Menor se declaran vasallos de los mongoles, los sultanes de Delhi fortifican el Indo y los chinos del sur se preparan para una larguísima resistencia. En

Egipto, los ayúbidas (1171-1250) deben enfrentarse a los estados cruzados de Palestina y a los mongoles. Los almohades (1147-1269) ven derrumbarse su Imperio en España (1212) y luego en el norte de África. Castilla se convierte en el reino más poderoso y extenso de España. La cuarta cruzada (1204) fue fatal para

Bizancio, pues, en vez de dirigirse a Tierra Santa, asaltó Constantinopla, donde los cruzados levantaron el Imperio latino de Oriente (1204-1261). La irrupción mongola supuso para el mundo musulmán un verdadero cataclismo. Sin embargo, los sultanes de Delhi lograron dominar el norte de la India y asegurar la

supervivencia del sultanato hasta 1526. En África subsahariana nace el extenso reino mandingo de Mali, desde el Atlántico a la cuenca media del Níger, fundado por Sundiata (1235). Al contrario que Ghana, Mali no fue hostil a la expansión del Islam. La Etiopía cristiana hace frente al avance del Islam en el este.

LOS KANATOS MONGOLES
El Imperio Yuan (China).
La Europa gótica
(1250-1300)

El Imperio mongol que fundara Gengis Kan en 1206 continuó extendiéndose hasta el final del siglo XIII. Pero ya no lo hizo como un Imperio unitario, sino como una especie de confederación imperial, que al final dará lugar a la formación de cuatro grandes kanatos totalmente independientes. Bajo el reinado de Mongka (1251-1260) Kublai siguió con la conquista de toda China (1258-1279) y cuando murió Mongka, unió a su condición de kan de los mongoles la de emperador de China (1260-1294). Kublai estableció la corte en Pekín, abandonando Karakorum. Aunque en teoría era el máximo soberano de todos los mongoles, cada vez se fue centrando más en los asuntos chinos y de Asia oriental (expediciones contra Java, Birmania y Japón). Por otra parte, Hulagu (1251-65) conquistó Persia y fundó el kanato de Il (1256-1336). Hulagu intentó también la conquista de Egipto, pero los mamelucos lo impidieron en la decisiva batalla de Ain Yalut (Palestina, 1260). Después de este gran revés, el primero que sufrían los ejércitos mongoles en décadas, el kanato de Il estableció su frontera occidental en el Éufrates. El kanato mongol de Persia se islamizó hacia 1300 y conquistadores y conquistados se fusionaron. En 1251 Batú fundó el kanato de la Horda de Oro con capital en Saray en el área ruso-siberiana. También se islamizaron y se resistieron a asimilar la superior cultura ruso-bizantina. Ataques contra Bizancio y Moscovia. Por último, en el Turquestán, Kaidu-kan (1267-1301) fundó el kanato Chagatai sobre el territorio del antiguo Imperio Liao occidental. Este kanato se islamizó parcialmente, y mantuvo por más tiempo la tradición nómada y pastoril mongola. Desde el punto de vista cultural y político este kanato era el más atrasado de los cuatro. Con el final de las guerras se extendió por toda Asia central un largo período de

paz, se reabrió la ruta de la seda por tierra y fue posible comerciar sin trabas desde Polonia a Corea. La China de los Yuan (1264-1368) volvió a ser el foco de atención de comerciantes (Marco Polo) y misioneros. Pekín se convirtió en la metrópoli comercial de Eurasia. Kublai dividió el país en 12 provincias y organizó la pobla-

ción en clases o categorías cerradas. Una Europa confiada y resuelta da muestras de inusitado vigor en este primer siglo gótico: universidades, catedrales, órdenes religiosas, comercio con Oriente, redescubrimiento de la cultura greco-latina, etc. Fortalecimiento de unas monarquías (Francia, Castilla, Aragón y

Portugal, Hungría, Suecia), y problemas en otras (Inglaterra, Imperio alemán, etc.). Los Paleólogo restauran el Imperio bizantino (1261) tras reconquistar Constantinopla a los cruzados. Dos dinastías de esclavos turcos (mamluk) se hacen con el poder en sendos estados: en Egipto los mamelucos suplantan a los ayú-

bidas en 1250, y los sultanes mamelucos de Delhi (Balban, 1265-1286) aseguran su dominio en la llanura indo-gangética hasta Bengala, frenando la expansión de los mongoles (que tomaron Lahore en 1241) hacia el subcontinente. En la India hindú del sur, apogeo de Yádava y Hoysala. Pero desmembramiento de Chola a

favor de Pandya. En Indochina los mongoles conquistan Nanchao (1253). La marcha de los pueblos thai hacia el sur desequilibra los reinos de la Península (Kmer, Birmania, Vietnam). Japón sufre dos intentos de invasión mongoles (1274 y 1281), abortado milagrosamente el último por un tifón.

FIN DEL IMPERIO MONGOL
Delhi. Los aztecas en México
(1300-1350)

Época de descomposición política del mundo asiático tras varias décadas de equilibrio y prosperidad. La brillante y próspera China de los Yuan cayó en la anarquía a la muerte de Kublai (1294). Se suceden hasta el fin de la dinastía (1368) nueve emperadores casi inoperantes, en medio de algunas catástrofes naturales (el río Amarillo rompe sus diques). La base de la economía china era el comercio con el sudeste asiático y con la India. Pero la conquista del sur de la India por los sultanes de Delhi interrumpió los intercambios. En la hambruna de 1325 se calcula que murieron 8 de los 45 millones de chinos. Las revueltas suceden a las hambres, y la insurrección de los "Turbantes Rojos" estalla tras las inundaciones de 1351. El kanato de Il (Persia) se disuelve en 1336 incapaz de sobrevivir a las querellas internas entre sunnitas y chiítas, nómadas y agricultores, etc. Sobre su suelo surgen las dinastías de los Telaíridas (Irak), Musafáridas (Isfahán), Serberádidas y Gúridas (Afganistán). La Horda de Oro debe enfrentarse al ascendente poder de Moscovia bajo Iván I (1325-1341). Francia e Inglaterra dan comienzo a la guerra de los Cien Años (1339-1453) como consecuencia de las posesiones inglesas en Francia. Europa ve frenado su despliegue demográfico, comercial e industrial por la terrible peste negra de 1346-1353 (25 millones de muertos). Suecia y Noruega se unen con Magnus Erickson (1319-1363). Aragón se convierte en gran potencia marítima en el Mediterráneo con la conquista de Sicilia (1282), Atenas (1311-1387) y Cerdeña (1325). En 1304 aparece en Anatolia el pequeño principado de los turcos otomanos, fundado por Osmán I (1280-1326). Los Balcanes se hallan divididos entre serbios, búlgaros y bizantinos. En el norte de África los benimerines o meriníes de Fez intentan reconstruir el Imperio de los almohades, conquistando Argelia (Ziyaníes) y Túnez

(Hafsíes), pero sin éxito. El Egipto mameluco y Mali son también potencias internacionales en un continente africano que ve el resurgimiento de Bornú, de Songhai y los progresos de Zimbabwe en el sur. Particularmente poderoso y próspero es Egipto en este siglo. Gran potencia militar y comercial domina el comercio del Mar Rojo y del Índico. En gran potencia se convierte también el sultanato de Delhi bajo las dinastías Khaldji (1290-1320) y Tughlaq (1320-1414). Aladino (1296-1316) sometió a los príncipes rajputas hindúes. Luego, Muhammad ben Tughlaq (1325-1351) conquistó el Dekán y toda la India, menos el sur

(Pandya), por breve tiempo. Esto supuso el casi aniquilamiento del hinduismo y del budismo de la India por la gran destrucción de templos, monasterios y manuscritos. La reacción hindú vino de Vijayanagar, reino fundado en el 1340. Birmania se divide en dos estados (Ava al norte y Pegú al sur). Kmer cede terreno frente a los estados tais (Sukotai y Lan-na). El archipiélago indonesio se halla bajo la soberanía de Majapahit, en la cumbre de su poder hacia 1330. En América el enfriamiento del clima repliega la cultura esquimal de Thulé hacia Alaska, y fuerza a emigrar a los anasazi (indios pueblo) hacia el sur.

Los aztecas y los tarascos progresan en el centro de México. Los aztecas se imponen a los demás pueblos chichimecas y fundan Tenochtitlán, su gran capital (1345). Hasta la conquista española del siglo XVI no harán sino expandirse sin parar. En Sudamérica, Chimú y Chan-Chán están en la cumbre de su poder.

Un siglo y medio después de la muerte de Gengis Kan, el conquistador turco-mongol Tamerlán (1336-1405) se propuso reconstruir el Imperio mongol. En esta ocasión no fue desde Mongolia, sino desde Transoxiana, en el Turquestán occidental, donde se proclamó soberano en el 1370. Estableció su corte en Samarkanda, a la que embelleció notablemente. Las campañas de Tamerlán fueron tan rápidas y mortíferas como las de Gengis Kan. Como un nuevo Alejandro atacó y conquistó Irán y Afganistán (1380), la Horda de Oro (1391), la India hasta Delhi (1398), Bagdad (1400), Siria, Damasco y Anatolia hasta el Egeo. En esta última región derrotó a los turcos otomanos en Angora (1402), retrasando la progresión de éstos por los Balcanes. Tamerlán murió en 1405 cuando se preparaba para invadir la lejana China. Aunque Tamerlán era musulmán, no por esto el mundo islámico dejó de conmocionarse y temer una nueva era de destrucciones como siglo y medio antes. Pero las luchas sucesorias desintegraron el Imperio timúrida poco después. En China, la nueva dinastía nacional de los Ming (1368-1644), fundada por el monje budista Hungwu, luego llamado Chu Yuan-Chang (1368-1398), además de expulsar a los mongoles de China, emprendió una gigantesca obra de repoblación forestal, construcciones hidráulicas y colonización agraria. Se restauró la Gran Muralla y los colonos chinos se establecieron en las regiones abandonadas por los mongoles. La capital del Imperio se establece en Nankín, alejada de la proximidad de los nómadas del norte. Los Ming crearon un estado fuerte, burocratizado y eficiente, gobernado por la casta de los mandarines. En Mongolia distintos pueblos (khalkhas y oirates, sobre todo) luchan por el dominio de las estepas.

Europa occidental se recupera de los efectos de la peste de 1346-1353. En Escandinavia se crea un gran imperio nórdico al unir Margarita de Dinamarca en una sola monarquía su reino, Suecia y Noruega (Unión de Kalmar, 1397-1523). En el mundo eslavo oriental tiene lugar el ascenso de Moscovia (futura Rusia). Aunque vasallos de la Horda de Oro, los moscovitas fueron agrandando sus tierras (conquista de Tver, 1327) y afianzando sus instituciones (patriarcado de Moscú, construcción del Kremlin). Junto a Moscovia cobran fuerza Polonia y Lituania (unidas en 1386), enfrentadas tanto a los caballeros teutónicos, como a los tártaros de la Horda de Oro. Los turcos otomanos estrechan el cerco sobre Bizancio, pero la

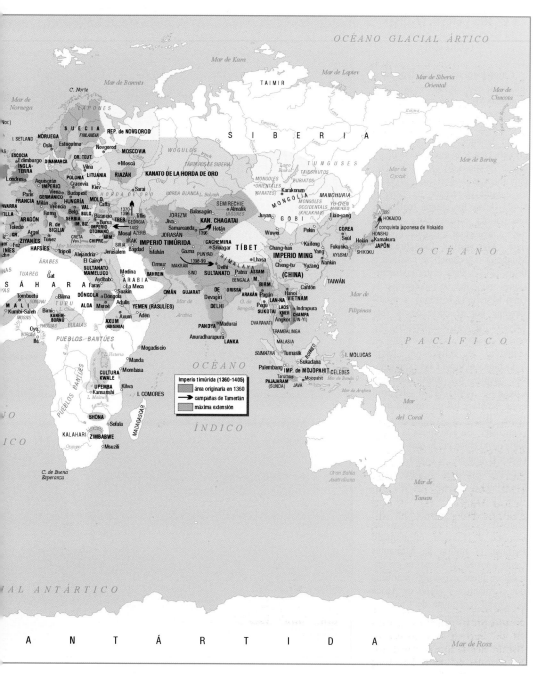

Imperio timúrida (1360-1405)

área originaria en 1360

→ campañas de Tamerlán

máxima extensión

incursión timúrida del 1402 en Anatolia retrasó los planes turcos. En España, Castilla cambia de dinastía con la entronización de los Trastámara (1369), que fracasan en su intento de conquistar Portugal (1385). Y Escocia también consigue salvaguardar su independencia frente a las presiones inglesas. Entre Francia y Alemania se crea el ducado de Borgoña, aprovechando la guerra franco-inglesa. Carlos IV (1347-1378) promulga la Bula de Oro (1356) para regular la sucesión imperial en Alemania. Los Balcanes contemplan la ascensión de Serbia a potencia dominante bajo Esteban Dusan (1331-1355) y el retroceso de Bizancio y Bulgaria. La inmensa Horda de Oro es derrotada en Kulikovo (1380) por los rusos y las incursiones de Tamerlán (1390-1396) la debilitan. En la India, los sultanes de Delhi abandonan el Dekán, donde se crea el Sultanato Bahmani. Vijayanagar mantiene la resistencia hindú frente al Islam.

LA CHINA MING. EGIPTO
El Renacimiento en Europa
(1400-1450)

China logra recuperar su poder e influencia exterior bajo los primeros monarcas Ming, y se convierte en la gran potencia asiática del momento, protagonizando durante el primer cuarto del siglo XIV en solitario la primera fase de lo que se ha dado en llamar "la época de los grandes descubrimientos geográficos". En efecto, durante el reinado de Yung-lo (1403-1424), los chinos realizaron una política expansionista que les llevó a incorporar o someter a vasallaje Manchuria, Indochina y Mongolia. La capital se traslada a Pekín (1421). Para evitar las incursiones mongolas se reconstruye la Gran Muralla (2.450 km). Y precisamente por el corte de la ruta terrestre hacia el Mediterráneo por esas incursiones, China orientó su comercio y emigración hacia Indochina y el Índico: las expediciones navales del gran almirante Cheng-ho (1405-1433) llegaron hasta Arabia y los puertos de Java, India, Persia y África oriental (Zanzíbar). En esta época la tecnología naval china era la más avanzada del mundo. A la par de esta expansión marítima los chinos colocaron bajo su protectorado casi toda Indochina y los estados del estrecho de Malaca, paso obligado desde los mares de China al Índico. En el otro extremo de Eurasia, el pequeño Portugal (1 millón de habitantes frente a los 85 de China) se encontraba en plena expansión marítima por el Atlántico y costas de África occidental (conquista de Ceuta en 1412, descubrimiento de las Azores en 1432 y de Madeira en 1419). Inopinadamente la expansión china cesó de repente al morir Yung-lo, y el país se replegó sobre sí mismo. Al final fueron los europeos quienes llegaron a China y no al revés, como tal vez pudo haber ocurrido. Otra gran potencia, el Egipto de los mamelucos, se halla en plena expansión territorial y comercial hacia el sur, frente a nubios y etíopes. Son dueños del comercio del Mar Rojo y del Índico y controlan

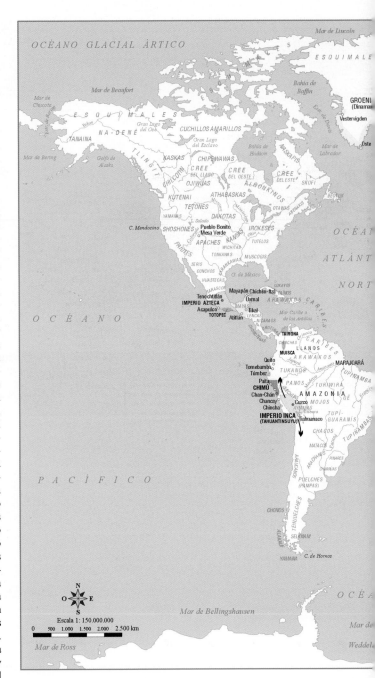

buena parte de las vías del comercio transahariano. Una Europa occidental en acelerada mutación en todos los órdenes (político, cultural y material) ve a los turcos otomanos conquistar los Balcanes y tomar Constantinopla (1453). Termina el Gran Cisma de Occidente (1378-1417), agudo conflicto religioso que

a punto estuvo de dividir la Cristiandad occidental, cuatro siglos después de la separación de la Iglesia oriental. Un siglo más tarde la reforma luterana lo hará. Florencia es la banquera de Europa y Venecia, con una flota de 3.000 barcos, domina el comercio en el Adriático, y en el Mediterráneo

OCÉANO GLACIAL ÁRTICO

Mar de Kara · Mar de Laptev · Mar de Siberia Oriental · Mar de Chucota · Mar de Bering

TAIMIR

Mar de Barents

C. Norte

Mar de Noruega

(Nor.)

I. SETLAND · NORUEGA · SUECIA · FINLANDIA · REPÚBLICA de NOVGOROD · S I B E R I A · TUNGUSES · TAIDCHUTOS · BURIATOS

Oslo · Estocolmo · Novgorod · Vologda

ESCOCIA · Edimburgo · DINAMARCA · Copenhague · Novgorod · MOSCOVIA · WOGULOS · Irtish

INGLA-TERRA · Lübeck · Vilna · Vladimir · Moscú · TÁRTAROS DE SIBERIA

Londres · Aquisgrán · POLONIA-LITUANIA · Polozk · Lago Baikal · Karakorum

Paris · FRANCIA · IMPERIO · Vistula · Cracovia · Kiev · KANATO DE LA HORDA DE ORO · KIRGUISES · MANCHURIA · Mar de Ojotsk · HOKAIDO

NAVARRA · GERMÁNICO · Viena · Budapest · UCRANIA · HORDA BLANCA · KAZAKOS · OIRATES (TUNGUSES) · KHALKAS · Liao-yang

STILLA · ARAGÓN · Milán · HUNGRÍA · MOLD. · Sarai · SEMIRECHIE · KANATO DE LOS OIRATES · MAKLES

Toledo · Roma · VAL. · Belgrado · Astrakán · Balasagún · Almálik · Juyan · G O B I · Pekin · COREA · HONSHU

Argel · R. de · I. BIZ. · Bizancio · GEORGIA · Tiflis · Jiva · Bujara · MONGOLISTÁN · Hotán · Chang-han · JAPÓN (SHOGUNATO ASHIKAGA)

Túnez · SICILIA · IMP. OTOMANO · KAR. · Tabriz · KANATO de los UZBEKOS · Kaifeng · Yang · Kyoto · SHIKOKU · KYUSHU

ZIYANIES · HAFSIES · CRETA · CHIPRE · SIRIA · AK-KOYUNLU · Herat · CACHEMIRA · Srinagar · TÍBET · Lhasa · IMPERIO MING · Cheng-tu · Yuzang · Nankin

Tripoli · Alejandría · El Cairo · Jerusalén · Bagdad · JORASÁN (TIMURÍES) · PUNYAB · Delhi · (CHINA) · OCÉANO

Mar Mediterráneo · ÁRABES · Medina · BAHREIN · MAKRÁN · SIND · RAJ. · SULT. de DELHI · Gaur · ASSAM · BENGALA · M. · BIRM. · Cantón · TAIWÁN · Mar de Filipinas

TUAREG · Gat · ARABIA · La Meca · OMÁN · GUJARAT · KAND. · GON. · ORISSA · ARAKAN · Pagán · LAN-NA · VIETNAM

S Á H A R A · Faras · Aydhab · Adulis · SULT. BAHMANI · TEL. · Bengala · SUKOTAI · KMER · CHAMPA

Gao · Bilma · DÓNGOLA · Dóngola · YEMEN (RASULÍES) · Adén · Vijayanagar · Hanoi · Indrapura

SONGHAI · Kumbi-Saleh · Birni · KANEM-BORNU · L. Chad · Meroé · Axum · VIJAYANAGAR · Angkor

MALI · Oyo · BULALAS · ETIOPÍA · SULTANATO de ADAL · Kotte · LANKA

WOLOFA · Ifé · PUEBLOS BANTÚES · Harar · MALASIA · Tumasik · I. MOLUCAS · PACÍFICO

REINO BANTÚ DEL CONGO · CULTURA KWALE · UPEMBA · Mombasa · Zanzibar (Sultanato de) · Palembang · IMP. de MOJOPAHIT · CÉLEBES

Kansanshi · Kilwa · L. Malawi · PAJAJARAM (SUNDA) · JAVA · Pajo · Mojopahit

SHONA · Sofala · OCÉANO · ÍNDICO

KALAHARI · ZIMBABWE · Msuzili · Orange

C. de Buena Esperanza · Gran Bahía Australiana · Mar del Coral

India:
KAND.: KANDESH
RAJ.: RAJASTÁN
GON.: GONDWANA
TEL.: TELINGANA
MAL.: MALWA
M.: MANIPUR

ANTÁRTIDA · Mar de Ross

---

oriental, con Génova. La unión Polonia-Lituania se convierte en gran potencia en el este. Moscovia se enfrenta a la Horda de Oro, tal vez el reino más extenso del mundo, que entra en decadencia y se divide en cuatro kanatos (Kazán, Astrakán, Crimea y Siberia) a partir de 1430. En Mongolia, khalkhas y oirates luchan entre sí y contra los chinos. En Asia central nace el poderoso kanato de los uzbekos, enfrentado a los timuríes del Jorasán. La India se encuentra fragmentada: los sultanes de Delhi apenas dominan en el norte; Vijayanagar domina el sur. Songhai y Bornú construyen un nuevo equilibrio político en África centro-occidental. En América, la época de Itzcoatl (1426-1440) inaugura el comienzo de la hegemonía azteca en la triple alianza de Tenochtitlán-Tlacopán-Texcoco. Los incas, por su parte, bajo Viracocha (1400-1438) y Pachacutec (1438-1470), se apoderan de las jefaturas aymaras del sur, y de Chimú, al norte.

V

Edad Moderna
(1450-1780)

LOS GRANDES DESCUBRI-MIENTOS GEOGRÁFICOS
América: aztecas e incas
(1450-1500)

El empeño durante décadas de los portugueses por hallar una ruta directa y por mar a la India se vio recompensado al llegar Vasco de Gama a Calicut en 1498. Pero en 1492 Cristóbal Colón había llegado a América, que él creyó que era la costa de China (Catay) o Japón (Cipango). Lo que en realidad ocurrió es que los portugueses llegaron por fin a la India y los castellanos, en su intento de llegar también a la India, pero por otra ruta, se encontraron con un nuevo continente: el mundo era mucho más grande de lo que se creía en Europa occidental. Colón llegó al Caribe en 1492 y en los siguientes viajes tocó la costa continental. Este hecho no tuvo repercusión alguna en el resto del continente americano en aquel momento. Al producirse el descubrimiento europeo de América, dos grandes imperios autóctonos se encontraban en su fase expansiva. Los aztecas ya dominaban el altiplano de México y de costa a costa (Pacífico-golfo de México). Los mayas, sin el protagonismo de siglos atrás, están dominados por los toltecas. Una revuelta maya en 1436 expulsó a los toltecas y los mayas emigraron del Yucatán al sur (Guatemala). Todo parece indicar que, de no mediar la conquista española (1519), los belicosos aztecas hubiesen conquistado a los mayas, como en el siglo X hicieron los toltecas. Los incas del Perú (capital Cuzco) levantaron un extenso imperio de más de 3.000 km de norte-sur a lo largo de los Andes y el Pacífico. Con el 9º inca Pachacutec (1438-1470) conquistaron Chimú (1470), al norte de Perú. Tupac Yupanqui (1471-1493) avanzó hacia el sur, en dirección al lago Titicaca y por la costa chilena. El Imperio inca (Tahuantinsuyu) se dividía en cuatro provincias, poseía carreteras (10.000 km), puentes, túneles y notables ciudades. Hasta la conquista española de 1532 el Imperio inca, como el azteca, no dejó de crecer.

Los descubrimientos geográficos son paralelos en Europa a la formación de grandes monarquías: la España (Castilla-Aragón) de los Reyes Católicos (1479-1504), que acaba con el reino musulmán de Granada (1492); la Francia de Luis IX (1461-1483) y Carlos VIII (1483-1498); la Inglaterra Tudor de Enrique VII (1485-1509). En el Imperio alemán los Habsburgo se hacen con la corona imperial, pero no logran imponerse a los príncipes. Italia, el laboratorio artístico, económico y tecnológico de la Europa del momento se encuentra, por otra parte, dividida políticamente y ocupada por potencias extranjeras. En

los Balcanes y Anatolia, los turcos otomanos se convierten en una formidable máquina militar con los sultanes Mahomet II (1451-1481) y Bayazeto II (1481-1512). La disolución de la Horda de Oro favorece el ascenso de Lituania-Polonia y, sobre todo, de Moscovia bajo Iván III (1463-1505). Escandinavia permanece unida, como un gran imperio nórdico, bajo los monarcas daneses. La otrora poderosa China, sin dejar de serlo, experimenta un repliegue tras haber estado a la vanguardia de la exploración marítima. En la India musulmana, los Lodi (1451-1522) restauran el prestigio del sultanato de Delhi. El dinamismo comercial de los musulmanes indios expande el islam por Indonesia, frente al retroceso hindú y budista. Durante el siglo XV África se ve afectada por tres hechos: la progresión del Islam al sur del Sáhara, la exploración de sus costas por los marinos portugueses y la expansión de Songhai, Bornú-Kanem y Zimbabwe.

CONQUISTA Y COLONIZACIÓN DEL NUEVO MUNDO
La época de Carlos V
(1500-1550)

Decididamente, Europa se coloca a la cabeza del mundo desde el siglo XVI, sin por ello obviar otros y notables centros de poder y focos de cultura y progreso. La conquista europea de los mares y de América (el Nuevo Mundo), domina, evidentemente, el siglo XVI. Tras comprobarse definitivamente que América no era Asia (Núñez de Balboa, 1513) y después de la primera circunnavegación del globo (1519-1522, Magallanes-Elcano), los viajes de exploración se multiplican, ahora por el océano Pacífico también. Españoles y portugueses se reparten el mundo en el singular tratado de Tordesillas (1494) y en posteriores acuerdos. Los portugueses llegan a China (Cantón, 1516) y Japón (Tanega, 1542). Los españoles a Filipinas y a las codiciadas Molucas, las islas de la Especería. La exploración, conquista y colonización de América, sobre un área de más de 10.000 km, se realiza en un tiempo récord y con efectos terribles, en muchas ocasiones, para los conquistados: desaparición de las culturas pre-hispánicas, introducción de enfermedades para las que no disponían de inmunidad, trabajos forzados y esclavitud, con el inicio de la importación de esclavos africanos para las plantaciones americanas, etc. Por contra, se produjo un nuevo mestizaje cultural y étnico (al menos en el área de colonización ibérica) y un provechoso intercambio de cultivos, animales y productos entre continentes. África se vio afectada también por la expansión europea. Su circunnavegación por los portugueses rompió equilibrios seculares provocando importantes cambios políticos: primero la decadencia del Egipto mameluco y luego su conquista por los turcos otomanos en 1517, a la que seguirá la de todo el norte de África, menos Marruecos. Por otra parte, la demanda europea de oro y esclavos, entre otras *mercancías*, desestabilizará grupos y costumbres en el

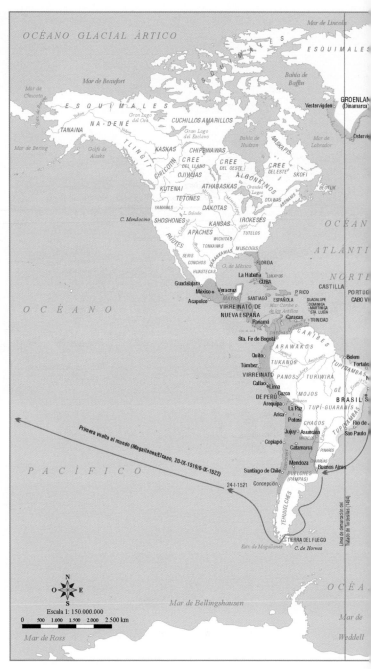

África subsahariana. Mientras los portugueses establecen asentamientos y factorías en las costas africanas, tres poderes africanos se expanden: los songhais de Gao levantan un gran imperio en el Níger, Marruecos renace bajo los sultanes saadianos y Bornú se extiende por la cuenca del Chad. En Asia destaca la fundación del Imperio mogol sobre las ruinas del Sultanato de Delhi, obra del timúrida Baber (1526-1530). Persia, reunificada por el shah Ismail (1501-1524) se convierte en gran potencia islámica con la dinastía chiíta de los safávidas (1501-1736). Los Ming de China autorizan la presencia portuguesa en Macao (1550).

En tiempo del emperador Kia Tsing (1522-1566) deben hacer frente en el norte al renacido ímpetu mongol (época de Dayan Kan, 1470-1543), a las incursiones manchúes y de los piratas japoneses.

En Europa, Carlos I de España y V de Alemania (1517-1555) pretende, sin éxito, la doble misión de mantener la unidad religiosa del continente frente a la reforma luterana, y convertirse en soberano de los demás soberanos cristianos de Europa, como un nuevo Carlomagno. Frente a los turcos otomanos, gobernados por Solimán el Magnífico (1520-1556), tuvo más éxito al evitar que tomaran Viena (1529) y retener parte de Hungría bajo los Habsburgo. Pero no pudo evitar que los Balcanes cayeran en poder turco. En América, tras la conquista de Perú (incas) y México (aztecas), se crearon sendos virreinatos y continuó la exploración española del interior del continente. Los portugueses, por su parte, se establecen en Brasil.

Con una América parcialmente integrada en la administración española y portuguesa y en la nueva economía mundial, y África circunnavegada y con sus costas exploradas –el interior permanecerá inexplorado para los europeos hasta el siglo XIX– nos hallamos con un mundo cada vez más integrado en un continuo flujo de intercambios. Sin embargo, Eurasia y el mundo mediterráneo siguen siendo el escenario principal del acontecer histórico, ahora basculado abiertamente hacia el Atlántico. En estas circunstancias se crea el primer gran imperio transcontinental de la Edad Moderna, el Imperio español de Felipe II (1556-1598). Este monarca heredó de Carlos I la corona española y sus posesiones ultramarinas, mientras la corona imperial alemana pasó a su hermano Fernando I (1556-1564). La casa de Habsburgo, pues, tendrá ahora dos ramas: la española y la alemana. Felipe II, tal vez el monarca más poderoso de su tiempo, volcó su actividad en la contención de los turcos (Lepanto, 1571), la lucha contra la Reforma protestante, contra Francia, y la defensa del imperio ultramarino frente a ingleses (expedición de la Armada Invencible, 1588) y holandeses. Su mayor logro fue la anexión de Portugal (1580) y de sus posesiones ultramarinas a la corona española. De esta forma, los dominios de los Habsburgo españoles alcanzaron su mayor extensión. Una Europa terriblemente dividida por el conflicto religioso y la rivalidad continental entre españoles, franceses y turcos, ve surgir en el este la Rusia de Iván IV el Terrible (1547-1584), que poco a poco va sometiendo los kanatos tártaros del sur de Rusia, inicia la conquista de Siberia y se coloca frente a los otomanos. Tras el fin de Bizancio los rusos pretenden colocarse a la cabeza de los ortodoxos de Europa oriental y los Balcanes. El Imperio turco de Selim II (1566-1574) llega a un equilibrio militar con España tras Lepanto

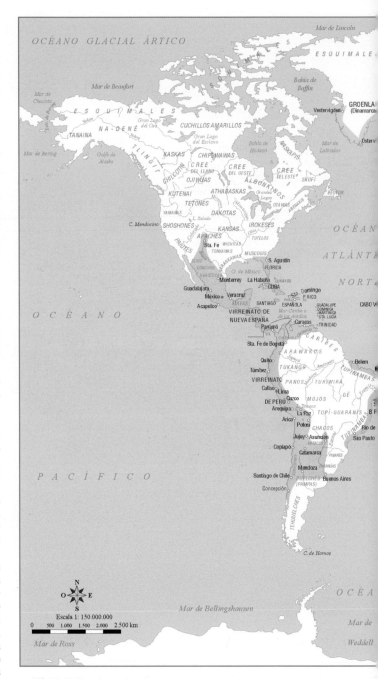

(1571). Al este, los safávidas de Irán han de enfrentarse a la tenaza de otomanos y uzbekos. Bajo el gobierno de Tahmasp I (1524-1576) y Abas I (1587-1619), los persas hacen la paz con los turcos y se enfrentan a los uzbekos, que ambicionan el rico Jorasán. En el Indostán se establece sólidamente el Imperio mogol, de confesión sunnita, durante el largo reinado de Akbar (1556-1605). Se enfrentó tanto a los soberanos chiítas de Irán como a los reinos hindúes (Vijayanagar) y musulmanes (bahmaníes) del sur de la India. China declina: hambres, inundaciones de los ríos Amarillo y Azul, incursiones piráticas, concesiones al

OCÉANO GLACIAL ÁRTICO

Mar de Kara · Mar de Laptev · Mar de Siberia Oriental · Mar de Chucota

TAIMIR · SAMOYEDOS · EWENKIS (TUNGUSES) · YUCAGIROS

C. Norte · Narvik · LAPONES · SIRIANGS · OSTIACOS · CHUDOS

Mar de Noruega · Mar de Barents

NORUEGA (Dinam.) · Bergen · SUECIA · FINLANDIA · KOMI · TERRITORIO DE VIATKA · PERMIOS · KETOS · YACUTIOS · EWENES

I. SETLAND · Oslo · Estocolmo · Helsingfors · INGRIA · TERRITORIO DE NOVGOROD · WOGULOS · SIBERIA · LAMUTOS · EWENES

ESCOCIA · DINAMARCA · Copenhague · Riga · LITUANIA · Novgorod · Sibir · OSTIACOS · TUNGUSES · Mar de Bering

Londres · Colonia · Varsovia · Polozk · Kazán · Samarra · TAIDSHIUTOS · LIAOS · Mar de Ojotsk

INGLATERRA · IMPERIO GERMÁNICO · POLONIA · Lwow · Kiev · Tsaritsin · IMPERIO RUSO · Rizan · Lago Aral · BURIATOS · MANCHURIA · HOKAIDO

Paris · FRANCIA · Viena · Budapest · HUNGRÍA · MOLDAVIA · CRIMEA · NOGAI · KANATO DE LOS KAZAKOS · PIRATES (ZUNGAROS) · Karakorum · KANATO DE LOS KHALKHAS (Altan Kan, 1543-1583) · Mukden · MANCHÚES

ESPAÑA · Barc. · Milán · Venecia · Belgrado · MONT. · GRECIA · GEORGIA · Astrakán · Signak · JORE ZM · MONGOLISTÁN (KASGARIA) · KHALKHAS · Liao-yang

Madrid · Roma · NÁPOLES (Esp.) · Estambul · Tiflis · AZERB. · JIva · Bujara · Kokand · Hotán · Juyan · GOBI · KAN-SU · Wuwei · Pekín · COREA (LI) · Seúl · HONSHU · YEDO

CERDEÑA · CHIPRE · SIRIA · IMPERIO OTOMANO · Esmirna · Tabriz · KAN. UZBEKO · CACHEMIRA · Srinagar · TÍBET · Chang-han · Yang · IMPERIO MING · Kaifeng · Nankín · Kyoto · JAPÓN (SHOGUNATO ASHIKAGA) · KYUSHU · SHIKOKU

Argel · Túnez · Mal. · CRETA (Ven.) · Bagdad · IMPERIO SAFÁVIDA · Istahán · (PERSIA) · Kabul · Lahore · Delhi · Lhasa · Cheng-tu · Yuzang · OCÉANO

Marrakech · Trípoli · Alejandría · Jerusalén · Ormuz · BALU-CHISTÁN · Tatta · Agra · NEPAL · ASSAM · (CHINA) · Cantón · TAIWÁN (FORMOSA)

EL Cairo · Medina · ARABIA · La Meca · OMÁN · Mascate · SIND · IMPERIO MOGOL · Gaur · HIMALAYA · M. BIRM. · Hanoi · Macao (Port.) · Mar de

SÁHARA · TUAREG · Gat · ÁRABES · Aydhab · Suakin · FARTAK · GUJARAT · Surat · GON. · ARAKÁN · Pagán · LAOS · Hué · LUZÓN · Manila · Filipinas

Bilma · TUBU · Dóngola · Adulis · YEMEN · Adén · BIJAPUR B · GOL- · ORISSA · Pegu · Hanoi · KMER · VIETNAM · ISLAS FILIPINAS (España)

IMPERIO SONGHAI · Kumbi-Saleh · BORNÚ · L. Chad · Meroé · SENAR · Sennar · ETIOPÍA · Axum · Goa (Port.) · CONDA · Calicut · Ayuthia · SIAM · Angkor · China · MINDANAO

MALI · MOSSI · HAUSSAS · FUNJ · Harar · SULTANATO de ADAL · Caliut · POLYGAR · Kotte · CEILÁN (Port.) · Malaca · SULTANATO DE BRUNEI · Ternate · I. MOLUCAS · Tidore · PACÍFICO

Oyo · YORUBA · Ifé · KAFFA · GALLAS · Mogadiscio · SULTANATO DE ACHEJ · Tumasik · MALACA · BORNEO · CELEBES

BANTÚES · BUGANDA · SUMATRA · Palembang · Makassar

STO. TOMÉ (Port.) · KUBA · Manda · Mombasa · Zanzíbar · Kilwa · PAJAJARAM (SUNDA) · JAVA · Bantam · Demak · BALI · Mar de Banda · Mar de Arafura

REINO BANTÚ DEL CONGO · LUNDA · LUBA · I. COMORES · TIMOR (Port.) · Mar del Coral

Luanda · ANGOLA (Port.) · L. Malawi · Mozambique · OCÉANO ÍNDICO

ZIMBABWE · Quelimane · Sofala · IMERINA · Gran Bahía Australiana

KALAHARI · MADAGASCAR · Bahía Delgada · Mar de Timan

C. de Buena Esperanza

ANTÁRTIDA

comercio extranjero (portugueses y holandeses) y a las misiones jesuitas (1581). Japón vive un período turbulento (1573-1603) de luchas entre daimios (grandes señores), que terminan con la instauración del shogunato de los Tokugawa (1603-1867). Se intenta la conquista de Corea (1592-1598). En Asia Central los uzbecos se convierten en potencia preeminente, frente a los kazacos, presionados desde el norte por los rusos. En Mongolia Altan kan (1553-1583) llega a imponer a los chinos la apertura comercial, prueba de la debilidad china en los últimos años de la dinastía Ming. Los estados del sudeste asiático e Indonesia se abren al próspero comercio con los europeos, ahora monopolizado por los portugueses. Una reunificada y extensa Birmania logra su apogeo bajo Dayinnaung (1550-1581). El rey de Siam Naresuan invade Camboya (1594). Las Filipinas son incorporadas a la administración española tras su conquista (1565).

NUEVOS COLONIZADORES
Inglaterra, Francia y Holanda
(1600-1650)

El dominio ibérico de los mares y de la expansión colonial del siglo XVI se ve a lo largo del siglo XVII en entredicho por la competencia de nuevas incorporaciones a la carrera colonial: las Provincias Unidas (Holanda), Inglaterra y Francia. En la Europa continental surgen Rusia y Suecia como grandes potencias territoriales. España (con Portugal y sus posesiones ultramarinas bajo su soberanía hasta 1640) sigue siendo todavía, sin duda, el mayor imperio colonial y marítimo, pero la gran extensión y dispersión de sus posesiones impiden una eficaz defensa y mantenimiento. Los holandeses realizan en la primera mitad del siglo XVII una prodigiosa expansión marítima, mientras sostienen una larga lucha contra España en Flandes. Conquistaron Java en 1596 y desde aquí, poco a poco, someterán todo el archipiélago indonesio, desplazando a los portugueses. En 1650 conquistaron Ceilán. En África no tienen tanta fortuna, pero en América se establecen en la costa de Norteamérica (Manhattan), en las Antillas y en Brasil. Inglaterra vuelca su esfuerzo en América del Norte, lo mismo que Francia, que explora el río San Lorenzo, la región de los Grandes Lagos y el Mississippi. Rusia lanza a los cosacos a la conquista de Siberia. La guerra de los Treinta Años (1618-1648) enfrenta en el corazón de Europa a los Habsburgo de España y Alemania contra Francia, Suecia, Dinamarca y los príncipes protestantes alemanes por la hegemonía continental. En el plano religioso se ventila el enfrentamiento entre la Reforma protestante frente a la Contrarreforma católica. La victoria de la coalición liderada por Francia consagra la división religiosa de Europa y el ascenso de Francia. Suecia, aliada de Francia, convierte el Báltico en un "lago sueco". Inglaterra se desembaraza del absolutismo monárquico en 1642 con Cromwell. España pierde Portugal en 1640, con lo que se quiebra la

unidad ibérica de Felipe II. Portugal bascula hacia Francia, primero, e Inglaterra, después, para salvaguardar su independencia. En Asia central, el kanato de los oirates o kalmucos (1620-1754) domina las estepas desde Zungaria a Manchuria. Los kazakos se enfrentan a los rusos y los uzbecos a los persas. En Manchuria,

Nurhachi (1583-1628) unifica a las tribus manchúes, mongolas y tunguses de la zona y las lanza a la conquista de Corea y China. En 1644 cae Pekín y la dinastía Ming. Los manchúes conquistan China, y el príncipe Dorgon funda la nueva dinastía manchú (o Ching, 1644-1911). Japón es aislado rigurosa-

OCÉANO GLACIAL ÁRTICO

Mar de Kara

Mar de Laptev

Mar de Siberia
Oriental

Mar de
Chucota

Mar de Barents

TAIMIR

SAMOYEDOS

EWENKIS
(TUNGUSES)

YUCAGIROS

OSTIACOS

Mar de
Noruega

C. Norte

Narvik

LAPONES

KOMI SIRIANOS

KETOS YACUTIOS

CHUDOS

NORUEGA
(Dinam.)

SUECIA

FINLANDIA

PERMIOS

S I B E R I A

EWENES

Bergen

Estocolmo

Helsingfors

Oslo

CARELIOS

INGRIA

OSTIACOS

TUNGUSES

LAMUTOS

I. SETLAND

ESCOCIA

DINAMARCA

Copenhague

Riga

IMPERIO RUSO

WOGULOS

Mar de
Ojotsk

Mar de Bering

burgo

INGLATERRA

HOL.

Berlín

LITUANIA

Polozk

Mosci

Sibir

Londres

Paris

IMPERIO

Viena

POLONIA

Varsovia

PR.

Vilna

UCRANIA

Kiev

Tsaritsin

Riazán

Kazán

Samarra

TÁRTAROS
DE SIBERIA

TAIDSHIUTOS

IJACOS

GERMÁNICO

Budapest

Mar de
Ojotsk

FRANCIA

Milán

HUNGRÍA

Belgrado

CRIMEA

COSACOS

Astrakán

KIRGUISES

OIRATES
(ZUNGAROS)

Karakorum

BURIATOS

MANCHURIA

MANCHÚES

Roma

MONT.

Salon.

Estambul

GEORGIA

Tiflis

KANATO DE LOS KAZAKOS

Signak

Balasagún

KHLAKHAS

Mukden

ESPAÑA

Barc.

R. de

CIRCA
9 AÑOS

JOREZM

Almalik

KANATO DE LOS OIRATES

Liao-yang

HOKAIDO

Madrid

CERDEÑA

NÁPOLES

IMPERIO OTOMANO

AZERB.

Jiva

Bujara

MONGOLISTÁN
(KASGARIA)

Juyan

G O B I

Pekin

COREA (1627)

HONSHU

ge

Fez

(Esp)

Atenas

Adana

Tabriz

KAN. UZBEKO

Kokand

Hotán

KAN-SU

Wuwei

Soúl

Kyoto

JAPÓN

Túnez

CRETA
(Ven.)

CHIPRE

JORASÁN

Kabul

KYUSHU

SHIKOKU

(SHOGUNATO
ASHIKAGA)

Trípoli

Alejandría

Jerusalén

SIRIA

Bagdad

IMPERIO SAFÁVIDA

Isfahán

Srinagar

CACHEMIRA

TÍBET

Chang-han

Kaifeng

Fukuoka

Yedo

Marrakech

El Cairo

(PERSIA)

Lahore

Delhi

NEPAL

Lhasa

IMPERIO MANCHÚ

Nankin

Yang

BERES ÁRABES

EGIPTO

Medina

ARABIA

Ormuz

BALU-
CHISTÁN

Tatta

Agra

HIMALAYA

ASSAM

(CHINA)

Cheng-tu

Yuzang

TUAREG

Gat

La Meca

OMÁN

Muscate

GUJARAT

SINO

IMPERIO MOGOL

M.

BIRM.

Cantón

TAIWÁN
(FORMOSA)

SÁHARA

Aydhab

Suakin

Surat

GON.

ARAKAN

Pagán

Hanoi

Macao (Port.)

Udagost

Gao

BORNÚ

Dóngola

Adulis

Goa
(Port.)

GOL.
CONDA

ORISSA

Pegu

SIAM

Hué

Mar de

IMPERIO SONGHAI

Bilma

Njini

L. Chad

Meroé

SENAR

Adén

BIJAPUR

BIDAR

Ayuthia

KMER

VIETNAM

Manila

Filipinas

Kumbi-Saleh

HAUSSAS

Senar

YEMEN

Harar

Calicut

POLYGAR

Angkor

ISLAS
FILIPINAS
(España)

PACÍFICO

LI

MOSSI

BULALAS

FUNG

SULTANATO
de ADAL

KAFFA

ETIOPÍA

Axum

Kotte

CEILÁN
(Port.)

Meridional

MINDANAO

Oyo

YORUBA

Ifé

GALLAS

Mogadiscio

SULTANATO
DE BRUNEI

Malaca

Tumasik

I. MOLUCAS

Elmina (Port.)

BANTÚES

BUGANDA

Manda

SULTANATO
DE ACHEJ

MALACA

Ternate

Tidore

STO. TOMÉ (Port.)

REINO BANTÚ
DEL CONGO

KUBA

Mombasa

SUMATRA

Palembang

CÉLEBES

Makassar

Mar de Banda

Luanda

LUNDA

LUBA

Zanzíbar

Kilwa

OCÉANO

Bantam

Demak

ANGOLA
(Port.)

L. Malaui

PAJAJARAM
(SUNDA)

JAVA

BALI

TIMOR
(Port.)

Mozambique

I. COMORES

ÍNDICO

Mar de Arafura

Quelimane

Mar
del Coral

ZIMBABWE

Sofala

IMERINA

KALAHARI

MADAGASCAR

Bahía Delgada

C. de Buena
Esperanza

Gran Bahía
Australiana

Mar de
Tasman

IAL ANTÁRTICO

Europa

—— frontera de Imperio germánico

posesiones de los Habsburgo de Austria

posesiones de los Habsburgo de España

Brandeburgo-Prusia

mente del exterior por los gobernantes de la casa Tokugawa. El emperador (tenno) pierde sus poderes reales. La capital en Edo (Tokio). Las tres grandes potencias islámicas del momento (turcos, persas y mogoles de la India) se encuentran en distintos grados de poder político y territorial: los primeros llegan a un equilibrio con los Habsburgo en Hungría. Los persas aprovechan el momentáneo reflujo turco para asegurarse Irak Afganistán, y los mogoles de la India crean una brillante civilización indomusulmana durante los reinados de Yahangir (1605-1627) y Shah Yahan (1627-1657), en medio de revueltas internas y fratricidas luchas por el poder hasta Aurangzeb. En África, la trata de esclavos comienza a alcanzar proporciones enormes en la costa occidental y el golfo de Guinea. Los europeos organizan, también, el llamado comercio triangular: productos europeos a África, esclavos de África a América y azúcar de América a Europa.

NUEVOS CONQUISTADORES
Rusia y el Imperio manchú
(1650-1700)

Con sólo observar el mapa se comprueba el enorme salto dado por Rusia a lo largo del siglo XVII en la conquista de Siberia. En un siglo llegaron de los Urales al estrecho de Bering (más de 6 millones de km² y 5.000 km de oeste-este). El zar Miguel III (1613-1644) puso fin al período de desórdenes (*Smuta*, 1605-1613) y fundó la dinastía Románov (1613-1917). La marcha rusa hacia el este y el sur coincidió en el Extremo Oriente con la fulgurante expansión del recién creado (1644) Imperio chino-manchú, y del kanato de los oirates, el último de los grandes imperios de las estepas asiáticas. Al igual que les pasó a todos los conquistadores de China, los gobernantes manchúes pronto se chinificaron y olvidaron su pasado nómada. Kang Shi (1662-1722) es uno de los soberanos más importantes de la historia china. Gran estadista, militar y erudito, este emperador llevó a cabo varias campañas contra los oirates (conquistas de Mongolia, 1696, y el Tíbet, 1724). Los oirates, por su parte, estuvieron a punto de restaurar el imperio de Gengis Kan del siglo XIII. Se hicieron lamaístas (budistas de rito tibetano). Bajo Tsevang Rabdan (1697-1727) sostuvieron un pulso bélico con los manchúes, que perdieron por la superioridad militar de éstos (uso de cañones, pólvora, etc.). Llegaba el fin de varios siglos de dominio indiscutido de los nómadas en Asia central. También en Asia central se descompone en tres kanatos (Kiva, Bujara y Kokand) el de los uzbecos. Y los kazakos sienten cada vez más próxima la amenaza rusa por el norte. En el Indostán, el emperador mogol Aurangzeb (1658-1707) logra conquistar toda la península tras varias campañas contra los reinos hindúes y musulmanes del Dekán. Ingleses y holandeses obtienen concesiones comerciales en la costa india y desplazan a los portugueses. El reinado de Aurangzeb marca el punto culminante del poder político y brillo

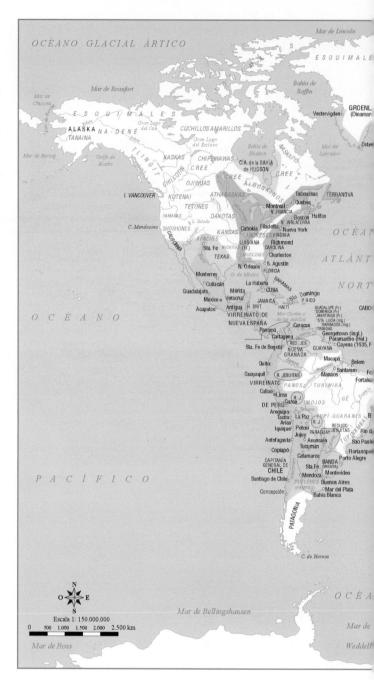

artístico y cultural del Imperio mogol de la India. Tras él, la ruina. Los otomanos inician su lento declive en Europa con la pérdida de Hungría (1699) frente a los Habsburgo. Sin embargo logran arrebatar Irak y Transcaucasia a los persas safávidas que, bajo Abbas II (1642-1667), sufren un retroceso. En Europa, esta

segunda mitad del siglo XVII está dominada por Luis XIV (1643-1717) de Francia. Elevó el régimen absolutista a su apogeo, inició una vigorosa expansión colonial en tierras de Norteamérica (Nueva Francia, Luisiana, etc.) y se embarcó en varias guerras de conquista en Europa para engrandecer a Francia.

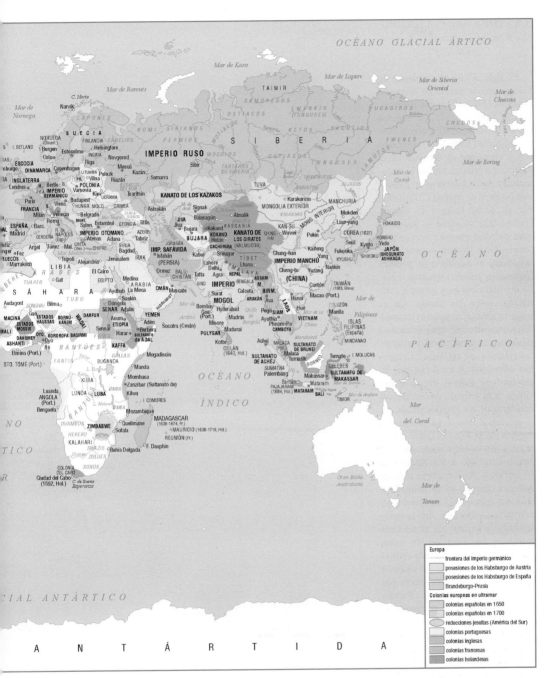

España se convierte tras Westfalia (1648) en potencia de segunda fila en Europa y se vuelca en sus posesiones ultramarinas. Y si en Francia se refuerza la monarquía absoluta, Inglaterra termina con ella en la doble revolución de 1642-1658 (época de Cromwell) y de 1689 (fin de los Estuardo, llegada de los Orange). En 1707 se produjo la unión de Inglaterra y Escocia. En el plano colonial, los ingleses ponen en la costa atlántica las bases de sus futuras colonias americanas (Nueva Inglaterra, Virginia, etc.) bajo patrocinio de la Corona, y en Canadá por medio de compañías privadas. Conflicto de intereses con Francia en la zona de Quebec. Sin salir de América, España y Portugal hacen progresar hacia el interior del continente la colonización. Se crean las semi-independientes reducciones jesuíticas en Sudamérica. Tras separarse de España en 1640, Portugal se vuelca en ultramar. En 1654 logra recuperar todo el Brasil holandés.

LA ÉPOCA DEL EQUILIBRIO
La Revolución científico-técnica
(1700-1750)

El siglo XVIII da comienzo en Europa con la guerra de Sucesión española (1701-1714) por la herencia del último habsburgo español Carlos II (1665-1700), y con la guerra del Norte (1700-1721) entre suecos y rusos por el dominio en el Báltico. La primera supuso la entronización de los Borbones en España con Felipe V de Anjou (1700-1746). Por su parte, Pedro I el Grande (1689-1725) convirtió a Rusia en gran potencia europea relegando a Suecia. Gran Bretaña impone en el continente el equilibrio de poderes (*balance of powers*) tendente a evitar que surja una gran potencia continental sobre las demás. En el Imperio germánico surge el llamado "dualismo alemán" entre prusianos (Hohenzollern, luteranos) y austríacos (Habsburgo, católicos). El cambio estratégico y territorial que se produce en Europa lleva, como vimos, a la retirada de Suecia del concierto de las grandes potencias, el ascenso de Rusia. La retirada de Turquía de la Europa centro-danubiana y de la costa norte del Mar Negro benefició a los Habsburgo (Austria) y a Rusia respectivamente. Además, Turquía se ve obligada a abrir los estrechos. Los Habsburgo austríacos, soberanos del Imperio alemán, extienden sus posesiones patrimoniales fuera de él: Italia, Flandes y Hungría. Holanda cede el paso en el dominio de los mares a Gran Bretaña, que cuenta ahora con la competencia francesa. España pierde sus posesiones continentales no ibéricas (Italia, Flandes) y se centra en la expansión colonial y en mantener, con ayuda de Francia, el rango de potencia continental. Una verdadera revolución científico-técnica lleva a Europa a colocarse a la cabeza del mundo: descubrimientos físicos, y matemáticos, mecánicos e industriales. Inglaterra, considerada el laboratorio de Europa, se coloca a la cabeza del comercio, la marina y la industria, seguida de Francia y Holanda. Salvo en Inglaterra y en Holanda, el despotismo ilustrado se

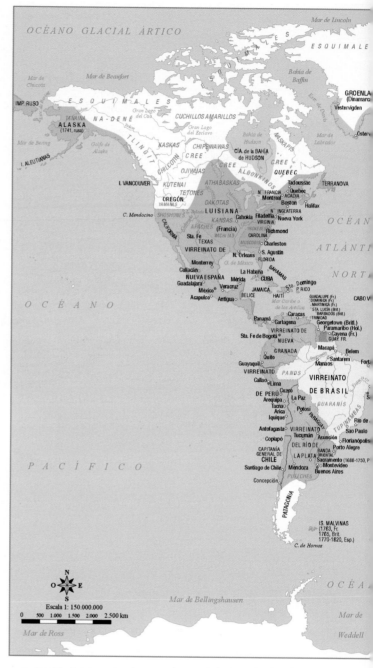

impone en el continente. En China, los emperadores manchúes Kangxi (1662-1723) y Yongzheng (1723-1736), con consejeros jesuitas, son la versión asiática de los monarcas ilustrados. Bajo Kienlung (1736-1796) China derrota definitivamente a los mongoles oirates e incorpora todo el Turquestán: China alcanza la mayor extensión territorial de su historia (13 millones de km² aprox.). Expulsión de los jesuitas, vuelta al confucianismo ortodoxo y al aislamiento. África sufre la lacra de la "trata" en toda su intensidad. Se ha calculado en 10 millones el número de esclavos que fueron arrancados de este continente para ser llevados

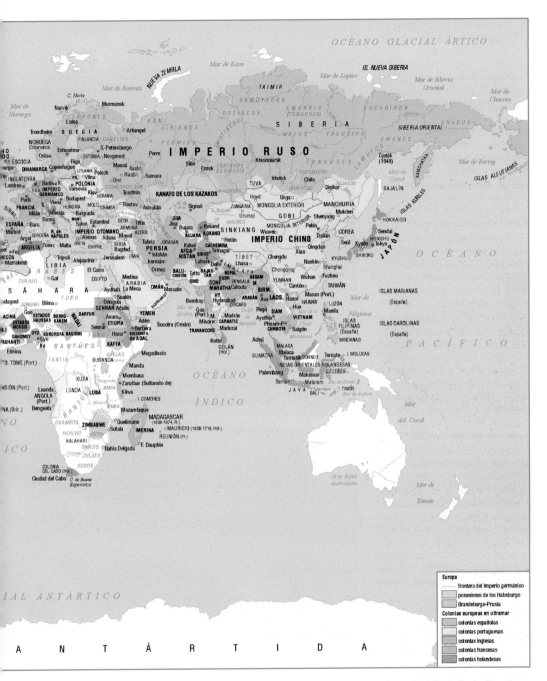

OCÉANO GLACIAL ÁRTICO

IS. NUEVA SIBERIA

Mar de Kara

Mar de Laptev

Mar de Siberia Oriental

Mar de Chucota

NUEVA ZEMBLA

TAIMIR

SAMOYEDOS

EWENKIS (TUNGUSES)

YUCAGIROS

CHUDOS

Mar de Barents

C. Norte

Mar de Noruega

Narvik   Murmansk

Luleå

Arkangel

KOMI

OSTIACOS

SIRIANOS

SIBERIA

SIBERIA ORIENTAL

KETOS   YACUTIOS

EWENES

Trondheim   SUECIA   FINLANDIA   CARELIOS

PERMIOS

NORUEGA (Dinamarca)   Estocolmo   S. Petersburgo   Perm   IMPERIO RUSO   Krasnoiarsk   Ojotsk (1648)

Oslo

Riga   ESTONIA   Nóvgorod   Moscú   Kazán   Sibir   Omsk   Irkutsk   Chita   Qiqihar   KAMCHATKA

Mar de Bering

ISLAS ALEUTIANAS

DINAMARCA   LITUANIA   Riazán   Samara   TARTAROS DE SIBERIA   TADSIKISTOS   BURIATIOS   Mukden   SAJALÍN   ISLAS KURILES

Berlín   POLONIA   Vilna   Polozk   UCRANIA   COSACOS DEL DON   TUVA   KIRGUISES   MONGOLIA EXTERIOR   MANCHURIA   HOKKAIDO

Londres   IMPERIO GERMÁNICO   Varsovia   KANATO DE LOS KAZAKOS   ZUNGARIA   GOBI   Shenyang   COREA   HONSHU   Sendai

París   FRANCIA   Viena   Budapest   HUNGRÍA   MOLD.   Rostov   Astrakán   Urumqi   MONGOLIA INTERIOR   Pekín   Seúl   Kyoto   Tokyo

Milán   Venecia   Belgrado   CRIMEA   Wuwei   SINKIANG   Dalian   Qingdao   KYUSHU   SHIKOKU   JAPÓN   OCÉANO

Madrid   Barc.   Roma   MONT.   Salon.   GEOR.   Tiflis   ARMENIA   Hotán   IMPERIO CHINO   Xian   Nankín   Shanghai

ESPAÑA   CERDEÑA   NAPOLES   Estambul   AZERB.   PERSIA   Chengdu   PACÍFICO

FRANCIA   ARGELIA   Túnez   Malta   CRETA   CHIPRE   SIRIA   IRAK   Tabriz   JORASÁN   Kabul   CACHEMIRA   TIBET   Chongqing   Wuhan   Fuzhou

Fez   Argel   IMPERIO OTOMANO   Atenas   Adana   Mosul   Bagdad   AFGA-   SIKHS   Srinagar   Lhasa   YUNNAN   Cantón   TAIWÁN

Marrakech   LIBIA   El Cairo   Jerusalem   Istahán   NISTÁN   Delhi   NEPAL   ASSAM   BIRM.   Macao (Port.)   ISLAS MARIANAS (España)

SÁHARA   EGIPTO   ARABIA   kermán   BALU-   RAJAS-   OUDH   CONF.   BENGALA   Hué   LUZÓN

TUAREG   TUBU   La Meca   OMÁN   Ormuz   CHISTÁN   Tatta   SIND   MARATHA   Calcuta   ARAKÁN   Ava   LAOS   Hanoi   HAINAN   Manila

Medina   Mascate   Bombay   Hyderabad   CIRCARS   Pegu   SIAM   VIETNAM   ISLAS FILIPINAS (España)   ISLAS CAROLINAS (España)

SENNAR   Adulis   Goa (Port.)   Madrás   CARNATIC   Ayuthia   Phnom-P.   Manila   MINDANAO

ESTADOS HAUSSAS   DARFUR   YEMEN   Adén   Misore   TRAVANCORE   Madurai   CAMBOYA   Saigón

BORNÚ-KANEM   ETIOPÍA   Berbera   SULTANATO de ADAL   Socotra (Omán)   Kotte   CEILÁN (Hol.)   Achej   MALACA   Ternate   I. MOLUCAS

MOSSIS   OYO   KORORORFA BAGIRMI   KAFFA   Harar   SUMATRA   Malaca   Tumasik BORNEO   CELEBES

DAHOMEY   Cyo   Mé   FUNG   Mogadiscio   INDIAS ORIENTALES HOLANDESAS

ASHANTI   Elmina   BANTÚES   GALLAS   BUGANDA   Palembang   Bantán   Makassar   Mataram   TIMOR   Mar del Coral

S. TOMÉ (Port.)   FANTIS   KUBA   Manda   JAVA   BALI

ASCENSIÓN (Port.)   Luanda   LUNDA   LUBA   Mombasa   Zanzíbar (Sultanato de)   OCÉANO   Mar de Timor   Gran Bahía Australiana

ANGOLA (Port.)   Kilwa   I. COMORES   ÍNDICO

Benguela   BANTÚES   Mozambique   MADAGASCAR (1638-1674, Fr.)   MAURICIO (1638-1719, Hol.)

OVAMBOS   ZIMBABWE   Quelimane   IMERINA   REUNIÓN (Fr.)

HERERO   Sofala   F. Dauphin

KALAHARI   SWAZIS   Bahía Delgada

COLONIA DEL CABO (Hol.)   XOXOS   ZULÚES

Ciudad del Cabo   C. de Buena Esperanza

ANTÁRTIDA

GLACIAL ANTÁRTICO

OCÉANO

Europa
—— frontera del Imperio germánico
☐ posesiones de los Habsburgo
☐ Brandeburgo-Prusia
Colonias europeas en ultramar
☐ colonias españolas
☐ colonias portuguesas
☐ colonias inglesas
☐ colonias francesas
☐ colonias holandesas

---

a América por los negreros europeos (particularmente holandeses, ingleses, franceses y portugueses; España no participó en la captura, pero sí en la compra) con la colaboración, en muchos casos, de los jefes tribales africanos. Otra vía de la trata, realizada por árabes y turcos, se dirigía al Mediterráneo y

Egipto. Nuevos competidores en América: los rusos saltan el estrecho de Bering (1741) e inician la colonización de Alaska. Gran Bretaña se extiende hacia el interior del continente desde la costa atlántica. Y Francia crea un dominio territorial continuo desde Quebec a Luisiana por el eje río San Lorenzo-Grandes

Lagos-río Mississippi. España y Portugal agrandan considerablemente sus respectivas posesiones. La administración colonial española se consolida con la creación de dos nuevos virreinatos segregados del Perú: el del Río de la Plata (1776, cap. Buenos Aires) y el de Nueva Granada (1718, cap. Bogotá).

Después de la guerra de Sucesión española (1701-1714) la política del equilibrio se instala en Europa hasta mediados de siglo. Al socaire del desarrollo del comercio y las innovaciones científico-técnicas mejoran las condiciones de vida y los monarcas absolutos europeos se afanan, sin ceder un ápice de su poder, en el bienestar de sus súbditos. El racionalismo y el empirismo filosóficos ponen en cuestión el sistema político absolutista y se comienzan a gestar los cambios que llevarán, primero, a la independencia de algunas de las colonias británicas de América (Estados Unidos, 1783) y luego a la Revolución francesa (1789). En el plano político resulta muy difícil conciliar las tesiones franco-austríacas por la hegemonía continental, las franco-británicas por el dominio marítimo y por Norteamérica, las austro-prusianas por la hegemonía en Alemania y las austro-rusas por ocupar el hueco dejado por los otomanos en los Balcanes. De ahí que la segunda mitad del siglo XVII esté jalonada de varias guerras: a) la guerra de Sucesión austríaca (1740-1748), b) guerra de los Siete Años (1756-1763), verdadera guerra mundial entre franceses y británicos, por una parte, con frentes en Europa, Norteamérica, el Caribe y la India, y austríacos y prusianos, por otra, en Centroeuropa. Esta guerra supuso el fin del primer imperio colonial francés y el ascenso de Gran Bretaña a dueña de los mares y de Prusia a gran potencia bajo Federico II el Grande (1740-1786); y c) las varias guerras ruso-turcas y austro-turcas. Como colofón a este cuadro, la desaparicón del reino polaco, engullido en tres repartos (1772, 1793 y 1795) por sus voraces vecinos rusos, prusianos y austríacos. El Imperio alemán, bajo los Habsburgo austríacos (época de Mª Teresa, 1740-1780), es una suma inconexa de más de 300 territorios, de hecho independientes, sobre los que el emperador apenas ejerce su

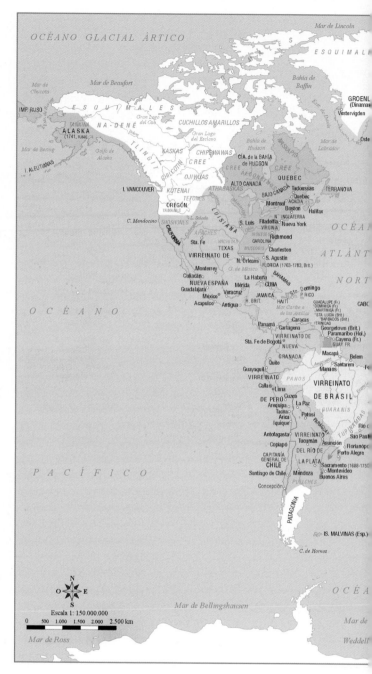

autoridad, salvo en sus dominios patrimoniales dentro del Imperio (Austria, Flandes, Bohemia, etc.) o fuera (Hungría, Italia). La marina inglesa domina los mares y jalona las grandes rutas con bases en todos los océanos (Gibraltar, Menorca, Sta. Elena, Bombay, Barbados, Calcuta, Sumatra, etc.). A las colonias americanas acuden más de un millón de británicos. Arrebata a Francia sus posesiones americanas (tratado de París, 1763). Pero poco después da comienzo la guerra de independencia de las Trece Colonias (1775-1783, embrión de los futuros Estados Unidos), al querer extender los británicos a América el régimen

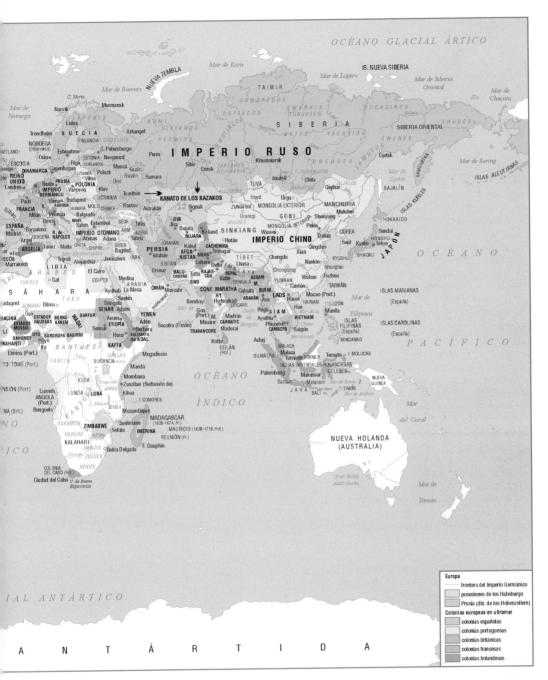

OCÉANO GLACIAL ÁRTICO

IMPERIO RUSO

SIBERIA

SIBERIA ORIENTAL

KANATO DE LOS KAZAKOS

IMPERIO CHINO

IMPERIO OTOMANO

PERSIA

SÁHARA

LIBIA

ARABIA

TÍBET

OCÉANO ÍNDICO

OCÉANO PACÍFICO

NUEVA HOLANDA
(AUSTRALIA)

ANTÁRTIDA

Europa
— frontera del Imperio Germánico
posesiones de los Habsburgo
Prusia (din. de los Hohenzollern)
Colonias europeas en ultramar
colonias españolas
colonias portuguesas
colonias británicas
colonias francesas
colonias holandesas

fiscal metropolitano pero no los derechos políticos. La inmensa Rusia, el estado más grande del mundo, se extiende en todas las direcciones. Bajo el enérgico e ilustrado gobierno de Catalina II (1762-1796), Rusia arrebata a los turcos la ribera norte del Mar Negro, borra del mapa Polonia en 1795 y avanza en Asia central a costa de los kazacos. China se aísla del exterior bajo Kienlung (1736-1793), al terminar la guerra contra los oirates. El Japón de los Tokugawa también es un país cerrado al mundo. En Irán, el afgano Nadir Shah (1736-1747) acaba con los safávidas. Luego, los iraníes acaban con el dominio afgano y Kharem Kan (1786-1797) funda la dinastía Qadjar (1786-1925). La India se convierte en un nuevo Eldorado para franceses y británicos. A la breve hegemonía francesa en el sur, sigue la conquista británica de Bengala (1772). La Confederación de los Marathos es, por un tiempo, la potencia hindú predominante.

VI

Edad Contemporánea

(1780-2000)

EL NACIMIENTO DE EE. UU.
La Revolución francesa de 1789
(1780-1800)

Las últimas décadas del siglo XVIII señalan la transición de la Edad Moderna a la Contemporánea. Las características más sobresalientes del nuevo período que se alumbra son el extraordinario progreso científico y técnico (la Revolución industrial), el racionalismo y empirismo filosófico-político (revolución política) y el surgimiento, por lo que precede, de las condiciones políticas y económicas que llevarán a la europeización del mundo y la formación de los grandes imperios capitalistas contemporáneos, como ya estaba haciendo Gran Bretaña en la India. El ciclo revolucionario que cierra la Edad Moderna y da paso a la Contemporánea se inicia con la guerra de independencia de las Trece Colonias británicas de Norteamérica (1775-1783). Los sublevados son dirigidos por G. Washington (1789-1797) y su causa concita el apoyo de Francia y España y la neutralidad oficial del resto de monarquías de Europa. La Paz de Versalles consagra la independencia de Estados Unidos de América del Norte, nombre oficial de la nueva nación. La derrota británica –la primera desde la guerra de los Cien Años, en el siglo XV– establece un cierto equilibrio naval franco-británico y España experimenta un gran empuje comercial y militar. Con la adquisición de Luisiana occidental en 1873, el Imperio español en América alcanza la mayor extensión de su historia. Carlos III (1759-1788) reforma la administración colonial, liberaliza el comercio y abole la esclavitud indígena. Sin embargo, la independencia estadounidense es un camino a seguir por las colonias españolas en América, como luego se verá.

Con el estallido de la revolución en Francia en 1789, el centro de gravedad político vuelve al continente europeo. La Revolución francesa supuso una verdadera conmoción continental y el inicio de un ciclo bélico casi ininterrumpido desde 1789-1814. La convulsa política

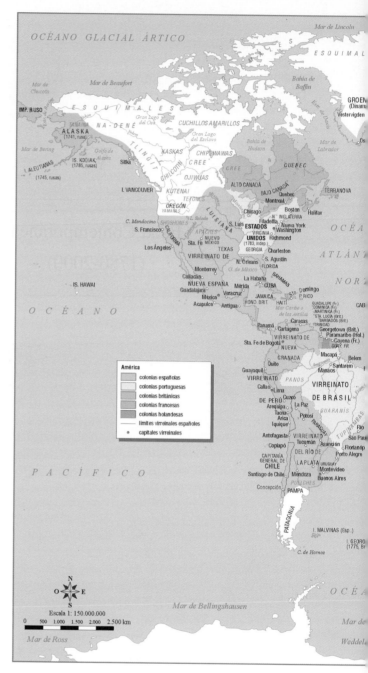

francesa atravesó varios ciclos políticos hasta la instauración del Imperio napoleónico en 1804: asambleas Constituyente y Legislativa, convenciones Girondina y Montañesa, época del Terror, el Directorio y el Consulado. A esto hay que añadir las invasiones extranjeras (españoles, prusianos y austríacos) para restaurar

a los Borbones y evitar el contagio en sus reinos. Gran Bretaña, más preocupada por sus intereses mercantiles que por proclamas ideológicas, armó varias coaliciones contra Francia. En 1804, un joven general, que con sus brillantes campañas ha salvado a Francia en el exterior y en el interior, se autoproclama empera-

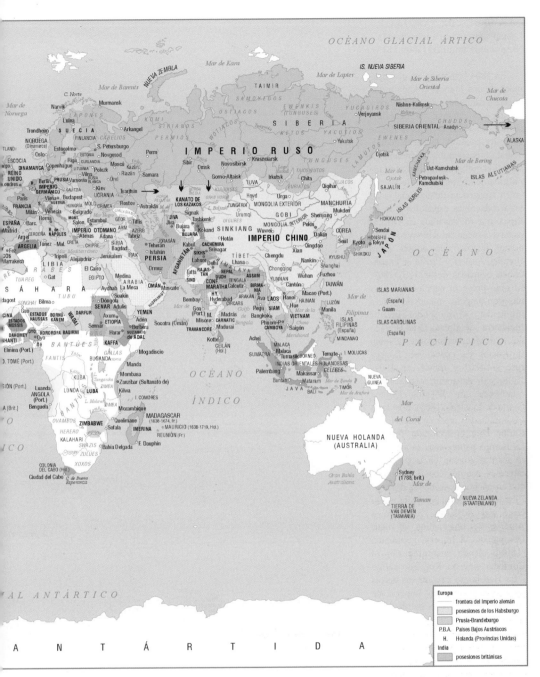

dor de los franceses: Napoleón. Los años revolucionarios fueron el espejo de quienes, por una parte, querían abatir el imperialismo británico (España y Francia, particularmente) y, por otra, el absolutismo monárquico (el conjunto de los liberales europeos). Gran Bretaña, por su parte, prosigue la conquista de la India. Tras la victoria de Clive contra el *nabab* de Bengala, los británicos terminaron la conquista de esta rica región e iniciaron el avance hacia el interior, aguas arriba del Ganges, bajo el gobernador Wellesley (1789-1805). Próximo a la India, el III Imperio birmano (1725-1885) se convierte en potencia regional en Indochina. Ataca a Siam al este y conquista al oeste Arakán, Manipur y Assam. Siam, enemigo secular de Birmania, se recupera con el rey Taksin (1767-1782). En Indonesia, los holandeses destruyen el reino javanés de Majapahit (1755), pero deben hacer frente a la cada vez mayor competencia británica.

153

LA ÉPOCA DE NAPOLEÓN
Lucha franco-británica por la hegemonía mundial (1800-1815)

En 1804 Napoleón era el emperador de una Francia crecida y dispuesta a cambiar la faz de Europa y del reparto colonial en beneficio propio. En 1812, en lo más alto de su poder, casi toda la Europa continental se encontraba prácticamente sometida militarmente, o controlada políticamente por Napoleón. La única resistencia notable era la de los irreductibles españoles y la de Rusia, que fue invadida en 1812 al negarse a secundar el bloqueo continental napoleónico contra Gran Bretaña. Austria y Prusia se encontraban ocupadas desde 1807-1809. El gran proyecto napoleónico para un gran imperio mundial francés implicaba –al no poder invadir Inglaterra– desalojar a Gran Bretaña del mar Mediterráneo, de la India (proyectos de expedición franco-ruso en 1801 y francés en 1807-1808) y de Australia, fortalecer las relaciones con Estados Unidos (venta de Luisiana, 1803), hostiles a los británicos y crear un Imperio del Caribe bajo protectorado francés. La Europa napoleónica se estructuró territorialmente en torno a los intereses estratégicos de Francia, que ensanchó sus fronteras desde el Elba hasta el Ebro, por Italia y a lo largo del Adriático, privando a Austria de una salida al mar. Desapareció el Imperio germánico (1806), siendo sustituido por la Confederación del Rin; esto obligó a los Habsburgo a reunir sus tierras en el recién fundado Imperio de Austria (1804). Prusia pierde parte de sus tierras al este. Napoleón restaura brevemente la independencia de Polonia, firme y única aliada leal de Francia en el este de Europa. Los británicos respondieron al imperialismo napoleónico con la formación de varias coaliciones anti-francesas, el incremento de la guerra naval y el bloqueo de los puertos franceses. Desde la cabeza de puente continental de Portugal continuaron la lucha por tierra con la ayuda de España. No descuidaron los británicos la conquista de nuevas bases en ultra-

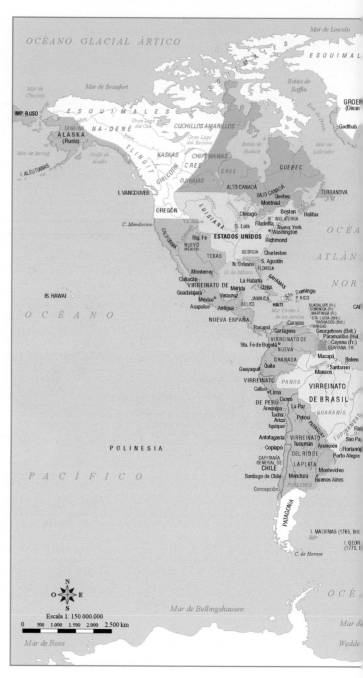

mar a pesar de la lucha contra Francia. Y en ese sentido, la mayor perjudicada fue Holanda, que, además de ser borrada del mapa por Napoleón, perdió a manos inglesas Ceilán (1798), El Cabo (1806) y varios enclaves en Indonesia. Tras el estrepitoso fracaso de la expedición francesa a Rusia de 1812, una coali-

ción de austríacos, rusos y prusianos avanzó por el este hacia Francia, mientras los hispano-británicos lo hacían por el sur. París cayó en 1814 y se restauró la monarquía de los Borbones, a pesar de la inesperada vuelta de Napoleón del destierro y su definitiva derrota en Waterloo (1815). Aprovechando las guerras

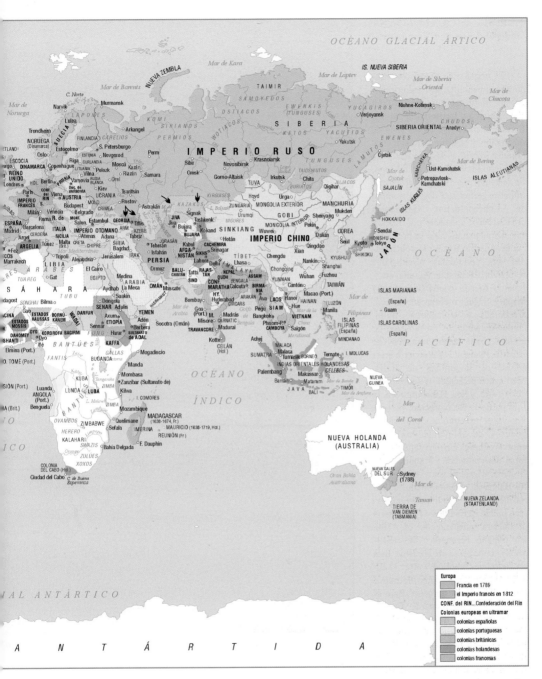

Europa
- Francia en 1789
- el Imperio francés en 1812
- CONF. del RIN...Confederación del Rin

Colonias europeas en ultramar
- colonias españolas
- colonias portuguesas
- colonias británicas
- colonias holandesas
- colonias francesas

napoleónicas, la Rusia de Alejandro I (1801-1825), amparada en su inmensidad y en la lejanía de los frentes aumentó su territorio con la incorporación de Finlandia (1809) a costa de Suecia, Georgia (1804), Azerbaiyán (1806) y otros territorios en las costas del Mar Negro (Besarabia) a costa del Imperio turco. Estados Unidos dobló su extensión al comprar Luisiana a Francia en 1803, que a su vez la recibió de España en 1800 (tratado de San Ildefonso). Los estadounidenses intentaron la conquista del Canadá (1812-1814), aprovechando la guerra en Europa, pero fueron rechazados por los británicos. Las colonias ibéricas de América se mantuvieron fieles a la Corona durante la guerra, no obstante el ejemplo estadounidense, las incursiones navales británicas y las revueltas de 1810 en Venezuela, Ecuador, México, Argentina, etc. Brasil, por su parte, fue el refugio de la corte portuguesa durante la ocupación francesa de Portugal.

LA RESTAURACIÓN EN EUROPA
Independencia de Iberoamérica
(1815-1830)

El Congreso de Viena, convocado por el canciller austríaco príncipe de Metternich, reorganizó en 1815 política y territorialmente una Europa alterada por los 25 años de revolución y guerras napoleónicas. Francia volvió a las fronteras de 1789, con los Borbones en el trono. Se restauró una ficción del extinto Imperio germánico con el nombre de Confederación Germánica (1815-1866), formado por los 38 estados alemanes, bajo la presidencia de Austria. Rusia vio confirmadas sus conquistas territoriales (Finlandia, Besarabia, Polonia, etc.). Polonia fue de nuevo borrada del mapa y Suecia incorpora Noruega, arrebatada a Dinamarca. Italia, como Alemania, es un mosaico de estados, bajo la preeminencia de Austria. Piamonte se convierte en el adalid de la unidad de Italia. Metternich perseguía la supremacía de Austria y los Habsburgo en la Europa de la Restauración, pero se impuso el principio de equilibrio de poder y de solidaridad dinástica entre las nuevas cinco potencias rectoras del continente: Francia, Gran Bretaña, Rusia, Prusia y Austria. En los Balcanes, el denominado "enfermo de Europa" (el Imperio otomano), pierde Serbia en 1817 y Grecia se declara independiente en 1830. En España Fernando VII (1814-1833), impone el absolutismo más recalcitrante, abolido entre 1820-1823 y luego implantado de nuevo hasta el fin de su reinado. Bajo el reinado de este monarca España perdió todo su Imperio colonial continental americano, surgiendo varios estados independientes en el Nuevo Mundo, siguiendo a EE. UU.

El primer ciclo independentista de 1810-1814, a pesar de su éxito inicial, acabó fracasando salvo en el Río de la Plata (Argentina), independiente ya en 1816. La metrópoli restaura su autoridad de nuevo entre 1815-1817, pero en 1824 España ha perdido su Imperio colonial americano, tras las campañas sudamericanas de Bolívar, Sucre y San Martín,

entre otros destacados líderes independentistas. La idea bolivariana de unir a toda Hispanoamérica en un estado fracasa en 1826 (Congreso de Panamá). El inmenso virreinato de Nueva España (México) se independizó en 1821. Agustín de Iturbide se proclamó emperador de México (Agustín I, 1822-1824) e integró

toda Centroamérica (entre 1822-1823) en el Imperio mexicano. Tras el fin de Iturbide Centroamérica se constituyó en república federal con el nombre de Provincias Unidas (1823-1839). En el Caribe, Haití se independizó de Francia en 1804. Entre 1822-1844 se anexionó Sto. Domingo. La independencia de

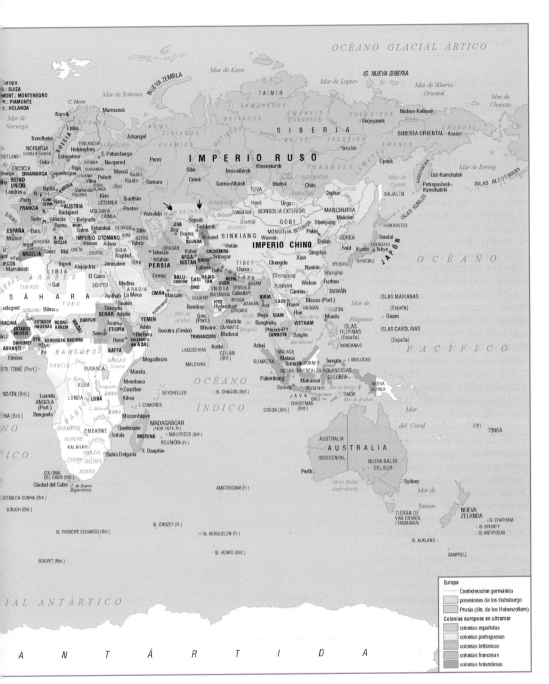

OCÉANO GLACIAL ÁRTICO

IS. NUEVA SIBERIA

Mar de Kara
Mar de Laptev
Mar de Siberia Oriental
Mar de Chucota

TAIMIR

Mar de Barents

NUEVA ZEMBLA

Europa:
S.: SUIZA
MONT.: MONTENEGRO
PI.: PIAMONTE
H.: HOLANDA

C. Norte
Narvik
Murmansk
Nishne-Kolimsk
Verjoyansk

SAMOYEDOS

SIBERIA

CHUDOS

Mar de Noruega
Trondheim
Luleå
Arkangel
Kolima
SIBERIA ORIENTAL — Anadyr

Osló
Estocolmo
S. Petersburgo
Yakutsk

IMPERIO RUSO

NORUEGA
(unida a Suecia)
FINLANDIA
Helsingfors
Novgorod
Perm
Ójotsk

SUECIA
CARELIOS
PERMIOS
Mar de Ójotsk
Ust-Kamchatsk
Mar de Bering
Petropavlovsk-Kamchatski
ISLAS ALEUTIANAS

ESCOCIA
DINAMARCA
Copenhague
ESTONIA
Moscú
Krasnoiarsk
Novosibirsk
Sibir
KAMCHATKA

REINO UNIDO
Berlín
PRUSIA
LITUANIA
Polozk
Kazán
Gorno-Altaisk
Irkutsk
Chita
SAJALÍN

Londres
París
Varsovia
Kiev
Riazán
Samara
Omsk
Qiqihar
ISLAS KURILES

FRANCIA
AUSTRIA
UCRANIA
Tsaritsin
Rostov
Aral
TUVA
Hoyd
Urga
MANCHURIA
Mukden
HOKKAIDO

Turín
Budapest
CRIMEA
Astrakán
KAZAKOS
Signak
ZUNGARIA
MONGOLIA EXTERIOR
Shenyang
HONSHU

ESPAÑA
Barc.
MOLDAVIA
Belgrado
JIVA
Tashkenk
SINKIANG
UIGURES
GOBI
Pekin
COREA
Sendai
OCÉANO

Madrid
Roma
R. de SICILIA
GEORGIA
Tiflis
Jiva
Bujara
Kokand
Wuwei
MONGOLIA INTERIOR
Dalian
Seúl
Kyoto
Tokyo

Árgel
IMPERIO OTOMANO
AZERB
BUJARA
CACHEMIRA
Hotán
IMPERIO CHINO
Qingdao
Xian
KYUSHU
SHIKOKU

Fez
Túnez
Atenas
Adana
Tabriz
JORASÁN
Kabul
AFGA-NISTAN
SIKHS
Srinagar
TÍBET
Lhasa
Chengdu
Nankin
Shanghai

Marrakech
El Cairo
CRETA
SIRIA
Bagdad
Teherán
Isfahán
RAJAS-TAN
Lahore
Delhi
NEPAL
Chongqing
Wuhan
Fuzhou

LIBIA
EGIPTO
Jerusalén
IRAK
PERSIA
Ormuz
BALU-CHISTÁN
SIND
OUDH
INDIA BRITÁNICA
ASSAM
BIRM.
Cantón
TAIWÁN

SÁHARA
TUAREG
TUBU
Medina
La Meca
ARABIA
OMÁN
Mascate
Tatta
GUJARAT
HYD.
BENGALA
Calcuta
LAOS
Macao (Port.)
ISLAS MARIANAS

udagost
SONGHAI
Bilma
DARFUR
SENAR
Adulis
YEMEN
Aydhab
Suakin
Bombay
ORISSA
Madrás
Goa (Port.)
Pegú
SIAM
Bangkok
HAINAN
Hue
(España) Guam

MACINA
ESTADOS HAUSSAS
BORNÚ
KANEM
WADAI
Sennar
ETIOPÍA
Adén
Socotra (Omán)
CARNATIC
CAMBOYA
Saigón
ISLAS FILIPINAS (España)
Manila
ISLAS CAROLINAS
(España)

DAHOMEY
OYO
KORORORFA
BAGIRMI
FUNG
Harar
SULTANATO de ADAL
TRAVANCORE
Madurai
CEILÁN (Brit.)
MINDANAO

ASHANTI
Elmina
BANTÚES
KAFFA
GALLAS
LAQUEDIVAS
Kotte
Achej
SUMATRA
L. MOLUCAS
Ternate

STO. TOMÉ (Port.)
FANTIS
BUGANDA
MALDIVAS
MALACA
Tumasik
BORNEO
CELEBES
NUEVA GUINEA

KUBA
LUNDA
LUBA
Mombasa
Zanzíbar
SEYCHELLES
IS. CHAGOS (Brit.)
Palembang
Makassar
INDIAS ORIENTALES HOLANDESAS

NSIÓN (Brit.)
Luanda
ANGOLA (Port.)
Benguela
Kilwa
OCÉANO ÍNDICO
JAVA
BALI
Batavia
Mataram
TIMOR
Mar de Banda

Mozambique
Quelimane
ZIMBABWE
Sofala
IMERINA
MADAGASCAR
(1638-1674, Fr.)
MAURICIO (Brit.)
COCOS (Brit.)
CHRISTMAS (Brit.)
Mar del Coral
FIYI
TONGA

OVAMBOS
HERERO
KALAHARI
SWAZIS
ZULÚES
XOXOS
Bahía Delgada
F. Dauphin
REUNIÓN (Fr.)
AUSTRALIA OCCIDENTAL
AUSTRALIA
NUEVA GALES DEL SUR

COLONIA DEL CABO (Brit.)
Ciudad del Cabo
C. de Buena Esperanza
AMSTERDAM (Fr.)
Perth
Gran Bahía Australiana
Sydney

ISTÁN DA CUNHA (Brit.)
GOUGH (Brit.)
IS. PRÍNCIPE EDUARDO (Brit.)
IS. CROZET (Fr.)
IS. KERGUELEN (Fr.)
IS. HEARD (Brit.)
TIERRA DE VAN DIEMEN (TASMANIA)
Taman
NUEVA ZELANDA
IS. CHATHAM
IS. BOUNTY
IS. ANTÍPODAS
IS. AUKLAND

BOUVET (Nor.)
CAMPBELL

PACÍFICO

IAL ANTÁRTICO

ANTÁRTIDA

Europa
Confederación germánica
posesiones de los Habsburgo
Prusia (din. de los Hohenzollern)
Colonias europeas en ultramar
colonias españolas
colonias portuguesas
colonias británicas
colonias francesas
colonias holandesas

Brasil fue pacífica. El príncipe Pedro, hijo del rey portugués Juan VI, proclamó la independencia brasileña, bajo una monarquía constitucional, en 1822, reconocida por Portugal en 1825. En África, los europeos sientan las bases del posterior reparto colonial del continente: Francia inicia la conquista de Argelia en 1830; Egipto, bajo soberanía turca, se extiende hacia el sur (Sudán). En Sudáfrica, los británicos se extienden desde su colonia de El Cabo, y los *boers* inician la penetración hacia el interior. China, casi aislada, es todavía un país próspero y fuerte. Pero comienza a sufrir la presión comercial occidental en sus costas, y la de Rusia al norte y oeste. En la India, la joya de la corona, los británicos aprovechan el fin de las guerras napoleónicas para continuar la conquista: dominan ya casi toda la costa india, Ceilán y la llanura gangética, aislando territorialmente a los principados indios (hindúes o musulmanes) aún independientes.

ÉPOCA DEL LIBERALISMO
Declive de China y Turquía
(1830-1850)

El ciclo de las revoluciones liberales europeas, inaugurado en
España en 1820, supuso en 1830
una nueva conmoción política en el
continente, aunque no se tradujo en
cambios territoriales notables. Las
revoluciones de 1848, con el liberalismo y el nacionalismo de la mano,
sí que alterarán completamente el
mapa de Europa después de 1860.
El principio del equilibrio territorial
y de poder entre las potencias seguirá vigente durante algún tiempo
más, hasta 1871, en que una
Alemania reunificada por Prusia se
coloque a la cabeza de Europa continental en poder industrial y militar.
En los Balcanes, todo hacía presa-
giar que el dominio turco tenía sus
días contados. En la primera mitad
del siglo XIX, Albania (en 1800),
Egipto (en 1805), Serbia (en 1817),
Grecia (en 1830) y Moldavia-
Valaquia (1829) obtienen la autonomía o la independencia. Bulgaria
presionaba para conseguir lo
mismo. Pero la pretensión austríaca
y rusa de ocupar la zona, movió a
Gran Bretaña y Francia a sostener al
moribundo Imperio otomano en esa
zona para evitar el excesivo crecimiento territorial de cualquiera de
los primeros.

En América se producen grandes
cambios territoriales. Las repúblicas
hispanoamericanas apenas logran
salir del marasmo político y económico que sigue a su independencia.
Estados Unidos, cada vez más fuerte, no obstante sus graves contradicciones internas –problema de la
esclavitud, federalismo frente a centralismo, librecambismo frente a
proteccionismo, etc.–, llegan a la
costa del Pacífico tras la anexión de
Texas (1839) y la posterior guerra
contra México, al que arrebatan casi
de golpe unos 2,5 millones de km²
(California, Nevada, Utah, Arizona,
Nuevo México, Colorado, etc.). En
Centroamérica se disuelve la federación de las Provincias Unidas
(Guatemala, El Salvador, Honduras,
Nicaragua y Costa Rica) en 1839.
En el sur del continente, también se

deshace la Gran Colombia en 1830,
y surgen Venezuela y Ecuador segregados de Colombia. El intento de
unión peruano-boliviana (1837-
1839) no prosperó por la presión chilena y las contradicciones internas.
El inmenso imperio de Brasil se
mantuvo monárquico y unido a pesar
de algunas tendencias independentis-

tas (Río Grande do Sul). En el norte
del continente, los británicos conce-
den la autonomía a Canadá. Alaska
será rusa hasta 1867, en que es ven-
dida a EE. UU.

El continente asiático contempla
impotente la penetración o mediati-
zación europea: el Imperio otomano
sobrevive en parte gracias a la ayuda

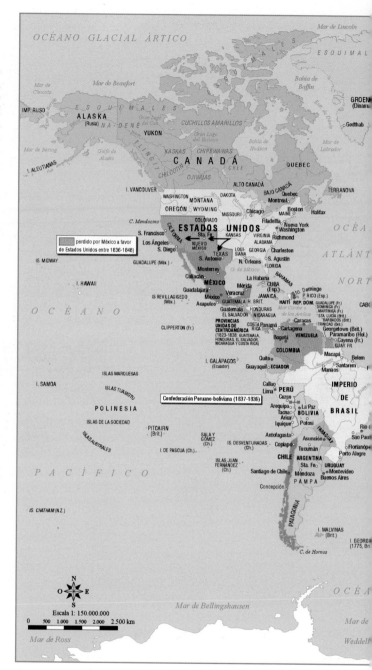

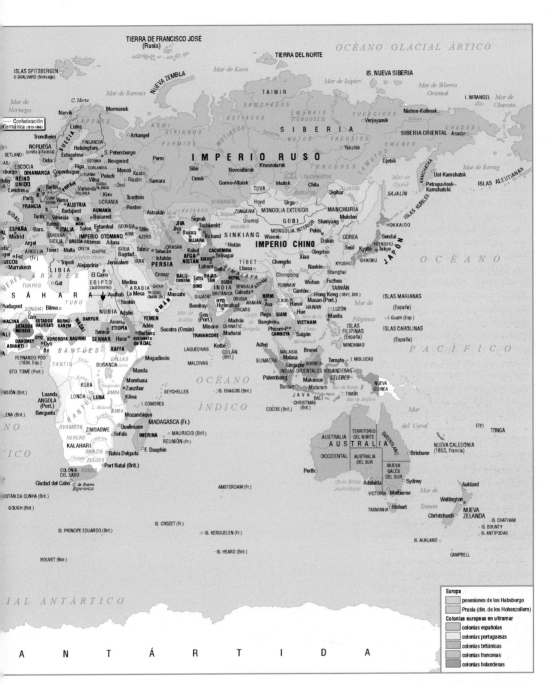

franco-británica, Persia y los kanatos musulmanes del Turquestán sufren por el norte la presión rusa y la intromisión en su política interna. La orgullosa China manchú comienza su declive tras la II Guerra del Opio (1840-1842) contra Gran Bretaña y la firma de los "tratados inicuos" con los occidentales: apertura de su mercado, concesiones territoriales, autorización de misiones cristianas y cesión de cientos de miles de km² a Rusia en el norte (Manchuria) y oeste (Zungaria). Sin embargo, China logró mantener su independencia y no correrá la misma suerte que la India, Birmania o los países de Indochina, salvo Siam, que acabaron totalmente colonizados por Francia y Gran Bretaña. En África, el dominio europeo no va más allá de sus posesiones costeras. En el interior africano perviven las culturas autóctonas y en la franja sudanesa, muy islamizada, una serie de soberanías se van desde el río Senegal hasta la cristiana Etiopía.

ÉPOCA DEL NACIONALISMO
Unificación de Alemania e Italia.
El Japón Meiji
(1850-1880)

El mapa de Europa sufrió entre 1860-1870 una radical transformación con la entrada en escena de las unificadas Alemania e Italia. Los procesos unificadores de estas dos naciones sin estado se iniciaron con las revoluciones de 1848 y continuaron a lo largo de dos décadas de guerras. En la dividida Alemania, controlada por Austria, Prusia se colocó al frente del proceso de unificación política. En el plano económico, la pujante Prusia puso en marcha, ya desde la década de los treinta, una unión aduanera (*zollverein*) entre los estados alemanes, de la que excluyó a Austria deliberadamente. Al final, en la guerra austro-prusiana de 1866 el dualismo germánico quedó resuelto a favor de Prusia, que excluyó a Austria de Alemania. Otra guerra en 1870 contra la orgullosa Francia de Napoleón III (1851-1870), llevó a Prusia, gobernada con mano de hierro por Bismarck, a proclamar la unidad de Alemania: había surgido el II Reich. En Italia el proceso unificador lo llevó a cabo Piamonte, dirigido por Cavour. En alianza con Prusia y Francia, los piamonteses consumaron la unificación italiana en 1870 frente a las pretensiones austríacas de mantener dividida la península. La derrotada Austria, desde 1867 convertida en Austria-Hungría, se colocó bajo la protección de la potencia ascendente de la Alemania bismarckiana, una vez reconciliados ambos imperios germanos. Francia se hizo republicana en 1871 (III República, 1871-1840) y buscó en la expansión colonial la compensación a la derrota frente a Alemania y a la pérdida de Alsacia-Lorena. En el otro extremo del mundo, Japón salió de su letargo secular expoleado por las presiones occidentales y gracias a la iniciativa de su monarca Mutsuhito (1867-1912), que evitó a Japón las vejaciones a que se vio sometida China por Occidente. Este emperador, en un proceso de reformas llamado "Revolución Meiji",

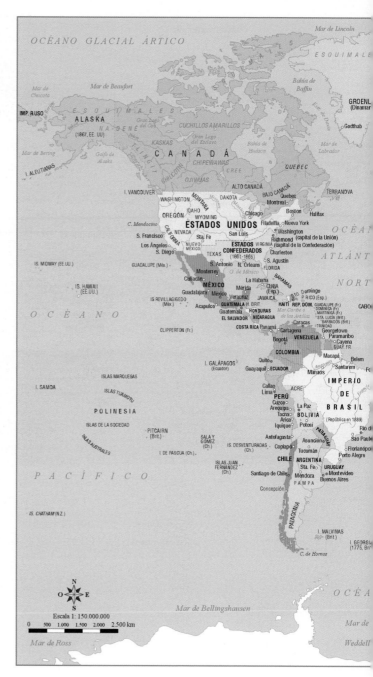

restauró la autoridad imperial acabando con el sistema shogunal-feudal, impulsó la industrialización acelerada, la construcción de ferrocarriles (1872) y astilleros, y dotó al país de una constitución escrita (1899). En un salto vertiginoso Japón pasó de la Edad Media a la era industrial. Otra potencia ascendente: Estados

Unidos. Tras la guerra contra México (1846-1848) y la conquista de la costa del Pacífico, surge el conflicto esclavista. Y la oposición entre el norte (industrial y proteccionista) y el sur (algodonero y librecambista) estalla en 1861 al crear los sudistas los Estados Confederados de América (cap.

Richmond). La reacción del norte (cap. Washington) fue la guerra (guerra de Secesión, 1861-1865) para reunificar al país e imponer sus tesis políticas. La rápida reconstrucción (industria, comercio, ferrocarriles, etc.) tras la guerra y la colonización del oeste –a costa de las tribus indias– colocaron a EE. UU. a la vanguardia del continente, y junto a Gran Bretaña y Alemania en poderío industrial y comercial. La aplicación de la doctrina Monroe ("América para los americanos"), llevó a los estadounidenses a combatir cualquier injerencia foránea en "su" continente. En tal sentido apoyaron a Juárez, presidente de México (1855-1872), a combatir la pretensión francesa de sentar en el trono mexicano a Maximiliano de Austria (1864-1867). En África, la cada vez mayor presión colonial europea, dio origen a varios movimientos indígenas de rechazo armado en toda la zona sudanesa: Samory, Omar El Hadji, El Mahdi, Rabeh y Fulani.

ÉPOCA DEL COLONIALISMO
El reparto europeo de África
(1880-1900)

La década de los ochenta del siglo XIX contempló el reparto de todo un continente por los países colonialistas europeos como si de una herencia se tratara. La loca carrera por pintar con los colores de cada país colonizador el casi blanco mapa de África, estuvo precedida por otra frenética carrera de exploraciones geográficas y científicas (altruistas o puramente mercantiles) desde mediados de siglo. El choque de intereses en el estuario del río Congo y en su cubeta entre portugueses, británicos, belgas y franceses, motivó la convocatoria por Bismarck de la Conferencia de Berlín (1884-1885) para fijar las reglas y principios jurídicos sobre los que debía basarse el reparto de África. Se abre entonces un veloz período de actividad militar, cartográfica y de establecimiento de "títulos de propiedad" que validaran la ocupación del territorio. Gran Bretaña quería unir territorialmente el eje El Cairo-El Cabo (norte-sur) y Francia el eje Dakar-Yibuti (oeste-este). Y Portugal deseaba enlazar en un todo Angola y Mozambique (eje Luanda-Beira). La irrupción de Alemania en el reparto, con la conquista de Tanganika, frustró los planes británicos, que a su vez frustró los planes franceses al apoderarse del Sudán egipcio, y los portugueses, con la creación de la colonia británica de Rhodesia. Aunque no faltaron los conflictos, e incluso riesgos de guerra (crisis luso-británica de 1890, y franco-británica por Sudán en Faschoda en 1898, entre otras) al final del siglo sólo eran independientes en todo el continente Etiopía, Liberia (bajo protección estadounidense) y Marruecos, y éste por muy poco tiempo.

En Asia ocurre algo parecido. Rusia reduce totalmente los kanatos musulmanes del Turquestán, Persia se mantiene independiente, pero británicos y rusos se reparten sus provincias en áreas de influencia. Lo mismo ocurre con China, donde la política de "puertas abiertas" lleva a

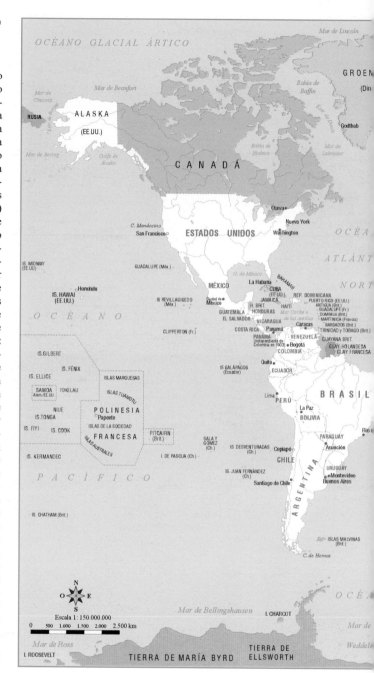

cabo el reparto del país en zonas de influencia por parte de Alemania, Gran Bretaña, Francia, Estados Unidos y Japón; además de perder los chinos varias ciudades costeras. Sin embargo, China no capituló ante Occidente y, si bien la dinastía manchú no sobrevivirá sino hasta 1911, los nacionalistas y republicanos chi-

nos mantuvieron la independencia del país después a toda costa. La India es sometida por Gran Bretaña desde el Himalaya hasta Ceilán. Sólo el agreste Afganistán se salva de la conquista, en parte por la resolución de sus pobladores de seguir independientes, como por la hostilidad ruso-británica en la zona, que

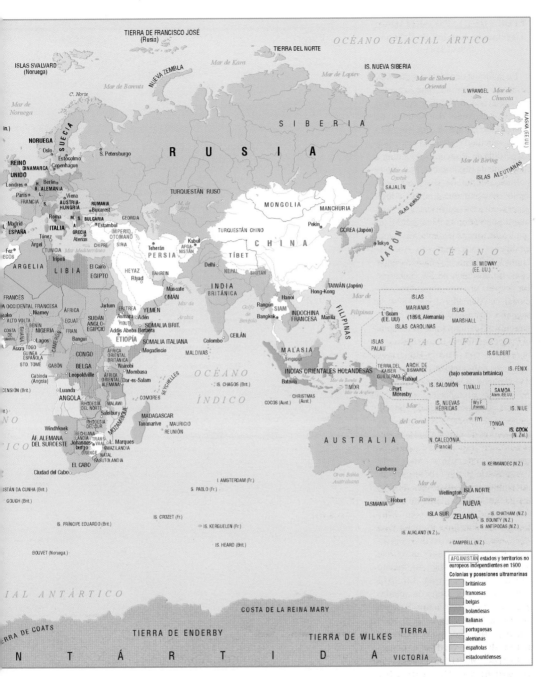

acordaron que Afganistán quedara como estado-tapón entre ambos.

La aparición de EE. UU. como gran potencia y su expansión fuera de América se realizó tras la guerra contra España de 1898. De resultas de este conflicto, España perdió Cuba, Puerto Rico y Filipinas, con la isla de Guam, que pasaron a la administración estadounidense como protectorados. La islas Carolinas y Marianas fueron vendidas a Alemania en 1899. Filipinas sirvió de base a EE. UU. en el Pacífico y el Extremo Oriente. Desde los años sesenta Hawai y Midway (Pacífico central), eran también estadounidenses. En los Balcanes, con ayuda rusa, una crecida Bulgaria se independiza de Turquía (Trat. de San Estéfano, III-1878), inmediatamente contestada por el resto de estados balcánicos, Austria y Gran Bretaña. El congreso de Berlín (VII-1878) recorta las pretensiones territoriales búlgaras y reconoce la independencia de Rumania, Serbia y Montenegro.

ÉPOCA DE LA "PAZ ARMADA"
Hegemonía mundial de Europa
(1890-1914)

En la última década del siglo XIX se acuñó el término "paz armada" para referirse al peculiar equilibrio europeo derivado del sistema de alianzas de Bismarck, que se retiró de la cancillería alemana en 1890. La pérdida de Alsacia-Lorena nunca fue aceptada por Francia. Por ello la política exterior de Bismarck consistió en evitar que Francia consiguiera aliados con vistas a una nueva guerra contra Alemania. Esto implicaba que Alemania estuviera en buenas relaciones con Austria-Hungría y Rusia, enfrentadas entre ellas, no obstante, en los Balcanes. La primera era una aliada incondicional de Alemania desde 1879; la segunda dejaría de serlo en 1894, pasando al campo francés, cuando el kaiser Guillermo II consideró que la alianza con Austria-Hungría e Italia era suficiente para la seguridad alemana. A comienzos del siglo XX Gran Bretaña se acercó a Francia y Rusia, alarmada ante el aumento del poderío naval alemán. La cuestión de Oriente (descomposición del Imperio otomano) se complicó en estos años. El Congreso de Berlín (1878) introdujo cambios en los Balcanes tendentes a evitar el hundimiento súbito del Imperio turco. Pero en 1885 Bulgaria se anexionó Rumelia y en 1908, tras la revolución de los jóvenes turcos, Grecia se anexionó Creta y Austria-Hungría hizo lo mismo con Bosnia-Herzegovina. En 1912 Grecia, Serbia y Bulgaria aliadas entraron en guerra contra Turquía, que pierde sus últimos territorios balcánicos, menos la capital, Estambul. Pero el reparto de los territorios volvió a los anteriores aliados y a Rumania contra Bulgaria en 1913, que resultó vencida. Albania obtuvo la independencia.

En estos años prebélicos Europa alcanzó el apogeo de su poder en el mundo. Cuatro siglos antes era una atrasada región en lo material, que apenas podía compararse en riqueza ni cultura a los grandes imperios de Asia. Estuvo en el siglo XIII a mer-

ced de los mongoles, e incapaz en el siglo XVI de resistir la acometida turca en los Balcanes. Pero en 1890, el continente americano, Australia y Nueva Zelanda eran gobernados por europeos o descendientes de europeos. La práctica totalidad de África y de las islas del Pacífico habían sido conquistadas y colocadas bajo sobe-

ranía europea. Siberia y la India se hallaban controladas directamente por europeos, y naciones independientes como el Imperio otomano, Persia, Afganistán, Siam y China estaban sometidas a la continua y creciente presión e injerencia europeas. En todo el mundo el único país fuerte no europeo era Japón, y

Imperio británico

- territorio metropolitano (Inglaterra, Escocia, Gales e Irlanda)
- Dominios de la Corona Británica
- otras posesiones, colonias y dependencias británicas

ello porque adoptó en gran medida la tecnología y la cultura europeas (EE. UU., aunque no europeo, lo era culturalmente). De todas las potencias Gran Bretaña era la preponderante a escala planetaria. El Imperio británico incluía más o menos una cuarta parte de la superficie del globo y también la cuarta parte de su población. Su sólida economía y su poderosa flota la convertían en la nación más influyente del mundo, y buena parte de las tierras no gobernadas directamente por los británicos estaban sujetas a ellos en el ámbito económico. Muy cerca se encontraba Alemania. Guillermo II (1888-1918) se propuso modificar ese sistema de equilibrios bismarckiano por el más ambicioso de colocar a Alemania al frente del mundo ("un lugar al sol", decía), mediante la industrialización (en 1900 Alemania era la 1ª potencia industrial del continente), el aumento de los efectivos militares y el navalismo, o construcción de una gran flota mercante y de guerra.

Gran Bretaña. En el año 1914 el Imperio británico abarcaba el 23% de la población mundial y el 20% de la superficie terrestre. Semejante concentración de poder y recursos fue el resultado de una sostenida política colonial a lo largo de toda la Edad Moderna, de la explosión demográfica metropolitana, de la Revolución industrial y el dominio británico de los mares desde los tiempos de Cromwell (s. XVII). Tras el parón por la pérdida de las Trece Colonias (1783) y por las guerras contra la Francia revolucionaria y Napoleón que siguieron, los británicos no dejaron de adquirir nuevos enclaves: Singapur (1819), Malvinas (1833), Adén (1839), Hong-Kong (1844) y nuevas colonias: El Cabo (1806-1814), Nueva Zelanda (1814-1840), Australia (desde 1829 a 1901), Natal (1843), Transvaal (1852), etc. A partir de 1875 (con Disraeli y Salisbury en la jefatura del gobierno) la expansión colonial cobró nuevos bríos, sobre todo porque entraban en juego nuevos y peligrosos competidores: la Francia de la III República, Italia, Alemania y Japón. Los británicos terminaron la conquista de la India y se expandieron por las tierras y los países limítrofes (Baluchistán, Cachemira, Assam y Birmania), Malasia, Melanesia, Australia y el Pacífico. En África, donde un cuarto del continente llegó a estar bajo su soberanía, los británicos fijaron sus objetivos en el plan de "El Cairo-El Cabo". Pero encontraron la resistencia mahdista en Sudán (1881-1883) y el establecimiento alemán en Tanganika (1884). En China lograron numerosas concesiones comerciales y territoriales en las provincias costeras y en el Tíbet. En cuanto a la organización político-administrativa, el Imperio británico lo formaban en 1914 Colonias de la Corona (administradas directamente por gobernadores: Egipto, Sudán, Kenia, Rodhesia, Nigeria, etc.), Protectorados (estados y principados indígenas con cierta autonomía interna, como los principa-

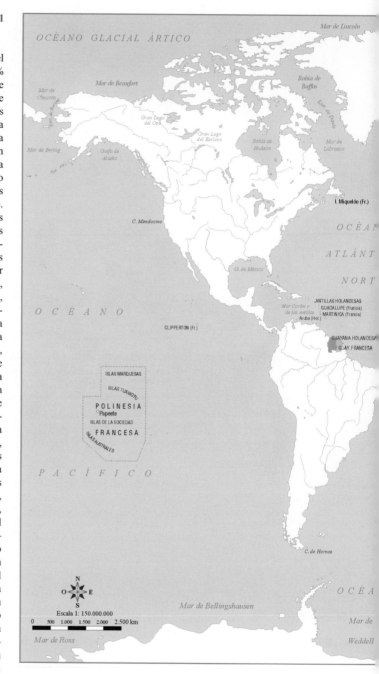

dos indios) y Dominios (poblados por anglosajones y con amplia autonomía: Australia, Nueva Zelanda, Unión Sudafricana, Canadá).

Estados Unidos. Se mantuvo durante prácticamente todo el siglo XIX inmerso en la política continental, concretamente en su área de interés más inmediata: el Caribe, Centro-

américa y México. Tras el frustrado intento de conquistar Canadá en 1812, los estadounidenses miraron al sur de sus fronteras, o al extremo norte, a Alaska, adquirida a Rusia en 1867. En el resto del continente los pasos a seguir eran los marcados por la denominada "doctrina Monroe", enunciada en 1823 ("Amé-

rica para los americanos"), que fue el soporte doctrinal para la hegemonía estadounidense en Iberoamérica y el Caribe. Tras la guerra contra México (1845-1848) y la de Secesión (1861-1865), EE. UU. llevó a cabo diversas tentativas para adquirir Cuba de España (1853) o anexionarse la República Dominicana (1853 y 1868). En 1889 se produjo la anexión de Hawai. Tras la guerra hispano-estadounidense de 1898, se anexionaron Cuba, Puerto Rico, Filipinas y la estratégica isla de Guam. En el continente, EE. UU. apoyó en 1903 la secesión de Panamá, entonces una provincia colombiana, para construir un canal interoceánico Atlántico-Pacífico, dadas las dificultades puestas por el gobierno de Colombia a este propósito estadounidense. Inaugurado en 1914, la posesión del canal ha sido clave para la posterior hegemonía naval estadounidense en el Pacífico y el Atlántico y sobre el centro y sur del continente americano.

Francia. De su primer imperio colonial, liquidado por la Paz de París de 1763, le quedaban a Francia diversos enclaves y posesiones dispersos por el mundo: en las Antillas Menores, Índico y costa africana (Senegambia). El segundo imperio se comenzó a construir en 1830, en que Francia inicia la conquista de Argelia y más tarde, a partir de 1844, con su intervención en Marruecos. Hasta 1870 los franceses conquistaron Indochina y, a través de la concesión para la construcción del canal de Suez (1859-1869), colocaron a Egipto bajo una especie de protectorado, que no se mantuvo más tarde. El gran impulso colonizador se dio con la III República (1870-1840). Bien por desquitarse de la derrota frente a Alemania de 1870, bien por recuperar en ultramar el prestigio perdido en Europa, Francia realizó hasta 1914 una decidida política colonial que le llevó a dominar casi un tercio de África y Madagascar. Su objetivo inicial era crear un gran imperio en África occidental y la línea Dakar-Yibuti (Atlántico-Índico). Pero la conquista británica del Sudán anglo-egipcio frustró los planes franceses en 1898. En 1881 se estableció el protectorado francés de Túnez, adelantándose a Italia. Luego siguió la doble penetración hacia el Sáhara y el Sahel desde Argelia y Senegal, y la exploración y conquista de Gabón y Congo francés, en la zona ecuatorial del continente. La última adquisición francesa en África fue Marruecos, en 1911. En 1887 se creó la Unión Indochina, o Indochina francesa, tras un tratado con China, que reclamaba la soberanía en aquellas tierras, integradas por Tonkín, Annam, Cochinchina, Laos y Camboya.

Bélgica. El imperio colonial belga se gestó por iniciativa privada del rey Leopoldo II (1865-1909), al margen del Estado y del pueblo belgas. Este monarca aprovechó la rivalidad de las grandes potencias en la cubeta del Congo y logró en la Conferencia de Berlín de 1884 una extensa concesión en el corazón de África donde creó el Estado Independiente del Congo (1885-1908), reconocido por el resto de las potencias coloniales como estado soberano bajo la jefatura del rey de Bélgica, no del Estado belga. Tan peculiar situación se mantuvo hasta 1906, en que la posesión recayó como herencia a la nación, ya como Congo Belga. El Congo Belga fue una de las más extensas, ricas y compactas posesiones coloniales (2.250.000 km²), sobre todo teniendo en cuenta las reducidas dimensiones de la metrópoli belga (30.500 km²). Por esta razón no faltaron tentativas de reparto del Congo entre

OCÉANO GLACIAL ÁRTICO

Mar de Kara

Mar de Laptev

Mar de Barents

Mar de Siberia
Oriental

Mar de
Chucota

Mar de
Noruega

C. Norte

Mar de Bering

Hamburgo Berlín
ALEMANIA

Mar de
Ojotsk

SAJALÍN
(KARAFUTO)

Roma
ITALIA

M. de
Aral

L. Baljash

MANCHURIA
(Protectorado
japonés,
1900-1905)
Mukden

ISLAS KURILES

Mar Negro

DODECANESO
(1912, Italia)

COREA
(Jap. en 1910)

Tsingtao Seúl
(Alem.)

Tokyo
JAPÓN

OCÉANO

Tripoli
LIBIA
(1912)

TAIWÁN (japonesa en 1895)

G. de Omán

ERITREA Asmara
(1889)

Mar de
Arabia

Golfo
de
Bengala

Mar de la
China

Mar de
Filipinas

ISLAS
MARIANAS

ISLAS
MARSHALL

TOGOLANDIA CAMERÚN
(1884) (1884)
Lomé Douala

Addis Abeba

ETIOPÍA
(Conquistada
en 1935-1936)

SOMALIA ITALIANA
(1889)
Mogadiscio

ISLAS CAROLINAS

ISLAS
PALAU

PACÍFICO

ÁFRICA
ORIENTAL Dar-es-Salam
ALEMANA
(1885-1890)

OCÉANO

ÍNDICO

Mar de Java

Mar de Banda

Mar de Arafura

(1894-1899)

TIERRA DEL
KAISER
GUILLERMO

ARCH. DE
BISMARCK
Rabaul

bajo soberanía alemana
entre 1858-1914

Mar

del Coral

Windhkoek
ÁFRICA DEL
SUROESTE
Luderitz (1884)

C. de Buena
Esperanza

Gran Bahía
Australiana

Mar de
Taman

NO

ICO

IAL ANTÁRTICO

colonias alemanas
colonias italianas
posesiones japonesas

Gran Bretaña y Alemania en algún momento de su historia colonial.

Holanda. Los holandeses, que a lo largo de la Edad Moderna tuvieron colonias en todos los mares y continentes, levantaron otro en el siglo XIX. En esta ocasión su principal colonia la constituyeron las denominadas Indias Orientales Holandesas (act. Indonesia). Eran un conjunto heterogéneo de más de 3.000 islas de todas las dimensiones. No les fue fácil a los holandeses la conquista del archipiélago. Desde tiempos medievales proliferaban reinos y sultanatos en las islas y el islam era un factor de cohesión contra el colonialismo. La colonización holandesa pasa por ser una de las más duras habidas, y no faltaron revueltas contra el régimen colonial y por la ausencia de derechos indígenas. Particularmente duras fueron las revueltas indígenas en la zona de Achej, al norte de Sumatra. La reina Guillermina (1890-1848) suavizó la administración colonial holandesa.

LOS IMPERIOS COLONIALES / 3
Alemania, Italia y Japón

Alemania, Italia y Japón fueron unos recién llegados al reparto colonial, frente al considerable adelanto que ya llevaban Gran Bretaña y Francia. Las dos primeras porque no alcanzaron su unidad nacional hasta 1870 y no pudieron liberar recursos sino después de esa fecha para la expansión colonial. Japón, porque permaneció voluntariamente encerrado sobre sí mismo hasta 1860 y sólo tras una verdadera carrera contrarreloj logró dotarse de instituciones políticas modernas y del poderío industrial y naval necesarios para salir del archipiélago y vencer a China en 1895 y a Rusia diez años después. Sin embargo, y a pesar del retraso de los tres repecto a los franco-británicos, levantaron unos imperios coloniales de considerables dimensiones.

Alemania. Aunque Bismarck era un político de convicciones continentalistas, no obstaculizó la expansión colonial alemana. En 1882 Karl Peters fundó la Liga Colonial Alemana y sentó las bases políticas del imperialismo colonial alemán. Inmediatamente, la marina alemana comenzó la ocupación y el establecimiento en los lugares de la costa africana en que no hubiera otra potencia europea. De esta forma los alemanes establecieron bases en el golfo de Guinea (Togo y Camerún), en el sudeste del continente (Namibia) y en el este (Tanzania). Por aquellas fechas, aprovechando el prestigio y el poder de Alemania, Bismarck convocó en 1884-1885 en Berlín una conferencia sobre el litigio del Congo, que a la postre sería el punto de partida para el reparto del continente negro. Esta conferencia le reconoció a Alemania los siguientes protectorados: África del Suroeste (1884), Camerún y Togo (1884) y África Oriental Alemana o Tanganika (1885). En Asia y el Pacífico, los alemanes habían adquirido la Tierra del Emperador Guillermo (Nueva Guinea), las islas Marshall y el archipiélago de Bismarck. En 1897 forzaron a China la concesión de Tsingtao, y

en 1899 adquirieron las islas Carolinas, Marianas y Palaos a España, y llegaron con EE. UU. a un acuerdo para la partición de Samoa.

Italia. Los italianos ambicionaban Túnez, pero se adelantó Francia. Comenzaron su expansión colonial en 1887-1890 en el Mar Rojo, donde se anexionaron Eritrea. También en

1889 los italianos se anexionaron Somalia, en el Índico. En 1889 colocaron Abisinia bajo su protectorado, aunque seis años más tarde lo perdieron al ser derrotados por los abisinios en Adua. En 1911-1912 Italia arrebató a los otomanos Libia, y Rodas y el Dodecaneso, en el Egeo, con la contrariedad de Grecia.

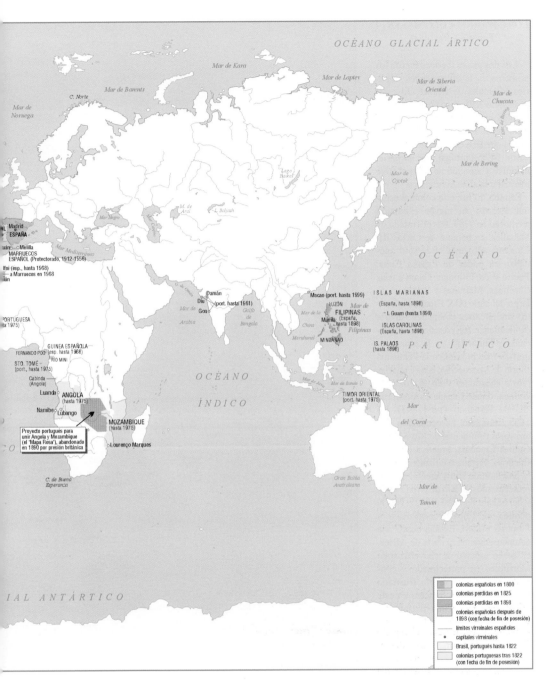

OCÉANO GLACIAL ÁRTICO

Mar de Kara

Mar de Laptev

Mar de Barents

Mar de Siberia Oriental

C. Norte

Mar de Chucota

Mar de Noruega

Lago Baikal

Mar de Bering

Mar de Ojotsk

O C É A N O

M. de Aral

Mar Negro

L. Balyash

Madrid
ESPAÑA
uán—Melilla
MARRUECOS
ESPAÑOL (Protectorado, 1912-1956)
Ifni (esp., hasta 1968)
a Marruecos en 1968
ón

Mar Mediterráneo

Damán
Diu
Goa
(port. hasta 1961)

Macao (port. hasta 1999)
LUZÓN
FILIPINAS
Manila (España, hasta 1898)
MINDANAO

ISLAS MARIANAS
(España, hasta 1898)
I. Guam (hasta 1898)
ISLAS CAROLINAS
(España, hasta 1898)

P A C Í F I C O

ORTUGUESA
ta 1975)

Mar de Arabia

Golfo de Bengala

Mar de la China Meridional

Mar de Filipinas

IS. PALAOS
(hasta 1898)

GUINEA ESPAÑOLA
FERNANDO POO (esp. hasta 1968)
RÍO MINI
STO. TOMÉ
(port., hasta 1975)
Cabinda
(Angola)
Luanda
ANGOLA
(hasta 1975)
Namibe
Lubango

O C É A N O

Í N D I C O

Mar de Java

Mar de Banda

TIMOR ORIENTAL
(port. hasta 1975)

Mar del Coral

Proyecto portugués para
unir Angola y Mozambique
(el 'Mapa Rosa'), abandonado
en 1890 por presión británica

MOZAMBIQUE
(hasta 1975)
Lourenço Marques

C. de Buena
Esperanza

Gran Bahía Australiana

Mar de Tasman

IAL ANTÁRTICO

colonias españolas en 1800
colonias perdidas en 1825
colonias perdidas en 1898
colonias españolas después de
1898 (con fecha de fin de posesión)
límites virreinales españoles
capitales virreinales
Brasil, portugués hasta 1822
colonias portuguesas tras 1822
(con fecha de fin de posesión)

Japón. Puede decirse sin temor a error que los japoneses se hicieron colonialistas para evitar ser colonizados. En efecto, las presiones que desde principios del siglo XIX llevaron a cabo británicos y estadounidenses para forzar la apertura comercial del país, llevaron a los gobernantes nipones a impulsar la industrialización y el navalismo acelerados para competir de igual a igual con Occidente. La evolución de Japón desde 1867 hasta convertirse en gran potencia fue tan rápida que en 1894-1895 venció a China, a la que arrebató Taiwán (Formosa) y forzó la independencia de Corea. Pero la gran sorpresa la dio al derrotar estrepitosamente por tierra y por mar a una confiada Rusia en 1904-1905. Tras esta derrota Japón conquistó a Rusia la parte sur de la isla de Sajalín, le arrebató su protectorado sobre Manchuria y Corea y se convirtió por derecho propio en nueva gran potencia mundial. En 1910 Japón se anexionó Corea.

LOS IMPERIOS COLONIALES / 4
España y Portugal

Los dos países ibéricos fueron los primeros en levantar sendos imperios coloniales de alcance universal en el siglo XVI. Pero cuando se produjo la nueva carrera colonial del siglo XIX, España perdió lo poco que le quedaba del imperio que tuvo desde 1492. Portugal, por su parte, mantuvo y agrandó no poco el suyo merced a la alianza británica.

España. El Imperio colonial español alcanzó su mayor extensión territorial en 1783, tras el Tratado de Versalles, en tiempos de Carlos III. Cuarenta años más tarde sólo quedaban en poder de España Cuba, Puerto Rico, Filipinas, Guam e islas Carolinas, Marianas y Palaos. A lo largo del siglo XIX España concentró sus intereses coloniales –aparte de mantener las posesiones americanas y Filipinas– en la zona geográfica más próxima a la Península (norte de Marruecos), islas Canarias (costa sahariana) y en el golfo de Guinea, donde España ya poseía la isla de Fernando Poo (1843). En 1885 completó la ocupación del territorio continental de Río Muni o Guinea Española. Frente a las islas Canarias, España confirmó en 1860 la posesión de Ifni y creó al sur los protectorados de Río de Oro (1884), y del Sáhara Español (1912). Tras la pérdida de Cuba, Puerto Rico y Filipinas (1898), España buscó una compensación en el norte de África. El deseo español de convertir todo Marruecos en protectorado y controlar el Estrecho se vio frustrado por la intervención francesa en este Sultanato. Como Gran Bretaña no deseaba que la orilla sur del estrecho estuviera bajo control francés, apoyó la pretensión española de quedarse con el Rif, en la zona norte de Marruecos (1912).

Portugal. La pérdida de Brasil en 1822 sumió a Portugal en un gran desánimo, al creerse que sin Brasil el país no podría mantener su independencia por mucho tiempo. Pero tras la revolución de 1836 se puso en marcha un plan para levantar otro imperio en ultramar partiendo de las posesiones en el litoral africano

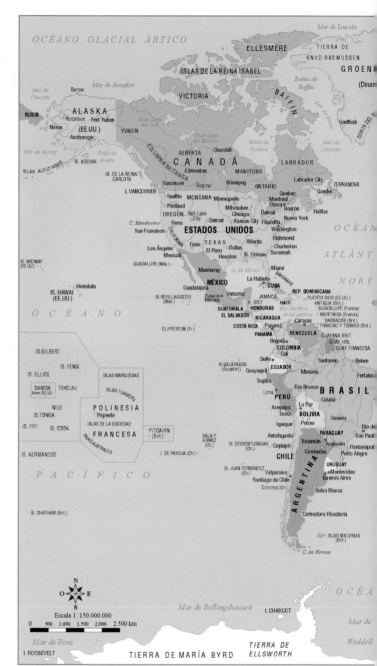

(Angola, Mozambique y Guinea). Levantar y organizar un nuevo imperio africano se convirtió en una cuestión de interés nacional, implicando a toda la población en la empresa. La coordinación de las economías metropolitana y colonial estuvo a la orden del día en la actividad del Estado. A mediados del siglo XIX las posesiones portuguesas de África, casi abandonadas, se limitaban a pequeños establecimientos en el litoral y en algunas zonas de difícil acceso por mar. En China tenía Macao, en Insulindia poseía Timor Oriental, en la India Goa, Diu y Damao. Algunos de estos territorios eran portugueses desde finales del

172

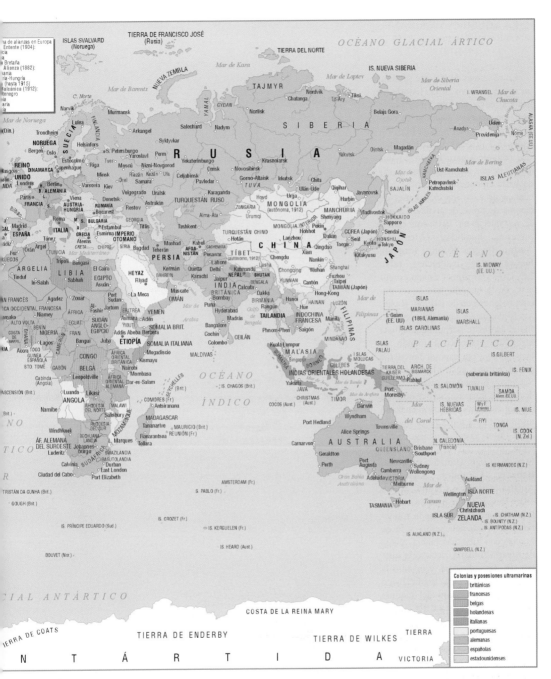

siglo XV, pero el interés por Brasil a lo largo de la Edad Moderna condujo a las posesiones africanas portuguesas a un estado de semiabandono. El pequeño Portugal puso en marcha la construcción de su segundo imperio colonial cuando en Europa se desató el frenesí colonial. Tuvo que competir con potencias inmensamente más poderosas (Gran Bretaña y Alemania, sobre todo) que él. Sin embargo, logró mantener y agrandar considerablemente sus posesiones tras la Conferencia de Berlín (1885). El gran proyecto colonial portugués era unir Angola con Mozambique (proyecto del "Mapa Rosa"). Esto chocaba de lleno en Rhodesia con el proyecto británico de "El Cairo-El Cabo". Portugal no se avino a ceder en sus pretensiones y Gran Bretaña amenazó con la fuerza para hacerle desistir (1890, crisis del Ultimátum), cosa que causó gran conmoción en Portugal, sobre todo si tal amenaza venía de su más firme aliado en el mundo.

LA I GUERRA MUNDIAL
La Revolución rusa de 1917
(1914-1918)

En el verano de 1914 se produjo un viraje decisivo en la Historia de Europa, cuya magnitud muy pocos captaron entonces. Durante los cuatro años siguientes millones de soldados (5,7 aliados y 3,5 de los imperios centrales) participaron en una guerra de una intensidad desconocida hasta entonces. Un terrible porcentaje de ellos murió, además de cientos de miles de civiles. La paz se restableció en 1918 con cuatro imperios hundidos (Alemania, Austria-Hungría, Rusia y Turquía), los vencedores maltrechos, salvo EE. UU., y el primer estado comunista de la historia, tras la revolución bolchevique de 1917 en Rusia.

El desencadenante del conflicto fue el asesinato por un nacionalista serbio de Francisco Fernando de Habsburgo y su esposa, herederos de la corona austro-húngara, en Sarajevo (Bosnia). Austria-Hungría declaró la guerra a Serbia después de que este país hubiera rechazado un ultimátum a todas luces inaceptable. Entonces entró en juego el sistema de alianzas (Triple Entente: Francia, Gran Bretaña y Rusia; Imperios Centrales: Alemania, Austria-Hungría, Turquía y, en 1915, Bulgaria) y se puso en marcha la maquinaria bélica: ante la solidaridad de Rusia con Serbia y la de Francia con Rusia, Alemania, aliada de Austria-Hungría, declaró la guerra a Rusia y Francia, e invadió la neutral Bélgica para seguir luego por Francia en busca del camino más corto para llegar a París. El ataque a Bélgica llevó a intervenir a Gran Bretaña que, además de garante de la neutralidad belga, no quería ver a Alemania al otro lado del Canal. En esta primera fase de la guerra primaron los rápidos movimientos de los ejércitos. Los rusos tomaron la iniciativa en el frente del este e invadieron Alemania. Pero la ofensiva rusa fue frenada en Tannenberg (Prusia, VIII-1914) y la alemana en Francia y Bélgica en el Marne (IX-1914). Comenzó entonces la denominada "guerra de posi-

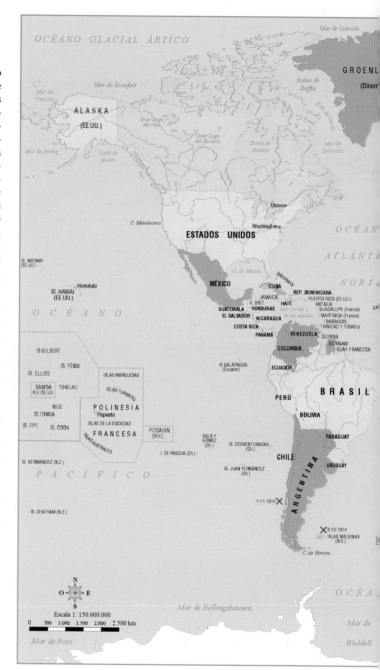

ciones", en la que durante casi cuatro años el frente occidental estuvo prácticamente inmóvil, a pesar de las mortíferas batallas que se libraron. En 1914 Japón entró también en guerra a favor de los aliados, y en 1915 Italia. Los británicos intentaron ahogar la economía alemana con un bloqueo marítimo, a lo que los alemanes

respondieron con la guerra submarina. A la larga, los ataques submarinos contra mercantes neutrales que comerciaban con Gran Bretaña, motivaron la entrada de EE. UU. en la guerra a favor de los aliados, en 1917. En el este, austríacos y alemanes rompen el frente ruso en 1915 e invaden Rusia, y en los Balcanes

OCÉANO GLACIAL ÁRTICO

Europa:
H.: HOLANDA
B.: BÉLGICA
L.: LUXEMBURGO
S.: SUIZA
M.: MONTENEGRO
S.: SERBIA
A.: ALBANIA

ISLAS SVALVARD (Noruega)

Mar de Kara · Mar de Laptev · Mar de Siberia Oriental · Mar de Chucota · ALASKA (EE UU)

Mar de Barents · C. Norte

NORUEGA · SUECIA · FINLANDIA

ESTONIA · LITUANIA

R U S I A
(desde 1922 UNIÓN DE REPÚBLICAS SOCIALISTAS SOVIÉTICAS)

Mar de Bering

naval británico · Jutlandia V-VI-1914 · REINO UNIDO · DINAMARCA · Londres · Berlín · ALEMANIA · POLONIA · Kiev · París · FRANCIA · L. · B. H. · Viena · AUSTRIA-HUNGRÍA · UCRANIA · RUMANIA · TURQUESTÁN RUSO · Mar de Ojotsk

S. Petersburgo "Revolución de octubre", 1917 · Moscú (nueva capital de la Rusia soviética)

ESPAÑA · Roma · ITALIA · M. S. · BULGARIA · GRECIA · Estambul · Atenas · IMP. OTOMANO · Damasco · GEORGIA · Tiflis · PERSIA · AFGANISTÁN · Bagdad

Mar Mediterráneo

CHINA · Pekín · 7-XI-1914 · Qingdao (Tsingtao) · Tokyo · JAPÓN · OCÉANO

RUECOS · ARGELIA · LIBIA · EGIPTO · ARABIA · OMÁN · NEPAL · BHUTÁN · INDIA BRITÁNICA · Mar de Arabia · Golfo de Bengala

CA OCCIDENTAL FRANCESA · ÁFRICA ECUAT. FRAN. · 26-VIII-1914 · GHANA · NIGERIA · TOGO · CAMERÚN · 18-II-1916 · Bangui · CONGO · STO TOME · BELGA · ÁFRICA ORIENTAL BRITÁNICA · ERITREA · YEMEN · SUDÁN ANGLO-EGIPCIO · ETIOPÍA · SOMALIA ITALIANA · CEILÁN · MALDIVAS

ÁFRICA ORIENTAL ALEMANA · Dar-es-Salam · SEYCHELLES · OCÉANO ÍNDICO · COMORES · MADAGASCAR · MAURICIO REUNIÓN

TAILANDIA · INDOCHINA FRANCESA · FILIPINAS · BRUNEI · MALASIA · Singapur · INDIAS ORIENTALES HOLANDESAS · Yakarta · JAVA · TIMOR · COCOS · 9-XI-1914 · Mar de Banda · Mar de Arafura

Mar de Célebes

ISLAS MARIANAS · ISLAS CAROLINAS · ISLAS PALAU · ISLAS MARSHALL · IX-X-1914 · ISLAS GILBERT · PACÍFICO · TIERRA DEL KAISER GUILLERMO · ARCH. DE BISMARCK · Rabaul · IS. FÉNIX (soberanía británica) · IS. SALOMÓN · TUVALU · SAMOA R.U./EE.UU. · IS. NUEVAS HÉBRIDAS · Wy F (Francia) · IS. NIUE · FIYI · TONGA · IS. COOK · Mar del Coral · N. CALEDONIA (Francia)

ASCENSIÓN (Brit.) · ANGOLA · MOZAMBIQUE · 9-VII-1915 · ÁFRICA DEL SUROESTE · SUDÁFRICA · C. de Buena Esperanza

AUSTRALIA · Sydney · Gran Bahía Australiana · Mar de Taman · Wellington · NUEVA ZELANDA

N   T   Á   R   T   I   D   A

Leyenda:
- Imperios centrales (Triple alianza)
- países aliados hasta 1917 (Entente)
- nuevos países aliados después de 1917
- estados neutrales durante toda la guerra
- ofensivas de los Imperios centrales
- avance máximo de los Imperios centrales
- ofensivas aliadas
- capitulación de las colonias alemanas
- batallas navales germano-británicas
- operaciones de los submarinos alemanes

IAL ANTÁRTICA

---

ocupan Serbia (1915) y Rumania (1916). Pero Italia abre un nuevo frente en los Alpes en 1915 y los franco-británicos atacan a Turquía en Palestina y Grecia, a la par que rusos y turcos luchan en el Cáucaso. La Revolución rusa de octubre de 1917, con la subsiguiente instalación de los bolcheviques en el poder, sacó a Rusia de la guerra, con lo que los alemanes, que ya ocupaban una buena porción de Rusia occidental, volcaron todos sus esfuerzos en romper el frente del oeste y logar la victoria antes de que entrara en guerra EE. UU. (6-IV-1917). La gran ofensiva alemana de la primavera de 1918 fue detenida y los aliados pasaron a la ofensiva en julio. Alemania, incapaz ya de cambiar el curso de la guerra, pidió el fin de las hostilidades en noviembre. El kaiser huyó y se proclamó la república. Los aliados de Alemania siguieron el mismo camino: Turquía y Bulgaria pidieron la paz y el Imperio austro-húngaro se disolvió.

PERÍODO DE ENTREGUERRAS
Liberalismo, fascismo y comunismo
(1919-1935)

En una Europa arruinada por la guerra, el Tratado de Versalles y los de Saint Germain, Trianon, Sevres y Neuilly (1919) modificaron las fronteras de todo el continente y Oriente Próximo en favor de los estados vencedores y sus aliados. Se crearon nuevos estados europeos sobre las ruinas de los recién extintos imperios ruso y austro-húngaro (Finlandia, Letonia, Estonia, Lituania, Polonia, Checoslovaquia y Yugoslavia) basándose en el principio de las nacionalidades. Los aliados de la Entente reconstruyeron su economía, reforzaron sus imperios coloniales y se repartieron los territorios turcos del Próximo Oriente (Siria, Líbano, Palestina e Irak), al igual que las colonias alemanas de África y el Pacífico. Los mandatos sobre las antiguas colonias alemanas son entregados por la Sociedad de Naciones (ver epígrafe siguiente) a Gran Bretaña, Bélgica, Francia y Japón. La gran Exposición colonial de París de 1931 marca el apogeo de la política colonial occidental. En Rusia, el comunismo debe pasar de la teoría a la práctica. Tras vencer a la contrarrevolución blanca en la guerra civil y a la intervención occidental (1918-1920), los bolcheviques crearon en 1922 la URSS (Unión de Repúblicas Socialistas Soviéticas). El nuevo estado lo formaban Rusia, Ucrania, Rusia Blanca o Bielorrusia, Transcaucasia (Armenia, Georgia y Azerbaiyán) y el anterior Turquestán occidental o ruso (Kirguisistán, Uzbequistán, Tayikistán y Turkmenistán). La caótica situación económica (hambres, hundimiento de la producción agraria e industrial) impulsa a Lenin (1917-1924) a poner en marcha la Nueva Política Económica (NEP), de orientación capitalista, para superar el bache. Stalin (1924-1953) suprimió la NEP y puso en marcha la industrialización acelerada y la total colectivización económica.

Los "felices veinte" que se viven en Occidente tocan a su fin con la crisis de 1929 (hundimiento de la

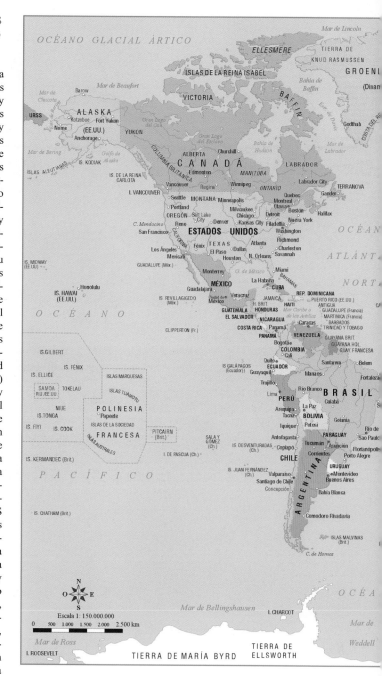

bolsa de Nueva York). Sus efectos son mundiales y devastadores: quiebras empresariales por doquier, inflación galopante, paro y pobreza se expanden por buena parte del mundo y crean las condiciones para soluciones extremas al margen del sistema demócrata-liberal, polarizadas en torno al comunismo y el fascismo.

En Alemania, la inflación, el paro, las sanciones por el cese del pago de reparaciones y el deseo de revancha llevaron a Hitler al poder (1933-1945). En Francia se llegó a un gobierno del Frente Popular (1936). España, republicana desde 1931, vivió una cruel guerra civil entre 1936-1939, de la que salió con un

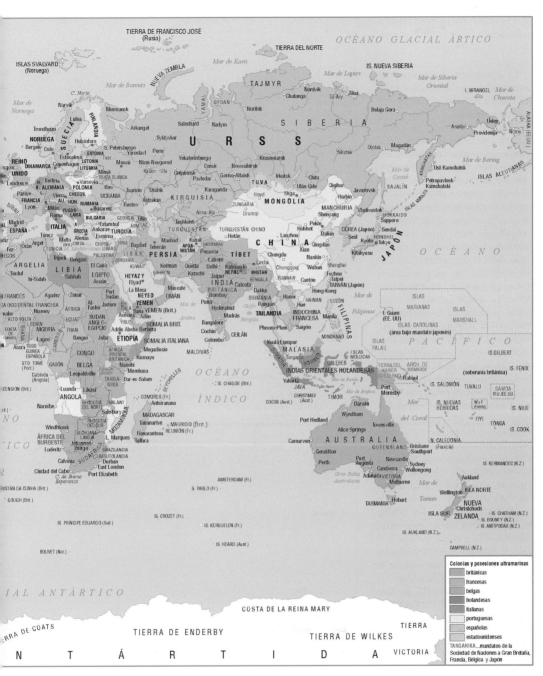

régimen autoritario filo-fascista (Franco, 1939-1975). En Italia, Mussolini (1922-1943) ya había implantado su dictadura en 1922. Dictaduras conservadoras y nacionalistas se instalan también en los años treinta en los países bálticos, Austria, Hungría, Grecia, Polonia, Rumania, Yugoslavia, Bulgaria, Portugal e Iberoamérica (Rep. Dominicana, Guatemala, Nicaragua, Argentina, Brasil, etc.). En Europa central, la única democracia en 1935 era Checoslovaquia. En Europa occidental se forman importantes partidos comunistas. En China, república na desde 1911 y gobernada por los nacionalistas del Kuomintang, se funda el partido comunista en 1921. Turquía fue el primer país en modificar el Tratado de Versalles. El régimen de Kemal Atatürk (1920-1938) revocó el Tratado de Sevres por el de Lausana (1923), rechazó la invasión griega, abolió el sultanato otomano e impulsó la occidentalización acelerada de la nueva Turquía.

177

LA SOCIEDAD DE NACIONES
Antecedentes, fundación e historia
(1919-1946)

La idea de crear una organización internacional que agrupara a todos los estados del mundo para garantizar la paz mundial y el respeto a las fronteras de sus Estados miembros, fue expuesta en los 14 puntos que el presidente demócrata estadounidense Woodrow Wilson (1913-1921) enunció en enero de 1918. Wilson pretendía sustituir el principio del equilibrio de poderes como garantía de paz, imperante desde Westfalia (1648), por esta nueva sociedad supranacional, cuya primera medida sería abolir la guerra como forma de hacer política. Una vez terminada la I Guerra Mundial, el Tratado de Versalles (1919) aprobó su reglamento orgánico de la Sociedad de Naciones (S. d. N.), e inició sus actividades en Ginebra (Suiza) el 16-I-1920. Era creencia general que la experiencia de la pasada guerra acabaría, por fin, con todas las guerras. La S. d. N. incluía en un principio a 45 Estados miembros (aliados y neutrales). EE. UU., cuyo presidente patrocinó la idea, no entró en la organización al no ratificar el Congreso estadounidense el Tratado de Versalles. En 1928 el Pacto Briand-Kellog estableció la renuncia a la guerra para la resolución de conflictos entre países. En 1930 la S. d. N. tenía 60 Estados miembros, descendiendo a 44 al comenzar la II Guerra Mundial en 1939. Alemania se retiró en 1933, tras acceder al poder los nacional-socialistas de Hitler; también en 1933 lo hizo Japón; Italia en 1936, y la URSS fue excluida en 1939. Su prestigio se mantuvo durante la década de los veinte, aunque siempre fue vista por los países vencidos en 1919 (Alemania, Austria, Hungría, etc.) como el instrumento de los países vencedores de la guerra (Aliados franco-británicos) para imponer sus pretensiones. Además, la autoexclusión de EE. UU., dejó a la S. d. N. sin su principal valedor.

La S. d. N. se componía de tres organismos: una Asamblea, que celebraba una sesión plenaria anual,

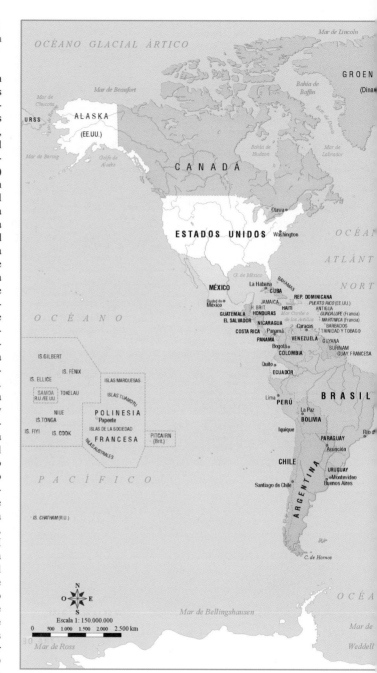

en la que cada país tenía derecho a voto; un Consejo de 13 miembros (cuatro de ellos eran permanentes: Francia, Gran Bretaña, Italia y Japón, y más adelante Alemania); y por último, un Secretariado General permanente, con un secretario general con sede permanente en Ginebra. Otras instituciones internacionales que el

Tratado de Versalles contribuyó a crear se adhirieron a la S. d. N.: el Tribunal Permanente de Justicia (sobre arbitraje de conflictos internacionales con sede en La Haya), la Oficina Internacional del Trabajo (sobre legislación laboral), y la Comisión de Mandatos (bajo cuya responsabilidad estaba la adminis-

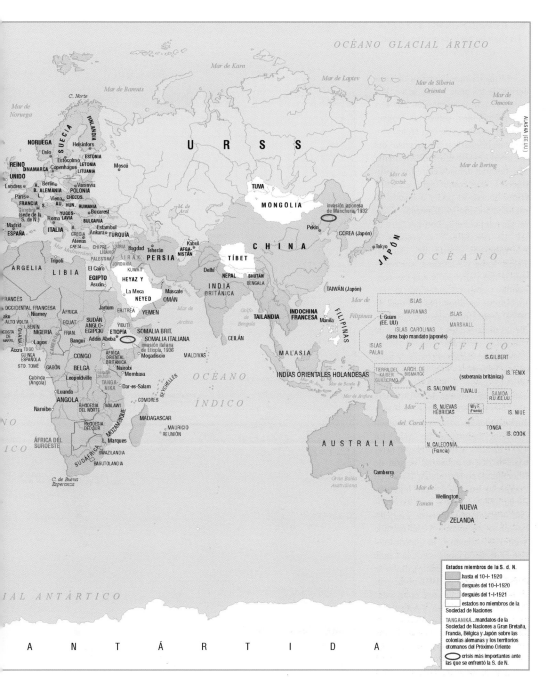

OCÉANO GLACIAL ÁRTICO

Estados miembros de la S. d. N.

- hasta el 10-I- 1920
- después del 10-I-1920
- después del 1-I-1921
- estados no miembros de la Sociedad de Naciones

TANGANIKA...mandatos de la Sociedad de Naciones a Gran Bretaña, Francia, Bélgica y Japón sobre las colonias alemanas y los territorios otomanos del Próximo Oriente

◯ crisis más importantes ante las que se enfrentó la S. de N.

tración de las ex-colonias alemanas). Las disensiones que surgieron al poco de su creación entre los diversos Estados miembros y su impotencia para hacer respetar a algunos países totalitarios el Derecho internacional y de gentes, fueron las principales causas de su fracaso. A partir de 1931 su presti-gio empezó a decrecer, incapaz de resolver la cascada de crisis y conflictos como los de Etiopía (invadida por Italia en 1936), Albania (1939, lo mismo que la anterior), Austria (incorporada a Alemania en 1938) o Checoslovaquia (anexión de los Sudetes por Alemania en 1938 y definitiva liquidación del estado che-coslovaco en 1939). En el Extremo Oriente, la S. d. N. tampoco pudo evitar la invasión de Manchuria por Japón en 1931 y la creación del Imperio de Manchukuo (1932), segregado de China. La S. d. N. fue disuelta el 3-VII-1947, pues la Carta de las Naciones Unidas ya había entrado en vigor dos años antes.

EL REVISIONISMO ALEMÁN
La marcha hacia la guerra. Japón
(1935-1939)

El pacifismo y espíritu de concordia de los años veinte se ve desbordado por la crisis del 29. Las interpretaciones sobre las consecuencias políticas de esta crisis, y su responsabilidad en el ascenso del nacional-socialismo en Alemania aún suscitan debates entre los historiadores. Sea como fuere, en 1933 Hitler accede al poder e instala su régimen totalitario dispuesto a terminar para siempre con los "grilletes de Versalles" y colocar a Alemania al frente de Europa. Japón, Italia y Alemania, sin reservas de oro y divisas, y con sus economías semiparalizadas por la restricción de créditos tras la crisis de 1929, serán empujadas por sus regímenes dictatoriales a una política de conquista territorial con el fin de disponer de materias primas y mercados exteriores. En el Extremo Oriente, Japón, a pesar de contarse entre los vencedores de 1918, inicia una decidida política imperialista y anti-occidental para convertirse en potencia dominante de Asia. En 1931 invadió China, a la que arrebató la rica e industrial región de Manchuria, convertida en 1932 oficialmente en un estado independiente (Manchukuo), pero en realidad una colonia japonesa. Los chinos no se resignaron a esta pérdida y en 1937 comenzó la guerra total con la invasión japonesa de la China nacionalista (cap. Nankín). Italia se anexiona Etiopía en 1936 como plataforma para ulteriores conquistas en el Cuerno de África, y Albania en abril de 1939. Alemania, por su parte, siguió una calculada política de paso a paso, tras el ascenso del nacional-socialismo al poder, con vistas a cambiar el equilibrio político y militar europeo en su favor. En 1934 fracasaron los alemanes en el primer intento de incorporar Austria (golpe de Estado nacional-socialista de Viena) a Alemania. Pero al año siguiente se produjo la reincorporación del Sarre a Alemania tras un plebiscito; luego, en 1936, se llevó a cabo la remilitarización de Renania

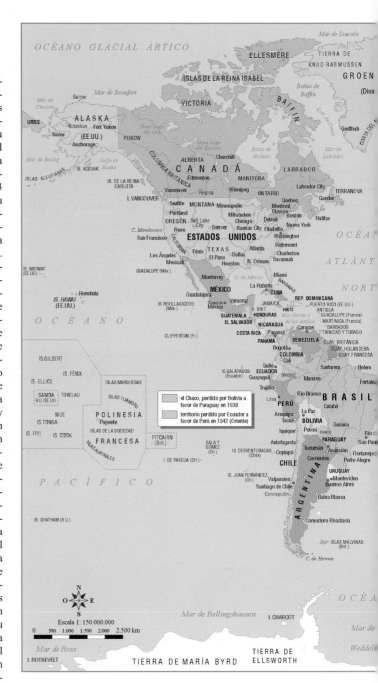

(prohibido por el Tratado de Versalles), y en III-1938 se realizó la definitiva anexión (*anschluss*) de Austria al III Reich. En IX-1938 Alemania arrebató a Checoslovaquia la región germano-hablante de los Sudetes, y en III-1939 los alemanes liquidaron el resto del estado checoslovaco sin disparar un solo tiro:

Bohemia-Moravia se incorporaron a Alemania como protectorado y Eslovaquia se convertía en estado independiente. Hungría aprovechó la disolución de Checoslovaquia y se anexionó la región de Rutenia. Todas estas progresivas agresiones y conquistas, que convirtieron a Alemania en la primera potencia

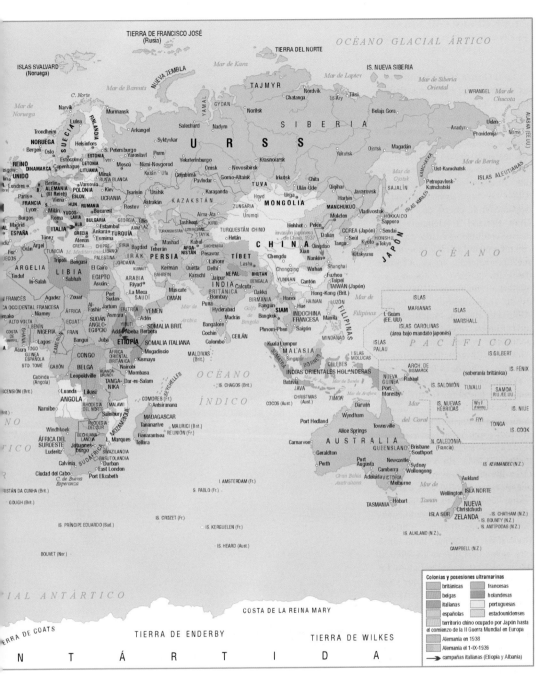

militar de Europa en 1939, tenían por objetivo la conquista del denominado espacio vital (*lebensraum*) germano, con un acusado carácter racista. Y si se llevaron a cabo en tan poco tiempo y sin recurrir a la guerra, fue por la conjugación de varios factores: el neutralismo estadounidense, el aislamiento internacional y la inhibición de la URSS, sin fronteras directas con Alemania entonces, el pacifismo británico y la impotencia de Francia. Los regímenes autoritarios japonés, italiano y alemán formalizaron el pacto Antikomintern (25-XI-1936), para combatir el comunismo. En V-1939 Alemania e Italia firmaban el Pacto de Acero de ayuda mutua ofensiva-defensiva. En realidad este pacto colocaba a Italia como mero apéndice militar de Alemania. Por último, en un giro copernicano de las relaciones internacionales, Alemania y la URSS firmaron un pacto (IX-1939) para un ataque conjunto contra Polonia y su posterior reparto.

181

LA II GUERRA MUNDIAL
El Eje contra el resto del mundo
(1939-1945)

La II Guerra Mundial enfrentó a las potencias del Eje Roma-Berlín-Tokyo y países aliados (Hungría, Rumania, Eslovaquia, Croacia, Finlandia, Bulgaria, etc.) contra los Aliados franco-británicos, que fueron teniendo nuevas incorporaciones a medida que la guerra se extendía. El ataque alemán a Polonia el 1-IX-1939 fue respondido con la declaración de guerra de Francia y Gran Bretaña a Alemania. Este nuevo conflicto, saldado en 1945 con unos 60 millones de muertos, se fue extendiendo hasta alcanzar todos los mares y continentes en 1942. La primera fase (1939-1942) es de claro dominio del Eje, y Alemania domina prácticamente toda Europa (menos los estados neutrales). A principios de 1940 Alemania invade Dinamarca y Noruega, se hunde el frente francés y Francia es ocupada. Comienza la batalla de Inglaterra (1940), con la pretensión alemana de rendir o doblegar a los británicos a base de masivos ataques navales y aéreos. Pero Gran Bretaña resiste. En la primavera de 1941, sin poder rendir a Gran Bretaña, Alemania se vuelve al este, ocupa los Balcanes e invade Rusia, llegando en otoño a las puertas de Moscú y Leningrado, conquistando los países bálticos, Bielorrusia y Ucrania. Italia abrió otro frente en Libia en IX-1940 al atacar a los británicos en Egipto. En el Pacífico, los japoneses, que ya se encontraban en guerra abierta con China desde 1937, donde ocupaban varias povincias costeras, aniquilaron por sorpresa, pero parcialmente, la flota estadounidense en Pearl Harbour (Hawai, XII-1941) y la británica (golfo de Siam y Java, XII-1941). Inmediatamente los japoneses conquistaron Indochina y Malasia, Filipinas, Indonesia y Birmania, llegando a la frontera oriental de la India británica. En el mar se hicieron con el control de todo el Pacífico occidental, desde las islas Aleutianas (Alaska), que ocuparon, hasta las islas Salomón,

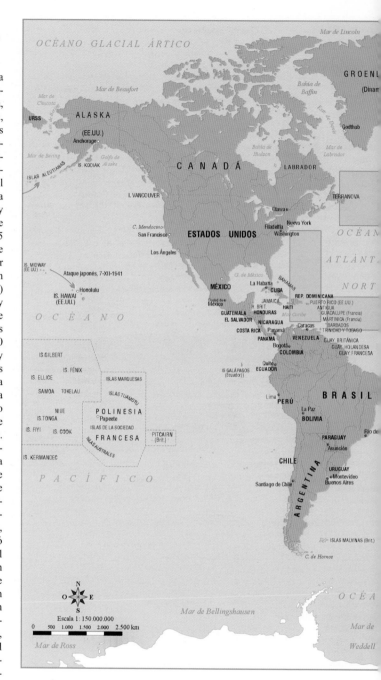

en la primera mitad de 1942. Tanto en Europa como en el Pacífico y Asia oriental, y mientras la guerra les fue favorable, alemanes y japoneses organizaron un nuevo y efímero sistema de estados satélites en torno a sus respectivos territorios metropolitanos (la Gran Alemania, en Europa, el Imperio del Sol Naciente en Asia).

Pero en 1943 el signo de la guerra cambió a favor de los Aliados occidentales y soviéticos, con la decisiva intervención estadounidense. La ofensiva alemana en África del Norte fue detenida en El Alamein (X-1942), y la de nueva ofensiva alemana en Rusia lo fue en Stalingrado (I-1943). Desde enton-

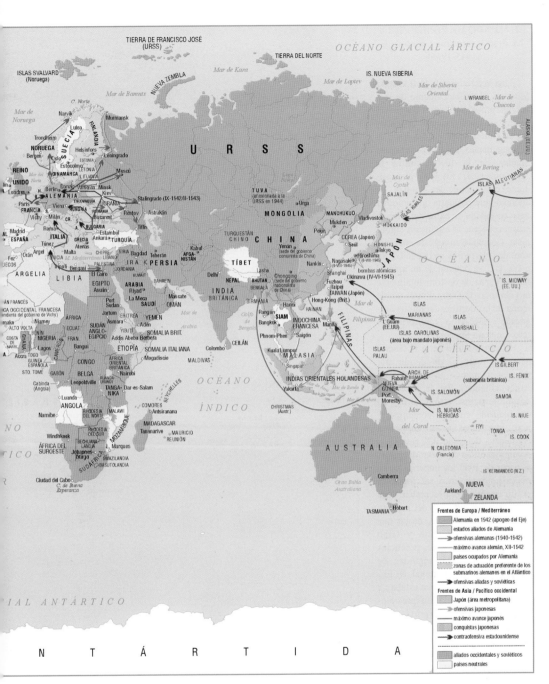

ces y hasta el fin de la guerra el Eje no hizo sino perder terreno, aunque presentando una gran resistencia. La gran ofensiva soviética de 1944 hizo retroceder a los alemanes hasta Polonia. Los desembarcos anglo-estadounidenses de Sicilia (IX-1943, y fin del fascismo en Italia) y Normandía (VI-1944) abren un segundo frente en Europa. En abril de 1945 los rusos entraban en Berlín y Alemania se rendía. En el Pacífico las batallas aeronavales del mar del Coral (V-1942), Midway (V-1942) y el desembarco estadounidense en Guadalcanal (VIII-1942) frenaron en seco la hasta entonces imparable ofensiva japonesa. La gran ofensiva aliada de 1943-1944 les llevó a la reconquista de Indonesia, Birmania y Filipinas. La negativa japonesa a rendirse llevó a EE. UU. a lanzar sobre Japón dos bombas atómicas (VIII-1945). La URSS, por su parte, invadió Manchuria. Tras estos reveses militares, Japón optó por la capitulación incondicional (2-IX-1945).

EL MUNDO DE POSGUERRA
La descolonización. China roja
(1945-1960)

Una vez terminada la II Guerra Mundial, el establecimiento de dictaduras pro-soviéticas en los países de Europa centro-oriental ocupados por la Unión Soviética dio lugar al enfrentamiento entre los antiguos aliados de la lucha contra la Alemania nazi. En 1947 el presidente estadounidense Truman ya anunció que ayudaría a cualquier país en cualquier parte del mundo amenazado por la expansión comunista. Comenzaron más de cuarenta años de Guerra fría, en que la URSS y EE. UU. se dotaron de un arsenal militar capaz de destruir totalmente la vida sobre la Tierra. Puede que la teoría de la "destrucción mutua asegurada" (DMA) o equilibrio del terror, evitara lo peor.

El otro balance de la II Guerra Mundial, junto al de dividir por décadas al mundo en dos bloques irreconciliables, fue la acelerada descolonización afro-asiática. El colonialismo europeo contemporáneo, que llegó a su apogeo a comienzos del siglo XX resultó, a escala histórica, de breve duración. A partir de 1945 los imperios coloniales comenzaron a ser inviables políticamente. Representaban una contradicción flagrante del espíritu de las Naciones Unidas, de las que formaban parte Francia y Gran Bretaña, las mayores potencias coloniales en 1945, seguidas de Bélgica, Holanda y Portugal. Ni EE. UU. ni la Unión Soviética estaban a favor de mantener el statu quo colonial por más tiempo. Lo primero por una cuestión de principios y, lo segundo, porque la guerra acabó con la hegemonía franco-británica. Sólo a la fuerza y con un gran coste económico podían mantener los europeos sus respectivos imperios, como ocurrió en algún caso. Sin embargo, en 1947 el gobierno británico concedió la independencia a la India, de la que se segregó Pakistán. Un año después la obtuvo Birmania. Aunque en la mayoría de los casos la independencia se produjo de forma pacífica, no faltaron los con-

flictos bélicos. Siguiendo un orden cronológico, tras la independencia de la India, Pakistán y Birmania, Holanda se la concedió, no sin reticencias, a Indonesia, en 1949. Francia, en cambio, combatió la independencia de Indochina hasta 1953, en que, derrotada militarmente por los vietnamitas, hubo de retirar-

se. Tampoco se avino Francia a la independencia de Madagascar hasta 1948, después de una sangrienta insurrección. Gran Bretaña se enfrentó en los años cincuenta a las guerrillas comunistas en Malasia y al Mau-Mau en Kenia. Entre 1960-1965 accedieron a la independencia casi en bloque las colonias africanas

OCÉANO GLACIAL ÁRTICO

Mar de Kara

Mar de Laptev

Mar de Siberia
Oriental

Mar de
Chicota

Mar de Barents

C. Norte

Mar de
Noruega

NORUEGA

Helsinki

Oslo

REINO
UNIDO

Estocolmo

DINAMARCA

Copenhague

Moscú

Mar de Bering

SUECIA

FINLANDIA

Berlín
Bonn R.D.A.
R.F.A.
Viena

POLONIA

Varsovia

U   R   S   S

Londres
H.
L.
Paris

CHECOSLOVAQUIA

Mar de
Ojotsk

FRANCIA

S.

AUS. HUNG.

RUMANIA

TUVA

Oigihar

MANCHURIA
(ocupación
soviética,
1945-46)

YUGOS-
LAVIA

Bucarest

Ulán Bator

ZUNGARIA

Roma

Madrid

ITALIA

GRECIA

BULGARIA

Urumqi

MONGOLIA

COREA DEL N.

ESPAÑA

Túnez

Atenas

Ankara

TURQUIA

SINKIANG

1550-53
Dalian

Pekín

Pyongyang

JAPÓN

Argel

MALTA

CHIPRE

SIRIA
LIBANO
ISRAEL

1960

Hotán

1950

CHINA
(República Popular, 1949)

Qingdao

COREA
DEL S.

Seúl

Tokyo

TUNICIA

M. Mediterráneo

Bagdad
Teherán

Kabul

Xian
Nankin

OCÉANO

JECOS

Tripoli

PALESTINA
JORDANIA

IRÁK

PERSIA

AFGA-
NISTÁN

CACHEMIRA

TÍBET

1950

Wuhan

Shanghai

ARGELIA

LIBIA

El Cairo

KUWAIT

PAKISTAN

Delhi

Lasha

1959-62

Chongqing

Fuzhou

BAHREIN

NEPAL

BHUTÁN

1957

EGIPTO

ARABIA
SAUDÍ

Riyad

E.A.U.

Mascate

PAKISTÁN ORIENTAL
(ind. en 1971 BANGLADESH)

1979

Cantón
Hong-Kong (Brit.)

Taipei

TAIWAN (China Nacionalista,
desde 1949)

QATAR

OMÁN

INDIA

Dakka

Hanoi

MALI

NIGER

CHAD

Jartum

YEMEN
DEL N.

Sana

BIRMANIA

Rangún

LAOS

VIETNAM
DEL N.

LUZÓN

ISLAS MARIANAS

BURKINA
(ALTO VOLTA)

Niamey

Yamena

ERITREA

YEMEN DEL S.

Mar de
Arabia

Golfo
de
Bengala

TAILANDIA

CAMBUYA

VIETNAM
DEL S.

Manila

Guam (EE.UU.)

(zona administrada por EE.UU.)

ISLAS
MARSHALL

BENÍN (DAHOMEY)

NIGERIA

Lagos

Adén

Phnom-Phen

Saigón

FILIPINAS

CAMERÚN

CENT AFRICO

Bangui

Addis Abeba

ETIOPÍA

SOMALIA

Colombo

CEILÁN

Kuala Lumpur

BRUNEI

ISLAS CAROLINAS

PACÍFICO

STO.
TOME

GUINEA ECUAT.

GABÓN

ZAIRE

UGANDA

KENIA

Mogadiscio

Singapur

MALASIA

ISLAS
MOLUCAS

ISLAS
PALAU

CONGO

RUANDA

Nairobi

MALDIVAS

CELEBES

NAURÚ

KIRIBATI

Cabinda
(Angola)

Leopoldville
(Kinshasha)

BURUNDI

TANZANIA

Dar-es-Salam

OCÉANO

INDONESIA

PAPÚA-
NUEVA GUINEA

Luanda

COMORES

SEYCHELLES

Bandung
(1955)

Yakarta

JAVA

Mar de Banda

TIMOR ORIENTAL
(1975, indonesia)

Port.
Moresby

SALOMÓN

TUVALU

ANGOLA

ZAMBIA

MALAWI

ÍNDICO

TIMOR

SAMOA

Lusaka

Harare

MADAGASCAR

Mar
del Coral

VANUATU

W y F.
(Francia)

IS. NIUE
(N. Zel.)

NIGERIA

ZIMBABWE

Tananarive

MAURICIO

REUNIÓN (Fr)

FIYI

TONGA

Windhoek

BOTSWANA

Johannes-
burgo

MOZAMBIQUE

N. CALEDONIA
(Francia)

IS. COOK
(N. Zel.)

ÁFRICA DEL
SUROESTE
(anexionada
por Sudáfrica
hasta 1990)

L. Marques (Maputo)

SWAZILANDIA

SUDÁFRICA

BASUTOLANDIA (LESOTHO)

AUSTRALIA

Ciudad del Cabo

Port Elizabeth

C. de Buena
Esperanza

Camberra

Gran Bahía
Australiana

Mar de
Tasman

Wellington

NUEVA
ZELANDA

IAL ANTÁRTICO

N   T   Á   R   T   I   D   A

ALASKA (EE.UU)

países que lograron su independencia entre 1945-1970

países que accedieron a la
independencia posteriormente

conflictos post-coloniales

China en 1945

conquistas chinas post. a 1949

reclamaciones y pretensiones
territoriales y marítimas chinas

acciones militares de China (con
fecha)

INDIA   países participantes en la
Conferencia de los Países No
Alineados de Bandung (1955)

---

franco-británicas. Francia hizo frente a tres guerras antes de concederles la independencia: en Marruecos (1956), Argelia (1962) y Camerún (1960). Portugal mantuvo una prolongada guerra desde los años sesenta hasta 1974 en sus colonias, y Bélgica se vio envuelta en las turbulencias que siguieron a la independencia del Congo Belga (1960). En 1949 Mao proclamaba la república popular en China tras acabar con el régimen nacionalista de Jiang Jieshi. China se erigía en nueva potencia comunista, con el deseo manifiesto de acabar con un siglo de claudicaciones ante Occidente y el Japón, recuperar las tierras perdidas (el Tíbet, independiente, fue invadido en 1950), extender el comunismo en Asia e impulsar las guerras de liberación colonial. La primera puesta en práctica de esa política fue la ayuda a los norcoreanos en la guerra de Corea (1950-1953), que a punto estuvo de provocar una guerra abierta de China con EE. UU.

LA ERA DE LA GUERRA FRÍA
De Yalta a Malta. Los bloques políticos y militares (1945-1989)

En las Conferencias de Yalta (febrero de 1945) y Postdam (agosto de 1945) los Aliados occidentales (léase EE. UU.) y la URSS establecieron las bases para el reordenamiento territorial y económico del mundo de posguerra. Las profundas divergencias entre occidentales y soviéticos sobre el nuevo orden mundial que se pergeñaba, condujeron inmediatamente al enfrentamiento político-ideológico. Se perfilaron los dos bloques en que se iba a dividir el mundo en las próximas décadas. El primer resultado del fin de la guerra fue la pérdida de la hegemonía europea en el mundo, por la destrucción de extensas áreas industriales y urbanas. Europa occidental se recuperará merced al Plan Marshall (1947) y en 1950 alcanza el nivel de preguerra. En el bloque soviético una rigurosa planificación pone en marcha la reconstrucción, comenzando por la industria pesada. En 1949 nació la OTAN bajo patrocinio estadounidense para hacer frente a cualquier amenaza contra Occidente por parte soviética. La división alemana se consumó al no ponerse de acuerdo occidentales y rusos sobre el estatuto internacional de Alemania (neutralidad para los soviéticos, elecciones libres para los occidentales). El bloqueo de Berlín de 1948-1949 fue la primera gran prueba de fuerza entre occidentales y soviéticos. En 1955 los soviéticos crearon el Pacto de Varsovia como réplica a la OTAN.

La tensión entre bloques pasó por diversas fases. El enfrentamiento más acentuado se produjo entre 1945-1953, año en que muere Stalin, y que *stricto sensu* fueron los años de la Guerra fría propiamente dicha. Hasta los años setenta el mundo vivió una situación calificada de "equilibrio desequilibrado". La superioridad de la OTAN descansaba en su abrumadora superioridad nuclear, mientras el Pacto de Varsovia la superaba en armamento convencional. Durante este período

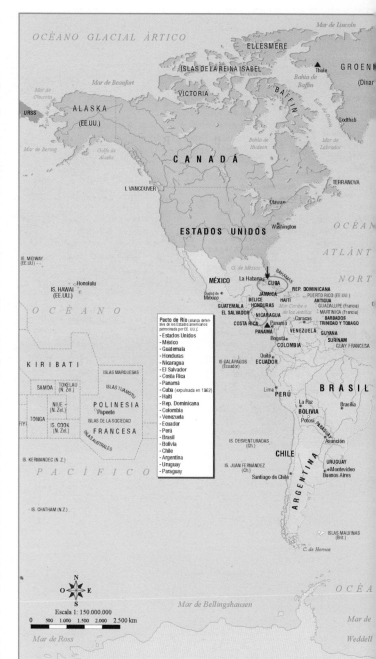

de "paz bélica", como lo llamó Raymond Aron, el armamento nuclear alcanzó una dimensión obsesiva. En el plano geopolítico y estratégico se produjo una total simplificación de los planteamientos por ambos bandos: sólo había un enemigo y una amenaza. "De ahí un estrechamiento y un empobrecimiento del pensa-

miento estratégico que no tiene en consideración las transformaciones del mundo y las nuevas dimensiones de las relaciones internacionales" (J. Freymond). Los hitos cronológicos de la Guerra fría se resumen en los siguientes hechos, algunos de los cuales pudieron desencadenar una nueva guerra mundial: la guerra

Leyenda del mapa:
SEATO (Org. del Tratado
del Sureste de Asia):
- Australia
- Nueva Zelanda
- Estados Unidos
- Filipinas
- Tailandia
- Pakistán
- Francia
- Gran Bretaña

países de la OTAN en 1949
incorporaciones posteriores
Pacto de Varsovia
aliados estadounidenses
▲ bases estadounidenses en ultramar
▲ bases soviéticas en ultramar
países de influencia soviética
→ intervenciones militares
estadounidenses en el exterior
→ idem. soviéticas (con fecha)
○ conflictos armados
países oficialmente neutrales o no
alineados con ningún bloque
- 'telón de acero'

civil en Grecia (1946-1949); el golpe comunista de Praga y el fin de la democracia en Checoslovaquia (1948); la fundación de la OTAN y el estallido de la primera bomba A soviética (1949); la guerra de Corea (1950-1953); intervención soviética en Berlín (1953); la fundación del Pacto de Varsovia (1955); invasión soviética de Hungría (1956); intervención estadounidense en Vietnam (1960-1973); crisis de los misiles en Cuba (1962); invasión soviética en Checoslovaquia (1968); intervención soviética en Afganistán (1979-1989). Cuando M. Gorvachov llegó al poder en 1985, la Guerra fría se hallaba en un punto álgido. La Unión Soviética había extendido su influencia política en Asia, África e Iberoamérica desde los años sesenta. A ello respondió el presidente estadounidense R. Reagan (1981-1988) con una política de claro desafío en todos los campos (político, económico y tecnológico-militar). Desafío que a la larga perderá totalmente la URSS.

EL FIN DE LA URSS
La reunificación de Alemania
(1990-2000)

El fin formal de la Guerra fría tuvo lugar en Malta (2-3-XII-1989), donde el presidente soviético Gorbachov y el estadounidense Busch sellaron la desaparición del sistema de bloques imperante desde el fin de la II Guerra Mundial (de Yalta a Malta, se dijo, para encuadar cronológicamente el período que acababa). En realidad, junto al fin de los bloques, en Malta se rubricó la incuestionable hegemonía mundial de EE. UU., tras varias décadas de pulso con la URSS en todos los terrenos (político, militar, económico, espacial, etc.). Tras acceder al poder en la Unión Soviética en 1985, M. Gorbachov impulsó decididamente la corriente reformista y democratizadora (*perestroika*) en su propio país y en el campo comunista, lo que se frustró en 1956 en Hungría, luego en 1968 en Checoslovaquia ("primavera de Praga") y en 1981 en Polonia. Su propósito era la reforma del sistema (pluralismo político, economía de libre mercado, descentralización político-administrativa, etc.) pero manteniendo la orientación marxista del régimen. Esto se vio inviable inmediatamente después. A lo largo de 1989 los regímenes comunistas del Pacto de Varsovia se hundieron. Estos cambios supusieron la desaparición de cuatro estados: Alemania Oriental en 1990, la URSS en 1991, Yugoslavia se disolvió en 1991 y Checoslovaquia en 1993. La primera consecuencia en el terreno geopolítico del fin del comunismo en Europa fue la rapidísima reunificación de Alemania. Se hablaba de mantener Alemania dividida indefinidamente, dotando a Alemania Oriental de un régimen democrático y pluralista. Pero el canciller germano-occidental H. Khol logró en apenas un año imponer en Alemania y en Europa su tesis de una reunificación rápida. En efecto, en una operación política medida y con un calendario de logros pactado entre los dos estados alemanes, Alemania Oriental se uni-

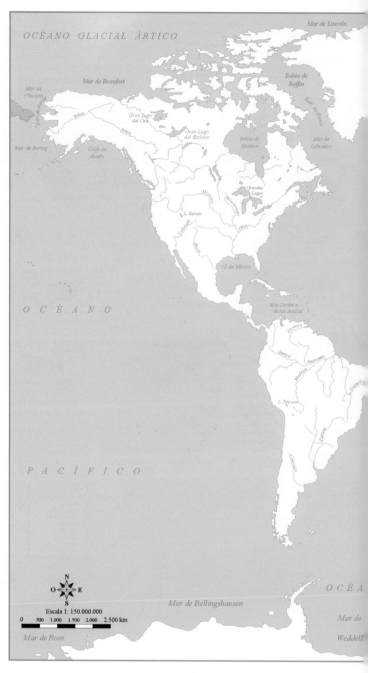

ficó con la poderosa Alemania Occidental en 1990, dando lugar al nacimiento de un gigante político y económico (80 millones de hab.) en el corazón de Europa. De la violenta disolución de Yugoslavia surgieron a partir de 1991-1992 cuatro nuevos estados: Eslovenia, Croacia, Bosnia-Herzegovina y Macedonia. Tan sólo

Serbia y Montenegro siguen unidas con el nombre de República Federal de Yugoslavia. Checoslovaquia, por contra, se disolvió pacíficamente en enero de 1993, naciendo Chequia y Eslovaquia. Se ha acuñado el término "implosión" para explicar lo ocurrido en la URSS tras el intento de golpe de Estado de agosto de 1991.

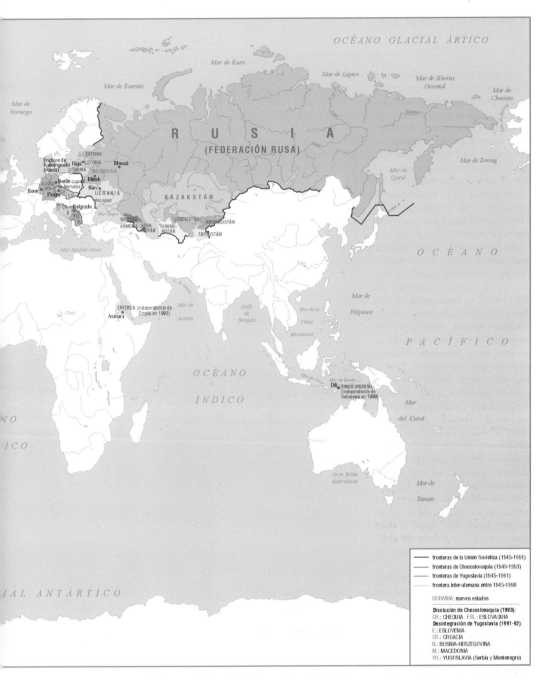

En el mapa:

OCÉANO GLACIAL ÁRTICO

Mar de Kara
Mar de Laptev
Mar de Siberia Oriental
Mar de Barents
Mar de Chucota
Mar de Noruega

R U S I A
(FEDERACIÓN RUSA)

Moscú
Mar de Bering
ESTONIA
Enclave de Kaliningrado (Rusia)
Riga
LETONIA
LITUANIA
BELORRUSIA
Minsk
Berlín (capital Alemana)
Kiev
Bonn
Praga
UCRANIA
MOLDAVIA
Mar de Ojotsk
Belgrado
KAZAKSTÁN
Mar Negro
Mar Mediterráneo
GEORGIA
ARMENIA
AZER-BAIYÁN
UZBEKISTÁN
KIRGUISISTÁN
TURKME-NISTÁN
TAYIKISTÁN

OCÉANO

Mar de Filipinas

ERITREA (independiente de Etopia en 1993)
Asmara
Mar de Arabia
Golfo de Bengala
Mar de la China Meridional

PACÍFICO

L. Chad

OCÉANO ÍNDICO

Dili
TIMOR ORIENTAL (independiente de Indonesia en 1999)
Mar del Coral

Gran Bahía Australiana
Mar de Tasman

IAL ANTÁRTICO

fronteras de la Unión Soviética (1945-1991)
fronteras de Checoslovaquia (1945-1993)
fronteras de Yugoslavia (1945-1991)
frontera inter-alemana entre 1945-1990

UCRANIA: nuevos estados

Disolución de Checoslovaquia (1993):
CH.: CHEQUIA ESL.: ESLOVAQUIA
Desintegración de Yugoslavia (1991-92):
E.: ESLOVENIA
CR.: CROACIA
B.: BOSNIA-HERZEGOVINA
M.: MACEDONIA
YU.: YUGOSLAVIA (Serbia y Montenegro)

En efecto, el golpe supuso el desmoronamiento instantáneo del sistema soviético, ya tocado desde 1988, en que comenzó el conflicto armenio-azerí sin que el gobierno central pudiera atajarlo. Con la desaparición de la Unión Soviética se acababa también un factor de primer orden en la política internacional desde 1917. Se puso fin a la división del mundo en bloques político-militar-económicos y acabó la hegemonía soviética en Europa centro-oriental desde 1945. Dentro del propio Imperio soviético, se quebró la unidad territorial de Imperio zarista, que heredaron, agrandaron y mantuvieron luego con mano firme los gobernantes soviéticos. De la disolución formal de la URSS en diciembre de 1991, surgieron 15 nuevos estados independientes en Europa y Asia: Rusia, Rusia Blanca o Bielorrusia, Ucrania, Lituania, Letonia, Estonia, Moldavia, Kirguisistán, Kazakstán, Georgia, Turkmenistán, Tayikistán, Uzbequistán, Armenia y Azerbaiyán.

LA ORGANIZACIÓN DE LAS NACIONES UNIDAS (ONU) (1945-2000)

Los antecedentes que llevaron a la creación de la ONU se encuentran en una serie de proclamas y declaraciones realizadas por los Aliados en el curso de la II Guerra Mundial: proclamación por F. Roosevelt de las "cuatro libertades" (expresión, culto, contra la miseria y contra el miedo, I-1941), Declaración de las 26 naciones (1942, Washington) y Conferencia de Dumbarton Oaks (1944), entre otras. La idea era crear una organización internacional operativa y con medios para imponer resoluciones, alejada de la inoperancia que demostró la anterior y precursora Sociedad de Naciones. El 26-VI-1945 se fundó, pues, en San Francisco la Organización de las Naciones Unidas (ONU) por los representantes de 50 Estados. En su declaración de principios se declaraba que sus objetivos eran la "salvaguarda de la paz mundial, la defensa de los derechos del hombre, la igualdad de derechos de todos los pueblos del mundo, el aumento del nivel de vida de los más desfavorecidos", etc. Podían ser miembros todos los Estados que suscribieran la Carta de la ONU. La sede se estableció en Nueva York (EE. UU.), lo que daba idea del protagonismo adquirido por EE. UU. en el mundo en esta nueva fase de su política internacional, tan alejada del aislacionismo internacional practicado en los años veinte y treinta.

En el plano organizativo la ONU se dotó de una serie de órganos ejecutivos. En primer lugar el Consejo de Seguridad, formado por quince Estados, cinco de ellos miembros permanentes y con derecho a veto (URSS, luego Rusia, la China nacionalista, luego la comunista, Francia, Gran Bretaña y EE. UU.); los otros diez elegidos por espacio de tres años por la Asamblea General. La Asamblea General reúne una vez al año a todos los Estados miembros, aprueba resoluciones de obligado cumplimiento, pero sólo para los miembros que las han votado, elige al Secretario

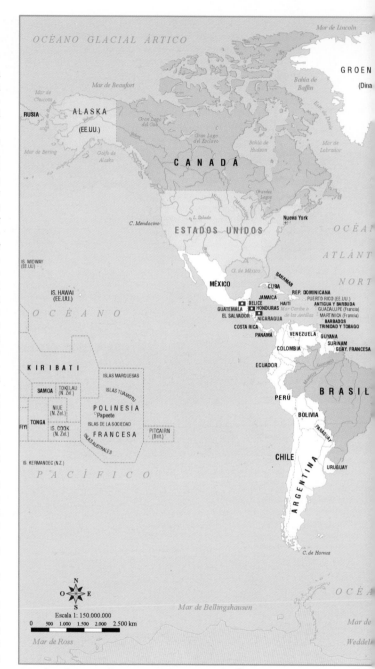

General cada cuatro años, aprueba el presupuesto de la organización y nombra a los miembros de los consejos de las organizaciones que dependen de la ONU. La Asamblea General también puede disponer del empleo de tropas para su uso en misiones humanitarias, como fuerza de interposición entre contendientes o para defender a un país agredido por otro (caso de Corea del Sur, agredida en 1950 por Corea del Norte). Las primeras acciones de la ONU estuvieron vinculadas a las resoluciones que pusieron fin a la II Guerra Mundial: evacuación soviética de Irán (1946), problema italo-yugoslavo por Trieste (1947), con-

OCÉANO GLACIAL ÁRTICO

integrantes permanentes del Consejo de Seguridad de la ONU (potencias nucleares)	
Estados candidatos a ocupar un puesto permanente en el Consejo de Seguridad	
Estados no miembros de la ONU	
sede central de la ONU	
misiones de paz de la ONU a lo largo de la década de los años noventa	

flicto palestino-israelí (1947-1948), Indonesia (1948), conflicto indo-pakistaní por Cachemira (1948), etc. En 1950 envió un contingente militar a Corea del Sur, mandado por EE. UU. para frenar la invasión norcoreana. En 1960 promovió la pacificación del Congo Belga con otro contingente militar, y en 1962

envió otro a la secesionista región de Katanga. En 1964 intervino en Chipre. Hasta el 2000 sus acciones humanitarias, de intermediación o militares se han multiplicado por todo el mundo, particularmente en los conflictivos años noventa: (Yugoslavia, Oriente Medio, África subsahariana, Centroamérica, etc.).

De la ONU dependen varias organizaciones internacionales sectoriales: Tribunal Internacional de Justicia de La Haya (arbitraje internacional), Consejo Económico y Social, UNESCO (educación y cultura), FAO (agricultura y alimentación), OMS (sanidad), UNICEF (protección a la infancia) y OIT (trabajo).

LA EXPLOSIÓN DEMOGRÁFICA
Superpoblación, grandes despoblados y migraciones

En 1999 se alcanzaron los 6.000 millones de habitantes en la Tierra. La cifra en sí no es particularmente espectacular si tenemos en cuenta la superficie de las tierras emergidas de nuestro planeta (más de 150 millones de km²). Pero sí lo es si tenemos en cuenta que 10.000 años antes de nuestra era poblaban el mundo unos 10 millones de habitantes nada más; eran 250 millones al comenzar nuestra era; en el año 1500 se calcula que había en el mundo 500 millones de habitantes; que en 1825 eran ya 1.000 millones y que cien años más tarde eran el doble. En 1975 poblaban el planeta 4.000 millones de almas. Hoy somos 6.000 millones. Por lo tanto, la progresión del crecimiento ha sido espectacular. Otro factor demográfico a tener en cuenta, junto al crecimiento, es la desigual distribución de la población: junto a los hormigueros de algunas regiones y ciudades de la India, China, Japón, de algunas conurbaciones occidentales, africanas o iberoaméricanas, nos encontramos con enormes vacíos demográficos (Tíbet, Patagonia, Mongolia, Siberia, Sáhara, etc.), y regiones que antaño estaban escasamente pobladas por pastores y agricultores nómadas o comerciantes trashumantes y hoy se hallan en proceso de vaciarse completamente.

La evolución demográfica de las distintas regiones de la Tierra refleja los fenómenos de transición demográfica, o el paso de un régimen demográfico caracterizado por una natalidad y una mortalidad elevadas (equilibradas) a otro régimen de natalidad y mortalidad bajas. En la primera fase del proceso de transición demográfica –en el que se hallan los países en vías de desarrollo–, los progresos sanitarios y económicos hacen bajar notablemente la mortalidad, manteniendo una natalidad alta, por lo que la población crece de forma acelerada. A este fuerte desequilibrio se denomina "explosión demográfica". A continuación, de forma progresiva, la

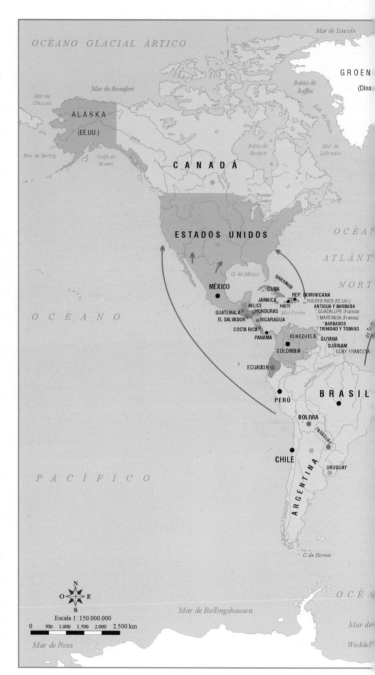

modernización socioeconómica que sigue al desarrollo económico e industrial, provoca un nuevo descenso de la fecundidad (por la transformación de la organización familiar, la escolarización universal, la entrada de la mujer en el mercado laboral, etc.) y el equilibrio demográfico se restablece. Los países industrializa-

dos del norte han culminado ya ese proceso y experimentan un crecimiento demográfico débil, equilibrado o incluso negativo. Por su parte, los países en vías de desarrollo están en la fase caracterizada por un elevado crecimiento demográfico. En el mapa se observa la enorme paradoja de que el máximo creci-

OCÉANO GLACIAL ÁRTICO

Crecimiento de la población por países
- más del 3% anual
- del 2 al 3% "
- del 1,5 al 2% "
- del 1 al 1,5% "

Densidad de población por países
- de 0 a 20 hab/km²
- de 20 a 50 hab/km²
- de 50 a 200 hab/km²
- densidad superior a 200 hab/km²

→ grandes corrientes migratorias

miento demográfico (explosión demográfica) se da, por lo tanto, en el sur, es decir, en aquellos países con menos recursos para el cuidado y formación de la infancia. Mientras, los países desarrollados del norte han culminado la transición demográfica hace décadas. Por último, el doble y amenazador fenó-meno de las grandes migraciones que se están produciendo, por una parte, dentro de los países del sur desde las deprimidas zonas rurales a las sobre-cargadas ciudades, y por otra, las migraciones del sur a los países ricos del norte. El primer fenómeno –las migraciones internas– está poniendo en movimiento a decenas de millo-nes de chinos de las provincias del interior al más desarrollado litoral. Sobre las migraciones entre países, numerosas fronteras se han conver-tido en permanentes puntos calien-tes de ese constante tráfico humano: la frontera mexicano-estadouniden-se, el estrecho de Gibraltar y todo el litoral norte del Mediterráneo.

EL RETO MEDIOAMBIENTAL
Desertificación, deforestación
y cambio climático

Desde la época de la Revolución industrial y hasta los años sesenta era creencia común que el avance tecnológico llevaría a un desarrollo económico sostenido y continuado. Nadie o casi nadie se había parado a pensar o denunciar el riesgo de si el planeta tendría capacidad para soportar el *saqueo* al que se le estaba sometiendo. A lo largo de los años setenta, con la crisis petrolífera de 1973 como telón de fondo, se puso en evidencia la vulnerabilidad de la economía mundial, basada en el consumo de una energía no renovable, como el petróleo y derivados. Más tarde, en 1984, se denunció el progresivo adelgazamiento de la capa de ozono antártica, motivada por la emisión a la atmósfera de gases con efecto invernadero derivados de los procesos industriales. Relacionados con el modo de vida que Occidente ha extendido por el mundo entero y la explosión demográfica del sur, se encuentran, pues, dos graves fenómenos que están ocasionando un serio deterioro, si no se corrige a tiempo, del medio natural en que se desarrolla la vida humana, animal y vegetal: la desertificación y la deforestación. Los desiertos ocupan en la actualidad unos 16.000.000 km² y hay amenazada de desertificación (inducida por la actividad humana) una superficie similar. Los desiertos avanzan en el Turquestán occidental, donde la desecación del mar de Aral por los faraónicos regadíos de la época soviética está causando una catástrofe en la región. Algo similar pasa en la cubeta del lago Chad, en África. El Gobi, entre China y Mongolia presiona hacia el sureste, lo mismo que el Sáhara hacia sus bordes. Históricamente los desiertos han formado un entramado vital y económico con las regiones circundantes (estepas o sabanas). Pero en la actualidad, con el declive de las formas de vida tradicionales del medio desértico, las talas abusivas, más el pastoreo y la agricultura extensiva en las áreas limítrofes de

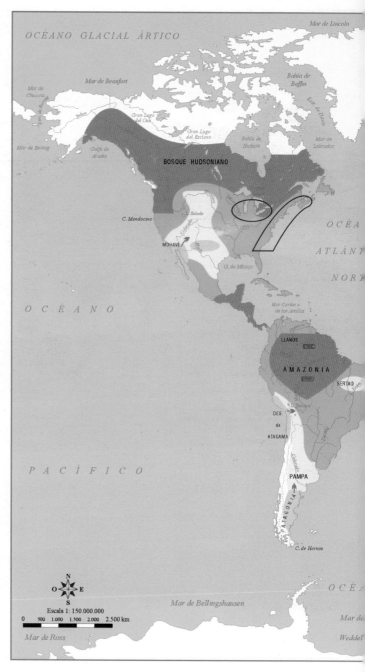

los desiertos, se están eliminando las débiles barreras que frenaban y contenían la expansión de los desiertos.

El otro problema de este círculo vicioso formado por el calentamiento climático, la explosión demográfica y la desertificación es la deforestación, grave sobre todo en el cinturón ecuatorial-tropical de nuestro

planeta. Aunque todavía quedan considerables masas boscosas en el mundo (Rusia 9.000.000 km², Brasil 5.700.000 km², Canadá 3.300.000 km², Estados Unidos 2.800.000 km², Congo 1.800.000 km², China 1.300.000 km², etc.), en los últimos treinta años han desaparecido del orden de 5.000.000 km²

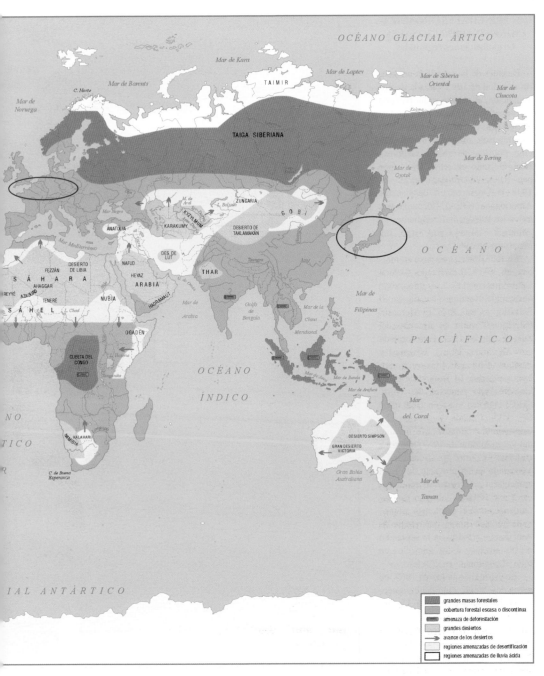

OCÉANO GLACIAL ÁRTICO

TAIGA SIBERIANA

grandes masas forestales
cobertura forestal escasa o discontinua
amenaza de deforestación
grandes desiertos
avance de los desiertos
regiones amenazadas de desertificación
regiones amenazadas de lluvia ácida

de superficie forestal. Y las talas siguen en África ecuatorial, Borneo, Nueva Guinea y sudeste de Asia. El problema más acuciante se centra hoy en la Amazonia, verdadero pulmón del planeta y factor decisivo de la dinámica atmosférica mundial. Como puede verse, la naturaleza no lo explica todo, como en la época preindustrial. La historia y la política –la naturaleza del sistema sociopolítico que rige el mundo–, juega un papel esencial en la transformación del medio natural. Numerosas sociedades rurales o tradicionales son víctimas de decisiones político-económicas tomadas por los grupos dirigentes, a menudo situados a miles de kilómetros de donde repercuten sus decisiones. En los países desarrollados (Europa occidental, Japón y Norteamérica), situados en la franja climática templada, es la lluvia ácida, provocada por los compuestos químicos vertidos a la atmósfera, la que está acabando con muchos bosques templados y boreales.

195

LAS PRINCIPALES ORGANIZA-
CIONES INTERNACIONALES
Organizaciones regionales

Después de la inmediata posgue-rra mundial de 1945 y tras la desco-lonización, el mundo se ha poblado de numerosas organizaciones inter-nacionales de diversa naturaleza (económicas, militares, de integra-ción política, de índole religiosa, etc.). Dejando aparte la ONU (ver pág. 190), en América surgió en 1948 la Organización de Estados Americanos (OEA), formada por todos los estados independientes de América, salvo Cuba, que fue expulsada en 1962.

En Iberoamérica se puso en mar-cha en 1969 el Mercado Común Centroamericano. Lo integraban Guatemala, Honduras, Nicaragua, El Salvador y Costa Rica. El Mercosur (Mercado Común de América del Sur) se creó en 1991. Está formado por Argentina, Brasil, Uruguay y Paraguay. Chile y Bolivia son miem-bros asociados. El Tratado de Libre Comercio de América del Norte (TLC) entró en vigor en 1994 entre EE. UU., Canadá y México. La Comunidad Andina (nuevo nombre del Pacto Andino de 1969) integra a Bolivia, Colombia, Ecuador y Venezuela en un proyecto de unión arancelaria e integración económi-ca. Y en 1994 el gobierno estado-unidense lanzó el ambicioso proyec-to de Zona de Libre Comercio de las Américas, con vistas a la supresión de las aduanas y los aranceles en todo el continente en el futuro.

En África vio la luz en 1963, en plena descolonización del continen-te, la Organización de la Unidad Africana (OUA). Su sede es Addis Abeba, Etiopía. Reúne a los 53 Estados africanos. Marruecos se retiró provisionalmente en 1984 ya que varios países africanos reconо-cieron como estado soberano a la República Árabe Saharahui. La OUA promovió en 1991 el proyecto de la Comunidad Económica Africana (CEA), con el objeto de formar un mercado común conti-nental, siguiendo la estela de la Unión Europea. Otras organizacio-nes regionales de integración econó-

mica africana: la Unión Aduanera de África Austral, promovida por Sudáfrica en 1997; la Comunidad de Estados de África Occidental, pro-movida por Nigeria.

En Europa se fundó en 1958, por iniciativa del Benelux, Alemania Occidental, Francia e Italia el más ambicioso y, hasta la fecha, exitoso

proyecto de integración continental, el Mercado Común Europeo, prime-ro con un contenido netamente eco-nómico. Luego, con un ambicioso proyecto tendente a la integración económica y política del continente, se transformó en Comunidad Europea y, desde 1995, en Unión Europea. La Asociación Europea de

OCÉANO GLACIAL ÁRTICO

Mar de Kara

Mar de Barents

Mar de Laptev

Mar de Siberia Oriental

Mar de Chicota

ALASKA (EE UU)

C. Norte

NORUEGA

SUECIA

FINLANDIA

R U S I A

Mar de Ojotsk

Mar de Bering

REINO UNIDO

DINAMARCA

ESTONIA

LETONIA

LITUANIA

BIELORRUSIA

POLONIA

UCRANIA

KAZAKSTÁN

MONGOLIA

Mar de Okjotsk

NDA

H. ALEMANIA

FRANCIA

AU.

HUN.

RUMANIA

MOLDAVIA

UZBEKISTÁN

KIRGUISISTÁN

B-H. YU. BULGARIA

GEORGIA

TAYIKISTÁN

COREA del N.

JGAL

ESPAÑA

ITALIA

A. M.

GRECIA

TURQUÍA

ARM.

AZ.

TURKME-NISTÁN

CHINA

COREA del S.

JAPÓN

OCÉANO

RRUECOS

TUNICIA

MALTA

Mar Mediterráneo

LÍBANO

SIRIA

ISRAEL

IRAK

IRÁN

AFGA-NISTÁN

PAKISTÁN

JORDANIA

KUWAIT

ARGELIA

LIBIA

EGIPTO

ARABIA

BAHREIN

QATAR

E.A.U.

NEPAL

BHUTAN

TAIWÁN

Mar de Filipinas

Mar de China

SAUDÍ

OMÁN

INDIA

BANGLADESH

LAOS

BIRMANIA

TAILAN-DIA

VIETNAM

CAMBOYA

MALI

NÍGER

CHAD

SUDÁN

ERITREA

YEMEN

Mar de Arabia

Golfo de Bengala

FILIPINAS

PACÍFICO

BURKINA

BENÍN

NIGERIA

CENTROAFRICA

YIBUTI

SRI LANKA (CEILÁN)

BRUNEI

RIA

GHANA

TOGO

CAMERÚN

ETIOPÍA

SOMALIA

MALDIVAS

MALASIA

SO MARFIL

GUINEA ECUATORIAL

GABÓN

CONGO

REP. DEM. DEL CONGO

UGANDA

KENIA

OCÉANO

INDONESIA

PAPÚA-NUEVA GUINEA

SAU

STO. TOMÉ

RUANDA

BURUNDI

TANZANIA

SEYCHELLES

ÍNDICO

Mar de Arafura

Mar de Banda

Mar del Coral

ANGOLA

ZAMBIA

MALAWI

COMORES

MADAGASCAR

MAURICIO

AUSTRALIA

NAMIBIA

ZIMBABWE

BOTSWANA

MOZAMBIQUE

SWAZILANDIA

SUDÁFRICA

LESOTHO

Gran Bahía Australiana

Mar de Tasman

NUEVA ZELANDA

IO

ICO

CIAL ANTÁRTICO

Principales organizaciones internacionales

Unión Europea (UE)

países fundadores del Mercado Común (1957)

Comunidad de Estados Independientes (CEI)

estados miembros de la Organización para la Unidad Africana (OUA)

estados miembros de la Organización de Estados Americanos (OEA)

MARRUECOS estados miembros de la Liga Árabe

CHILE países integrantes de Mercosur

ECUADOR países integrantes de la Comunidad Andina (antiguo Pacto Andino)

Nota: varios estados pertenecen simultáneamente a varias organizaciones internacionales o regionales

Libre Comercio (EFTA, en inglés) surgió en 1958 patrocinada por Gran Bretaña como rival del Mercado Común. Al desmorona-miento de la Unión Soviética siguió un intento por parte de Rusia, Ucrania y Bielorrusia de mantener el vínculo económico-político entre las antiguas repúblicas soviéticas independizadas en 1991. Salvo las tres repúblicas bálticas (Letonia, Estonia y Lituania), las otras 12 inte-gran hoy la Comunidad de Estados Independientes (CEI), organización de escasa operatividad hasta la fecha, dada la crisis que sacude a la mayo-ría de los países que la integran. En el mundo árabe y musulmán se pusieron en marcha distintos proce-sos de integración. En 1945 se fundó la Liga Árabe en El Cairo. Hoy agrupa a 22 países. Pakistán lanzó tras su independencia el pro-yecto del Islamistán, de contenido más religioso que político, tendente a la coordinación y solidaridad entre los países de confesión musulmana.

EL ÍNDICE DE DESARROLLO HUMANO (IDH)
Pobreza y riqueza en el mundo

A lo largo de los años noventa el Programa de las Naciones Unidas para el Desarrollo (PNUD) viene publicando una serie de informes sobre el denominado "Índice de Desarrollo Humano" (IHD). Ante la insuficiencia de conceptos estrictamente económicos o matemáticos para analizar la medida en que las necesidades humanas son satisfechas en los distintos países del mundo, se acuñó el IDH. Este índice está basado en el cálculo ponderado de una serie de datos estadísticos para así proporcionar una imagen de las abismales diferencias de bienestar que, en los albores del siglo XXI, separan a los distintos países y comunidades humanas. El IDH combina, en una escala que va de 0 a 1, los datos de esperanza de vida al nacer, la tasa de alfabetización de la población adulta, los años de escolarización y el Producto Interior Bruto por habitante (expresado según las paridades reales del poder adquisitivo en cada país, para eliminar el efecto distorsionador de las diferencias de precios en los distintos países). Aunque el índice ignora ciertos elementos que configuran lo que comúnmente se entiende por calidad de vida –que siempre es algo relativo–, las pequeñas diferencias no son muy significativas.

Esta iniciativa de la ONU se debe fundamentalmente a que, en numerosos casos, el indicador de desarrollo que más solía emplearse, el Producto Interior Bruto (PIB) por habitante y año, calculado con arreglo al tipo de cambio en el mercado, resultaba en muchos casos una medición insuficiente del grado de desarrollo o bienestar conseguido. Por ejemplo, el rico emirato de Qatar, con 19.800 $/cápita en 1995, tenía, por contra, un 21% de analfabetos adultos y un índice de mortalidad infantil del 17‰. En cambio, Costa Rica, cuyo PIB/cápita apenas llegaba al 30% (6.000 $) del qatarí, apenas tenía un 5% de analfabetos y un 13‰ de mortalidad infantil. Ni que decir tiene que, al igual que

entre países, dentro de un mismo país las diferencias pueden ser abismales entre el grado de bienestar de sus diferentes regiones o entre sus habitantes tomados individualmente.

A la vista del mapa nos encontramos con un primer bloque de países situado entre 0,90-0,93, el mayor IDH, formado por Estados Unidos y

Canadá, en América, los quince países de la UE (Unión Europea), Islandia y Noruega, en Europa; Japón e Israel en Asia, y Australia y Nueva Zelanda en el hemisferio Sur. En el otro extremo se halla toda África subsahariana, salvo Gabón, Sudáfrica y Botsuana. Todo el subcontinente indio (India, Pakistán,

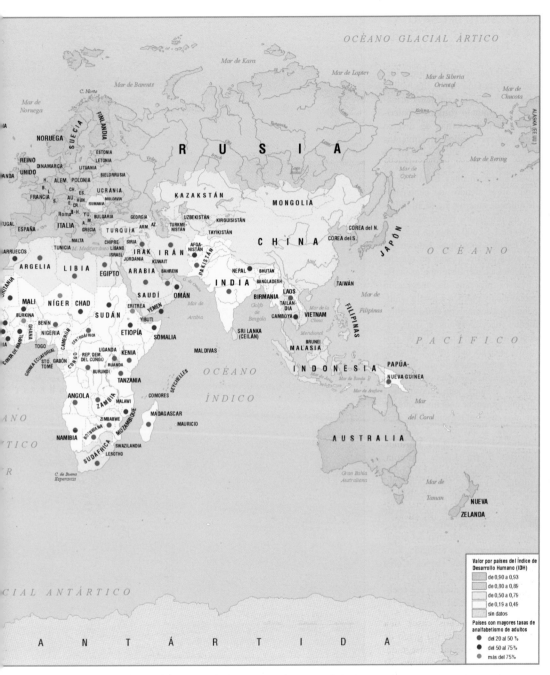

Valor por países del Índice de
Desarrollo Humano (IDH)
□ de 0,90 a 0,53
□ de 0,80 a 0,89
□ de 0,50 a 0,79
□ de 0,19 a 0,49
□ sin datos

Países con mayores tasas de
analfabetismo de adultos
● del 20 al 50 %
● del 50 al 75%
○ más del 75%

Bangladesh, Nepal y Bután), Yemen, Birmania, Camboya, Laos y Papúa-Nueva Guinea en Asia. En América, Haití, el país más pobre del mundo. El resto del mundo se encuentra entre los niveles medios del IDH (del 0,50 al 0,89). Como colofón a este hiriente estado de cosas sirvan estas líneas: "Mientras que la producción de productos alimentarios básicos representan ya más del 110% de las necesidades, más de 30 millones de personas mueren de hambre en el mundo cada año, y más de 800 millones están subalimentadas. En 1960 el 20% de la población del planeta (los ricos) disponían de una renta 30 veces más elevada que la del 20% más pobre. Hoy la renta de los ricos es 82 veces más elevada. Sobre los 6.000 millones de habitantes del planeta, apenas 500 millones viven holgadamente, mientras 5.500 millones permanecen sumidos en la necesidad. El mundo está loco" (*Le Monde Diplomatique*, n.º 50, XII-1999).

EL TRÁNSITO DEL SIGLO XX AL XXI. CONFLICTOS ABIERTOS EN EL MUNDO

Desde que en 1989 terminó formalmente la Guerra fría, ha habido más de cincuenta conflictos armados en el mundo (litigios fronterizos, revueltas internas de diverso signo, guerras civiles, movimientos independentistas, etc.). Algunos se han generado tras esa fecha, otros se desencadenaron antes. El balance ha sido –sigue siendo– de centenares de miles de muertos y casi 20 millones de refugiados registrados. Con fecha de 1-I-2000 había en la Tierra 193 Estados soberanos. Numerosos procesos políticos están en marcha tendentes a hacer disminuir esa cifra (diversos procesos de integración económica y política a escala continental) o a aumentarla considerablemente (nacionalismos e independentismos de todo tipo). En las primeras décadas del siglo XXI veremos en qué queda todo ello. Pero un caos generalizado se ha extendido a muchos estados, sumiéndose otros en una violencia endémica que en algunos casos se remonta a los años cincuenta, si no antes: Colombia, Etiopía, Somalia, Ruanda, Burundi, Liberia, Sierra Leona, Angola, Kurdistán, Sudán, Sri Lanka, Corea, Argelia, Indonesia, Afganistán, Chipre, Sáhara Occidental, Balcanes, Cáucaso, etc. Con la desaparición de la "coexistencia pacífica" la producción y perfeccionamiento del armamento nuclear se ha reducido, aunque algunos países (Israel, Corea del Norte, India, Pakistán) han entrado en el club nuclear por cuenta propia, es decir, al margen de los tratados que regulan la proliferación nuclear. El fin de la Guerra fría ha mitigado o anulado conflictos políticos directamente ligados a la dinámica del enfrentamiento global estadounidense-soviético, tal es el caso de Mozambique, Etiopía, Angola o Centroamérica. Por contra, se ha producido una auténtica eclosión de conflictos de base étnica o religiosa de nuevo cuño, como en Liberia, Ruanda, Burundi, Somalia, Argelia, Afganistán, Cachemira, Bosnia-Herzegovina, Sudán, Timor

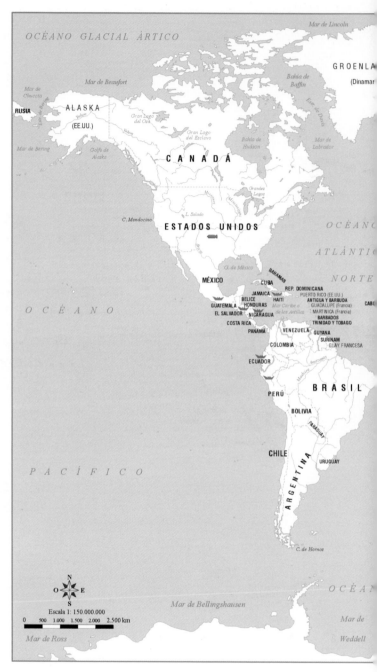

Oriental, Assam, etc. Por continentes destacan los siguientes conflictos político-territoriales o fronterizos. En América están sin determinar las fronteras definitivas de Venezuela con Colombia y Guyana, y de ésta con Surinam. En África ocurre lo mismo entre Senegal y Mauritania, Nigeria y Camerún, Angola y la República Democrática del Congo (ex-Zaire), y de Etiopía con todos sus vecinos menos Kenia. Grecia y Turquía mantienen un doble contencioso por el Egeo y Chipre. En Asia, Cachemira es la manzana de la discordia entre India y Pakistán desde 1947. Yemen y Eritrea (independiente de Etiopía en 1993) mantie-

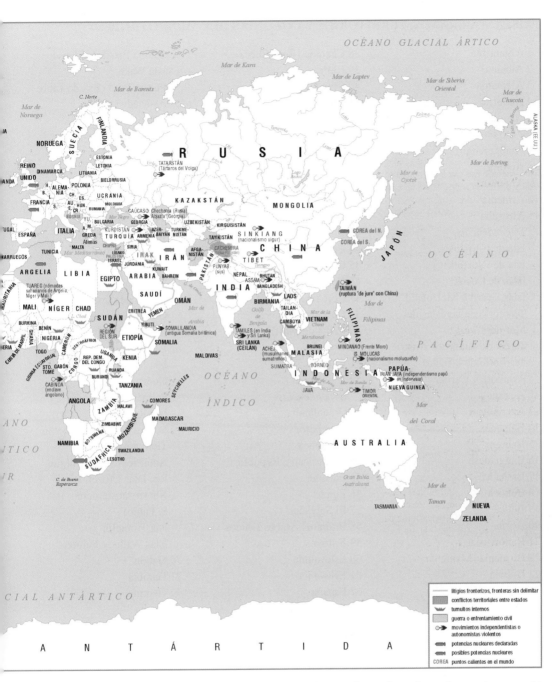

OCÉANO GLACIAL ÁRTICO

litigios fronterizos, fronteras sin delimitar
conflictos territoriales entre estados
tumultos internos
guerra o enfrentamiento civil
movimientos independentistas o autonomistas violentos
potencias nucleares declaradas
posibles potencias nucleares
COREA puntos calientes en el mundo

nen un conflicto en el Mar Rojo. Rusia y Japón pleitean desde 1945 por las islas Kuriles. China, Taiwán, Vietnam, Malasia, Brunei y Filipinas, entre otros estados, mantienen un contencioso por las islas Spratly, ricas en hidrocarburos. En el plano de los conflictos internos graves, México tiene abierta la cri-

sis chiapaneca desde hace varios años, Marruecos no termina de acceder a la celebración del referéndum de autodeterminación organizado por la ONU en el Sáhara Occidental y Senegal se enfrenta al independentismo casamancés del sur. De Somalia se ha escindido Somalilandia (antigua Somalia Británica), India debe

hacer frente al separatismo punyabí (siks) y assamés, mientras China contempla con temor el auge del nacionalismo uigur en Sinkiang y la permanente reivindicación tibetana. Y Rusia se enfrenta al avispero caucasiano, de cuya resolución depende que el virus nacionalista no se extienda a otras partes del país.

PAÍSES SOBERANOS, TERRITORIOS Y COLONIAS DEL MUNDO (1-I-2000)

1 Afganistán
2 Albania
3 Alemania
4 Andorra
5 Angola
6 Antigua y Barbuda
7 Arabia Saudí
8 Argelia
9 Argentina
10 Armenia
11 Australia
   Dependencias:
   Isla de Christmas
   Isla de Norfolk
   Islas de Cocos
   Islas Heard y McDonald
   Territorio de las Islas del
   Mar del Coral
   Territorio Antártico Austr.
   Territorio de las Islas
   Ashmore y Cartier
12 Austria
13 Azerbaiyán
14 Bahamas
15 Bahrein
16 Bangladesh
17 Barbados
18 Bélgica
19 Belice
20 Benin
21 Bielorrusia
22 Birmania (Myanmar)
23 Bolivia
24 Bosnia-Herzegovina
25 Botsuana
26 Brasil
27 Brunei
28 Bulgaria
29 Burkina Faso
31 Bután
32 Cabo Verde
33 Camboya
34 Camerún
35 Canadá
36 Centroafricana, República
37 Chad

38 Chequia (Rep. Checa)
39 Chile
40 China
41 Chipre
   (Está dividido desde 1973
   entre la República de
   Chipre, y la República
   Turca de Chipre o Chipre
   del Norte, no reconocida
   por la ONU)
42 Colombia
43 Comores, Islas
44 Congo
45 Congo, Rep. Democrática
46 Corea del Norte
47 Corea del Sur
48 Costa Rica
49 Costa de Marfil
50 Croacia
51 Cuba
52 Dinamarca
   Dependencias:
   Groenlandia
   Islas Färoes
53 Dominica
54 Dominicana, República
55 Ecuador
56 Egipto
57 El Salvador
58 Emiratos Árabes Unidos
59 Eritrea
60 Eslovaquia
61 Eslovenia
62 España
63 Estados Unidos
   Dependencias:
   Islas Baker y Howland
   Isla de Guam
   Islas Marianas del Norte
   Islas Vírgenes
   Isla Jarvis
   Isla Johnston
   Arrecife Kingman
   Islas Midway
   Isla Navasa
   Isla Palmyra

Samoa Estadounidense
Isla Wake
Puerto Rico (Estado Libre
Asociado)
64 Estonia
65 Etiopía
66 Filipinas
67 Finlandia
68 Fiyi
69 Francia
   Dependencias:
   Bassas da India
   Isla Clipperton
   Isla Europa
   Isla Gloriosa
   Isla Guadalupe
   Guayana Francesa
   Isla Juan de Novoa
   Isla Mayotte o Mahoré
   Isla Martinica
   Nueva Caledonia
   Polinesia Francesa
   Isla Reunión
   Is. San Pedro y Miquelón
   Tierras Australes
   Antárticas (Islas Kérgue-
   len, Islas Crozet, Isla
   Nueva Amsterdam e Isla
   S. Pablo)
   Isla Tromelin
   Islas Wallis y Futuna
70 Gabón
71 Gambia
72 Georgia
73 Ghana
74 Granada
75 Grecia
76 Guatemala
77 Guinea
78 Guinea-Bissau
79 Guinea Ecuatorial
80 Guyana
81 Haití
82 Holanda (Países Bajos)
   Dependencias:
   Antillas Holandesas

Aruba
83 Honduras
84 Hungría
85 India
86 Indonesia
87 Irán
88 Irak
89 Irlanda
90 Islandia
91 Israel
92 Italia
93 Jamaica
94 Japón
95 Jordania
96 Kazajstán
97 Kenia
98 Kirguisistán
99 Kiribati
100 Kuwait
101 Laos
102 Lesotho
103 Letonia
104 Líbano
105 Liberia
106 Libia
107 Liechtenstein
108 Lituania
109 Luxemburgo
110 Macedonia
111 Madagascar
112 Malasia
113 Malawi
114 Maldivas, Islas
115 Mali
116 Malta
117 Marshall, Islas
118 Marruecos
   (Ocupa y administra
   desde 1975 el territorio
   del Sáhara Occidental)
119 Mauricio
120 Mauritania
121 México
122 Micronesia, Estados
   Federados de
123 Moldavia
124 Mónaco
125 Mongolia

126 Mozambique
127 Namibia
128 Nauru
129 Nepal
130 Nicaragua
131 Níger
132 Nigeria
133 Noruega
   Dependencias:
   Archipiélago de Svalvard
   Isla Bouvet
   Isla Jan Mayen
   Isla Pedro I
   Tierra de la Reina Maud
   (Antártida)
134 Nueva Zelanda
   Dependencias:
   Tierra de Ross (Antártida)
   Islas Cook
   Niue
   Tokelau
135 Omán
136 Pakistán
137 Palau, Islas
138 Panamá
139 Papúa- Nueva Guinea
140 Paraguay
141 Perú
142 Polonia
143 Portugal
144 Qatar
145 Reino Unido
   Dependencias:
   Isla Anguila
   Isla Ascensión
   Islas Bermudas
   Gibraltar
   Isla de Man
   Islas del Canal
   Islas Caimán
   Islas Vírgenes Británicas
   Isla Monserrat
   Islas Pitcairn
   Isla de Sta. Elena
   Territorio Británico del
   Océano Índico
   Islas Tristán da Cunha
   Islas Turcas y Caicos

   Islas Georgias del Sur
   Islas Sandwich del Sur
   Islas Malvinas o Falkland
   Territorio Antártico Brit.
146 Ruanda
147 Rumania
148 Rusia
149 Salomón, Islas
150 Samoa Occidental
151 San Cristóbal
152 San Marino
153 San Vicente y Granadinas
154 Santa Lucía
155 Santo Tomé y Príncipe
156 Senegal
157 Seychelles, Islas
158 Sierra Leona
159 Singapur
160 Siria
161 Somalia
162 Sri Lanka (Ceilán)
163 Sudáfrica
164 Sudán
165 Suecia
166 Suiza
167 Surinam
168 Swazilandia
169 Tailandia
170 Taiwán
171 Tanzania
172 Tayikistán
173 Timor Oriental
178 Turkmenistán
179 Turquía
180 Tuvalu
181 Ucrania
182 Uganda
183 Uruguay
184 Uzbekistán
185 Vanuatu
186 Vaticano
187 Venezuela
188 Vietnam
189 Yemen
190 Yibuti
191 Yugoslavia
192 Zambia
193 Zimbabwe

EXTENSIÓN Y POBLACIÓN DE LOS ESTADOS SOBERANOS DEL MUNDO

 AFGANISTÁN
652.090 km²
17.691.000 hab.

 **BARBADOS**
13.878 km²
269.000 hab.

 CAMBOYA
181.035 km²
9.308.000 hab.

 ALBANIA
28.748 km²
3.500.000 hab.

 BÉLGICA
30.514 km²
10.010.000 hab.

 CAMERÚN
475.442 km²
12.522.000 hab.

 ALEMANIA
356.733 km²
81.187.000 hab.

 BELICE
22.965 km²
205.000 hab.

 CANADÁ
9.976.139 km²
28.755.000 hab.

 ANDORRA
453 km²
61.000 hab.

 BENIN
112.622 km²
5.215.000 hab.

 CENTROAFRICANA, REP.
622.984 km²
3.156.000 hab.

 ANGOLA
1.246.799 km²
10.267.000 hab.

 BHUTÁN
47.000 km²
1.596.000 hab.

 CHAD
1.284.000 km²
6.159.000 hab.

 ANTIGUA Y BARBUDA
440 km²
65.000 hab.

 BIELORRUSIA
86.600 km²
7.392.000 hab.

 CHEQUIA
78.839 km²
10.328.000 hab.

 ARABIA SAUDÍ
2.149.690 km²
17.119.000 hab.

 BIRMANIA (MYANMAR)
676.557 km²
45.555.000 hab.

 CHILE
756.945 km²
13.813.000 hab.

 ARGELIA
2.381.741 km²
26.722.000 hab.

 BOLIVIA
1.098.581 km²
7.065.000 hab.

 CHINA
9.524.079 km²
1.169.354.000 hab.

 ARGENTINA
2.780.400 km²
33.778.000 hab.

 BOSNIA-HERZEGOVINA
51.129 km²
3.707.000 hab.

 CHIPRE
9.251 km²
726.000 hab.

 ARMENIA
29.800 km²
3.732.000 hab.

 BOTSWANA
581.730 km²
1. 443.000 hab.

 COLOMBIA
1.138.914 km²
33.951.000 hab.

 AUSTRALIA
7.686.848 km²
17.661.000 hab.

 BRASIL
8.511.965 km²
151.534.000 hab.

 **COMORES**
1.862 km²
479.000 hab.

 AUSTRIA
83.853 km²
7.988.000 hab.

 BRUNEI
5.765 km²
274.000 hab.

 CONGO
342.000 km²
2.443.000 hab.

 AZERBAIYÁN
86.600 km²
7.392.000 hab.

 BULGARIA
110.912 km²
8.472.000 hab.

 CONGO REP. DEM.
2.345.409 km²
41.231.000 hab.

 BAHAMAS
13.878 km²
269.000 hab.

 BURKINA FASO
274.200 km²
9.682.000 hab.

 COREA DEL NORTE
120.358 km²
23.048.000 hab.

 BAHREIN
694 km²
539.000 hab.

 BURUNDI
27.834 km²
5.958.000 hab.

 COREA DEL SUR
99.263 km²
44.056.000 hab.

 BANGLADESH
143.998 km²
115.202.000 hab.

 CABO VERDE
4.033 km²
370.000 hab.

 COSTA RICA
51.100 km²
3.199.000 hab.

COSTA DE MARFIL
322.463 km²
13.316.000 hab.

 ETIOPÍA
1.133.882 km²
51.859.000 hab.

 HAITÍ
27.750 km²
6.903.000 hab.

 CROACIA
56.538 km²
4.511.000 hab.

 FILIPINAS
300.000 km²
65.649.000 hab.

 HOLANDA
41.863 km²
12.298.000 hab.

 CUBA
110.861 km²
10.905.000 hab.

 FINLANDIA
338.127.400 km²
5.067.000 hab.

 HONDURAS
112.088 km²
5.5950.00 hab.

 DINAMARCA
43.077 km²
5.189.000 hab.

 FIYI
18.274 km²
758.000 hab.

 HUNGRÍA
193.032 km²
10.294000 hab.

 DOMINICA
751 km²
71.000 hab.

 FRANCIA
551.500 km²
57.379.000 hab.

 INDIA
3.287.590 km²
901.954.000 hab.

 DOMINICANA, REP.
48.734 km²
7.608.000 hab.

 GABÓN
267.667 km²
1.012.000 hab.

 INDONESIA
1.904.569 km²
189.136.000 hab.

 ECUADOR
283.561 km²
10.981.000 hab.

 GAMBIA
11.295 km²
1.026.000 hab.

 IRAK
438.317 km²
19.454.000 hab.

 EGIPTO
1.001.149 km²
56.489.000 hab.

 GEORGIA
67.700 km²
5.446.000 hab.

 IRÁN
1.633.188 km²
59.600.000 hab.

 EL SALVADOR
21.041 km²
5.517.000 hab.

 GHANA
238.537 km²
16.446.000 hab.

 IRLANDA
70.284 km²
3.563.000 hab.

 EMIRATOS ÁRABES UNIDOS
83.600 km²
1.206.000 hab

 GRANADA
344 km²
92.000 hab.

 ISLANDIA
103.000 km²
363.000 hab.

 ERITREA
117.400 km²
3.345.000 hab

 GRECIA
131.944 km²
10.305.000 hab.

 ISLAS MARSHALL
181 km²
52..000 hab.

 ESLOVAQUIA
49.037 km²
5.318.000 hab

 GUATEMALA
108-889 km²
10.030.000 hab.

 **ISLAS SALOMÓN**
28.896 km²
354.000 hab.

 ESLOVENIA
20.226 km²
1.991.000 hab

 GUINEA
245.857.889 km²
6.306.000 hab.

 ISRAEL
20.770 km²
5.256.000 hab.

 ESPAÑA
504.782 km²
39.141.000 hab

 GUINEA BISSAU
36.125 km²
1.028.000 hab.

 ITALIA
301.262 km²
57.055.000 hab.

 ESTADOS UNIDOS
9.372.614 km²
258.233.000 hab

 GUINEA ECUATORIAL
28.051 km²
379.000 hab.

  JAMAICA
10.990 km²
2.411000 hab.

 ESTONIA
45.215 km²
1.115.000 hab

 GUYANA
214.969 km²
816.000 hab.

JAPÓN
377.801 km²
123.653.000 hab.

JORDANIA
97.740 km²
4.936.000 hab.

 KAZAKSTÁN
2.717.200 km²
16.956.000 hab.

 KENIA
580.367 km²
28.113.000 hab.

 KIRGUISISTÁN
198.500 km²
4.528.000 hab.

 KIRIBATI
728 km²
76.000 hab.

 KUWAIT
17.818 km²
1.433.000 hab.

 LAOS
236.800 km²
4.605.000 hab.

 LESOTHO
30.335 km²
1.943.000 hab.

 LETONIA
64.589 km²
2.586.000 hab.

 LÍBANO
10.400 km²
2.806.000 hab.

 LIBERIA
111.369 km²
2.640.000 hab.

 LIBIA
1.759. 540 km²
4.700.000 hab.

 LIECHTENSTEIN
160 km²
30.000 hab.

  LITUANIA
65.200 km²
3.730.000 hab.

 LUXEMBURGO
2.5860 km²
380.000 hab.

 MACEDONIA
25.713 km²
2.119.000 hab.

 MADAGASCAR
587.041 km²
12.092.000 hab.

 MALASIA
329.749 km²
19.329.000 hab.

 MALAWI
118.484 km²
9.135.000 hab.

 MALDIVAS
298 km²
238.000 hab.

 MALI
1.240.192 km²
10.135.000 hab.

 MALTA
316 km²
361.000 hab.

 MARRUECOS
710. 850 km²
26.330.000 hab.

 MAURICIO
2.040 km²
1.091.000 hab.

 MAURITANIA
1.025.520 km²
2.548.000 hab.

 MÉXICO
1.958.201 km²
91.261.000 hab.

 MICRONESIA
702 km²
118.000 hab.

 MOLDAVIA
33.700 km²
4.356.000 hab.

 MÓNACO
2 km²
31.000 hab.

 MONGOLIA
1.565.000 km²
2.318.000 hab.

 MOZAMBIQUE
801.590 km²
15.583.000 hab.

 NAURU
21 km²
10.000 hab.

 NEPAL
140.779 km²
20.812.000 hab.

 NICARAGUA
130.000 km²
4.265.000 hab.

 NÍGER
1.267.000 km²
8.361.000 hab.

 NIGERIA
923.768 km²
125.264.000 hab.

 NORUEGA
323.895 km²
4.312.000 hab.

 NUEVA ZELANDA
268.676 km²
3.451.000 hab.

 OMÁN
212.457 km²
2.018.000 hab.

 PAKISTÁN
976.095 km²
122.802.000 hab.

 PALAU
459 km²
16.000 hab.

 PANAMÁ
75.517 km²
2.563.000 hab.

 PAPÚA-NUEVA GUINEA
462.840. km²
3.922.000 hab.

 PARAGUAY
406.752 km²
4.643.000 hab.

 PERÚ
1.285.216 km²
22.454.000 hab.

 POLONIA
312.677 km²
38.505.000 hab.

 PORTUGAL
92.389 km²
9.864.000 hab.

QATAR
11.000 km²
559.000 hab.

 **SOMALIA**
637.657 km²
8.984.999 hab.

 TURKMENISTÁN
488.100 km²
3.921.000 hab.

 REINO UNIDO
244.100 km²
58.191.000 hab.

 SRI LANKA
65.610 km²
17.619.000 hab.

 TURQUÍA
779.452 km²
60.227.000 hab.

 RUANDA
26.338 km²
7.554.000 hab.

 SUDÁFRICA
1.121.037 km²
39.659.000 hab.

 TUVALU
267 km²
9.000 hab.

 RUMANIA
237.500 km²
22.755.000 hab.

 SUDÁN
2.505.813 km²
24.941000 hab.

 UCRANIA
603.700 km²
52.179.000 hab.

 RUSIA
17.075.400 km²
147.760.000 hab.

 SUECIA
449.964 km²
8.712.000 hab.

 UGANDA
241.038 km²
19.940.000 hab.

 SAMOA OCCIDENTAL
2.831 km²
167.000 hab.

 SUIZA
41.293 km²
6.938.000 hab.

 URUGUAY
177.414 km²
3.149.000 hab.

 SAN CRISTÓBAL
261 km²
42.000 hab.

 SURINAM
163.265 km²
414.000 hab.

 UZBEKISTÁN
447.400 km²
21.860.000 hab.

 SAN MARINO
61 km²
24.000 hab.

 SWAZILANDIA
17.364 km²
809.000 hab.

 VANUATU
12.189 km²
161.000 hab.

 S. VICENTE Y GRANADINAS
388 km²
110.000 hab.

 TAILANDIA
513.115 km²
58.584.000 hab.

 VATICANO
0,44 km²
1.000 hab.

 SANTA LUCÍA
622 km²
139.000 hab.

 TAIWÁN
35.980 km²
20.872.000 hab.

 VENEZUELA
912.050 km²
20.712.000 hab.

 SANTO TOMÉ Y PRÍNCIPE
964 km²
122.000 hab.

 TANZANIA
954.087 km²
28.019.000 hab.

 VIETNAM
331.689 km²
71.324.000 hab.

 SENEGAL
196.722 km²
7.902.000 hab.

 TAYIKISTÁN
143.100 km²
5.767.000 hab.

 YEMEN
527.968 km²
557.000 hab.

 SEYCHELLES
455 km²
72.000 hab.

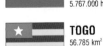 **TOGO**
56.785 km²
3.885.000 hab.

 YIBUTI
23.200 km²
557.000 hab.

 SIERRA LEONA
71.740 km²
4.297.000 hab.

 TONGA
750 km²
987.000 hab.

 YUGOSLAVIA
102.173 km²
10.485.000 hab.

 SINGAPUR
618 km²
2.874.000 hab.

 TRINIDAD Y TOBAGO
5.130 km²
1.260.000 hab.

 ZAMBIA
752.614 km²
8.936.000 hab.

 SIRIA
185.180 km²
13.393.000 hab.

 TÚNEZ
163.610 km²
8.570.000 hab.

 ZIMBABWE
390.580 km²
10.739.000 hab.

VII

Tablas cronológicas
y series dinásticas
de los principales países

EGIPTO

Imperio Antiguo Tinita (3200-2778)
I Dinastía
Narmer o Menes
Aja
Djer
Uadji
Udimu
Anedjib o Adjib
Semerkhrt
Ka

II Dinastía
Hotepsekhemu
Nebré o Reneb
Nitetjet
Uney
Sened
Peribsen
Khasekhem
Khasekhemu

Imperio Antiguo (2778-2260)
III Dinastía (2778-2723)
Djoser
Sekhemkhet
Sanakht o Nebka
Khaba
Neferka
Hou o Houm

IV Dinastía (2723-2563)
Snefru
Kheops
Didufri o Dedefre
Kefren
Mycerino
Shepseskaf

V Dinastía (2563-2420)
Userkaf
Sahouré
Neferirkaré
Shepseskaré
Neferefré
Neusseré
Menkauhor
Isesi
Unas

VI Dinastía (2420-2260)
Teti
Userkaré

Pepi I
Merenré
Pepi II

Primer Período Intermedio (2260-2160)
VII Dinastía (?)
VIII Dinastía (2260-?)
IX-X Dinastías (2220-2160)

Imperio Medio Tebano (2160-1785)
XI Dinastía (2160-2000)
Antef I
Antef II
Antef III
Mentuhotep I
Mentuhotep II
MentuhoteP III

XII Dinastía (2000-1785)
Amenemhat I
Sesostris I
Amenemhat II
Sesostris II
Sesostris III
Amenemhat III
Amenemhat IV
Sebeknefruré (reina)

Segundo Período Intermedio (1750-1580 a. C.)
XIII-XIV Dinastías (1785-1730)
XV-XVI Dinastías (reyes hiksos, 1730-1580)
XVII Dinastía (1680-1580)

Imperio Nuevo Tebano (1580-1085)
XVIII Dinastía (1580-1314)
Ahmosis
Amenofis I
Tutmosis I
Tutmosis II
Hatsepsut (reina)
Tutmosis III
Amenofis II
Tutmosis IV
Amenofis III
Amenofis IV (Akhetatón o Amenhotep,
    casado con Nefertiti o Nefertari)
Semenkhaera
Tutankhamón o Tutanknatón
Ai
Horemheb

XIX Dinastía (los ramésidas, 1314-1200)
Ramsés I
Seti I

Ramsés II
Meneftah
Seti II

XX Dinastía (1200-1085)
Sethnekht
Ramsés III
Ramsés IV
Ramsés V
Ramsés VI
Ramsés VII
Ramsés VIII
Ramsés IX
Ramsés X
Ramsés XI

Bajo Imperio. Imperio Saíta (1085-333)
Tercer Período Intermedio (1085-715)
XXI Dinastía (1085-950)
Reyes-sacerdotes de Tebas, Alto Egipto:
Herihor
Pinedjem I
Pinedjem II
Monarcas de Tanis, Bajo Egipto:
Smendes
Psusennés I
Amenoftis
Siamón
Psusennés II

XXII Dinastía (monarcas libios, 950-733)
Sheshonk I
Osorkon I
Takelot I
Osorkon II
Sheshonk II
Takelot II
Sheshonk III
Pami
Sheshonk IV

XXIII Dinastía (817-730)
Pedubast o Pedubastis
Sheshonk V
Osorkon III
Amonrud
Osorkon IV

XXIV Dinastía (730-715)
Tefnakht
Bocchoris o Bokenrenef

XXV Dinastía (monarcas etíopes, 751-665)
Piankhi

Shabaka
Shabataka
Taharka
Tanutamón

XXVI Dinastía (saita, 663-525)
Psamético I
Nekao
Psamético II
Apries
Amasis
Psamético III

XXVII Dinastía (Egipto satrapía persa, 525-404)

XXVIII Dinastía (404-398)
Amyrte

XXIX Dinastía (398-378)
Neferites I
Achoris
Psamuthis
Neferites II

XXX Dinastía (última dinastía egipcia, 398-341)
Nectabeo I
Teos
Nectabeo II

Segunda conquista persa (341-333)

Egipto helenístico (332-30)
Dinastía Macedonia (332-305)
Alejandro III, el Grande, rey de Macedonia
Arquelao
Filipo III de Macedonia
Alejandro IV Aigos

Dinastía Lágida (305-30)
Ptolomeo I Soter 305-283
Ptolomeo II Filadelfo 283-246
Ptolomeo III Evergetes 246-221
Ptolomeo IV Filopátor 221-203
Ptolomeo V Epifano 203-181
Ptolomeo VI Filométor 181-145
Ptolomeo VII Neofilopátor 145-144
Ptolomeo VIII Evergetes 144-116
Ptolomeo IX Sóter 116-107
Ptolomeo X 107-88
Ptolomeo XI 88-80
Ptolomeo XII Auletes 80-51
Ptolomeo XIII 51-47
Ptolomeo XIV / Cleopatra 47-44
Ptolomeo XV (Cerasión) 44-30

Egipto romano y bizantino (30 a. C.-642)
Egipto árabe (bajo omeyas y abasidas, 642-868)

Egipto musulmán independiente:
Dinastía de los Tuluníes (968-905)
Dinastía de los Ikshidíes (935-969)

Dinastía de los Fatimíes (909-969)

Ubayd Allah (Al-Mahdi)	909-934
Al-Qaim	934-946
Al-Mansur	946-953
Al-Muizz	953-975
Al-Aziz	975-996
Al-Hakim	996-1021
Al-Zahir	1021-1036
Al-Mustansir	1036-1094
Al-Mustali	1094-1101
Al-Amir	1101-1130
Al-Hafiz	1130-1149
Al-Zafir	1149-1154
Al-Faiz	1154-1160
Al-Adid	1160-1171

Dinastía de los Ayúbidas (1171-1250)
Dinastía de los Mamelukos (1250-1517)

Dominio de los turcos otomanos (1517-1867)
Entre 1805-1867 Egipto fue gobernado por virreyes otomanos; por *kedives*, 1867-1914; por sultanes,1914-1922. Monarquía entre 1922-1952. Entre 1882-1936, dominio británico)

Mehmet Alí	1805-1848
Ibrahim Pachá	1848
Abbas Hilmi I	1848-1854
Said Pachá	1854-1863
Ismail Pachá (*kedive* en 1867)	1863-1879
Tawfik	1879-1892
Abbas Hilmi II	1892-1914
Husain Kamil	1914-1917
Fuad I	1917-1936
Faruk I	1936-1952

Egipto republicano (desde 1952)

Gamal Abdel Nasser	1954-1970
Anuar el Sadat	1970-1981
Hosni Mubarak	1981-

SUMER

Dinastías Primitivas (2800-2500 a. C.)
Mesilim de Kish
Dinastía I de Ur (2500 a. C.)
Mesannepada
Dinastía I de Lagash (2500-2360)

Urnanshe
Eannatum
Entemena
Lugalanda
Urukagina
Lugalzagesi
Conquista acadia 2350

ACAD

Sargón I, el Antiguo	2350-2300
Naramsin	2270-2230

Dominio de los guteos (2150-2050)

Dinastía III de Ur (2050-1959)
Urnamu
Sulgi o Dungi
Bursin I (Amarsin)
Shusin
Ibisin
Conquista cananea 2000
Rimsim de Larsa 1758-1698

ASIRIA

Imperio Antiguo (1800-1375)
Shamshi Adad I 1741-1717

Imperio Medio (1375-1047)

Eraba Adad	1390-1364
Asurubalit	1364-1328
Tikultininurta	1242-1207
Tiglatpileser I	1112-1074

Imperio Nuevo (883-612)

Asurdán II	931-909
Adadnarari II	909-890
Tikultininurta II	890-883
Asurnasirpal II	883-859
Salmanasar III	858-824
Shamshi Adad V	824-810
Sumuramat (Semíramis)	810-806
Adadnarari III	806-782
Decadencia asiria	782-745
Tiglatpileser IV (Pulu)	745-727
Salmanasar V	727-722
Sargón II	722-705
Senaquerib	704-681
Asarhadon	680-669
Asurbanipal (Sardanápalo)	668-626
Asuretililani	
Sinshariskun	
Destrucción del Imperio Asirio	612

BABILONIA

Imperio Antiguo (1750-1125)
Hammurabi 1728-1686
Samsuiluma
Samsuditana
Período de dominio casita 1530-1160
Conquista elamita de Babilonia 1160
Nabucodonosor I (dinastía IV) .... 1137-?
Conquista asiria .... desde el s. XI

Imperio Neobabilonio (625-539)
Nabopolasar 625-605
Nabucodonosor II 604-562
Nabonido 552-539
Baltasar
Conquista persa de Babilonia 539

IMPERIO HITITA

Imperio Antiguo (1640-1380)
Labarna
Hatusil I
Maursil I
Telepinu

Imperio Nuevo (1380-1200)
Supiluliuma 1380-1345
Mursil II 1345-1315
Mutalu 1315-1290
Fin del Imperio hitita 1200

ISRAEL

Época de los Jueces 1200-1025
Saúl 1025-1006
David 1006-966
Salomón 966-926
División del reino entre Israel y Judá 926

Israel (926-722)
Jeroboam 926-878
Amri 878-871
Acab 871-852
Jehu 845-817
Época de desórdenes 817-722
Conquista asiria 722

Judá (926-587)
Roboam .... 926-?
Joram 852-845
Atalia 845-839
Joab
Amasias

Ezequías 725-697
Manasés
Josías 639-609
Conquista babilonia.................................. 587

MITANI (Apogeo entre 1450-1350)

Shaushatar
Tushrata
Matiuza

URARTU (835-610)

Sardur I 835-825
Sardur II
Conquista meda 610

FRIGIA (siglos VIII-VII)

Midas (siglo VIII ?)
Destrucción de Frigia por los cimerios .... s. VII

LIDIA (siglo VII-546)

Dinastía de los Mermnadas
Giges 680-652
Alyates 605-560
Creso 560-546
Conquista persa 546

PERSIA / IRÁN

Imperio aqueménida (siglo VII-330 a. C.)
Teispes 675-645
Ciro I 645-600
Cambises I 600-556
Ciro II 556-530
Cambises II 530-522
Darío I 522-486
Jerjes I 586-465
Artajerjes I 464-424
Jerjes II 424
Darío II 423-404
Artajerjes II 404-358
Artejerjes III 358-338
Oarses (Bagoas) 338-336
Darío III 336-330
Conquista macedonia 330-312

Imperio seleúcida (312-129 a. C.)
Capital en Babilonia
Seleuco I... 312-281
Antioco I Soter 281-261
Antioco II Theos 261-264

Seleuco II 246-226
Seleuco III Soter 226-223
Antioco III el Grande 223-187
Seleuco IV Filopáto r............................. 187-175
Antioco IV Epifano 175-164
Antioco V Eupátor 164-162
Demetrio I Soter 162-150
Alejandro I Balas 150-154
Demetrio II Nicator 154-125
Desde este monarca los seleúcidas reinan sólo en Siria hasta la conquista romana del 64-63 a. C.

Imperio de los partos arsácidas (250 a. C.- 224)
Capital en Ecbatana (act. Hamadán)
Arsaces I 250-214
Artabán o Artabano I 214-191
Fripates 191-180
Fraates I 178-171
Mitridates I 171-138
Fraates II 138-127
Artabán II 127-124
Mitridates I I... 123-88
Gotarzes I 88-69
Orodes I 88-69
Sanatruces 88-69
Fraates III 69-57
Mitridates III 57-55
Orodes II 55-37
Fraates IV .... 37 a. C.-2 d. C.
Tiridates II .... 37 a. C.-2 d. C.
Fraates o Fraataces V 2-4
Orodes III 4-7
Vonones I 7-11
Artabán III 12-38
Vologeso 51-70
Cosroes 107-130
Vologeso III 148-192
Vologeso IV 192-208
Artabán IV 213-224
Los sasánidas ponen fin al dominio parto 224

Imperio persa sasánida (224-651)
Capital en Ctesifonte
Ardasir I 224-241
Sapur o Chahpur I 241-272
Ohrmizd I 272-273
Bahram I 273-276
Bahram II 276-293
Bahram III 293
Narsés 292-302
Ohrmizd II 302-309
Sapur II 310-379
Ardasir II 379-383
Sapur III 383-388

Bahram IV 388-399
Yazdgard o Yezdegir I 399-420
Bahram V 420-438
Yazdgard II 438-457
Ohrmizd III 457-459
Piroz o Firuz 459-484
Balash 484-488
Kavad o Gobad (1ª vez) 488-496
Jamasp 496-499
Kavad o Gobad (2ª vez) 499-531
Cosroes I 531-579
Ohrmiz IV 579-590
Cosroes II 590-628
Ardasir III, Shahrbaraz, Cosroes III,
Tchahwanshar, Puran y Shushnazbendé ... 628-630
Azarmidakht, Ohrmiz V, Cosroes IV,
Firuz II y Cosroes V 630-632
Yezdegir III 632-651
Conquista árabe de Irán 651

Irán musulmán. Dominio omeya y abasida
(661-750 y 750-932 respectivamente)

Dinastías regionales iraníes
Dinastía de los Tahiríes de Jorasán (820-873)
Dinastía de los Saffaridas de Sistán (862-1000)
Dinastía de los Samaníes de Transoxiana y Jorasán (877-999)
Din. de los Gaznavíes de Afganistán y Jorasán (962-1040)
Dinastía de los Buyíes de Persia (932-1055)

Irán bajo dinastías turcas
Dinastía de los Grandes Selyúcidas de Isfahán (1038-1155)
Dinastía Selyúcida de Kermán (1041-1186)
Dominio de los Shahs de Jorezm (1194-1231)
Dinastía de los Salguríes de Fars (1148-1287)
Dinastía de los Guríes de Afganistán (1149-1202)

Irán bajo los mongoles. Kanato de Il
(1258-1335)
Hulagu Kan 1258-1265
Gazán 1295-1304
Abú Said 1216-1335

Dinastías regionales turco-mongolas
de Irán (1335-1501)
Muzafáridas de Chiraz e Isfahán (1353-1393)
Jalayries de Azerbaiyán (1335-1410)
Serberadidas de Afganistán (1337-1378)
Dinastía Kart del Jorasán (1345-1386)
Dominio timúrida en todo Irán (1376-1402)
Dinastía timúrida en Jorasán (1402-1502)

Kara-koyunlu de Azerbaiyán (1380-1468)
Ak-koynlu de Anatolia Oriental (1378-1501)

Irán desde el siglo XVI
Dinastía de los Safávidas (1501-1736)
Ismail I 1501-1524
Tahmasp I 1524-1576
Ismail II 1576-1578
Mohamed Khodadanba 1578-1587
Abbas I, el Grande 1587-1629
Safi 1629-1642
Abbas II 1642-1667
Soleymán 1667-1694
Hoseyn 1694-1722
Tahmasp II 1722-1732
Abbas III 1733-1736

Dinastía de Nadir Shah (1736-1796)
Nadir Shah 1736-1747
Shah Rokh 1748-1796

Dinastía Qadjar (1796-1925)
Aga Mohamad Shah 1796-1797
Fathi Ali Shah 1797-1834
Mohamad Shah 1834-1848
Naser al-Din 1848-1896
Muzaffar al-Din 1896-1907
Mohamad Ali Shah 1907-1909
Ahmad Shah 1909-1925

Dinastía Phalevi (1925-1979)
Reza Shah 1925-1941
Mohamad Reza 1941-1979
República Islámica de Irán .... desde 1979

CHINA

Dinastía Hsia o Xia
   (semilegendaria, 2200-1770)
Dinastía Shang o Yin (1770-1080 a. C.)

Dinastía Chou Occidental (1080-722 a. C.)
Dinastía Chou Oriental (722-221a. C.)
   A) Período Chunqiu o
      de Primavera y Otoño (722-481 a. C.)
   B) Período Chan-kuo o de
      Los Reinos Combatientes (481-221 a. C.)

Dinastía Chin (221-210 a. C.)
Chin Shi Huang-ti 221-210

Dinastía Han Occidental (210 a. C.-9 d. C.)
Kao-tsou 206-195
Liu Pang 197-157

Wu-ti 140-87
Interregno de Wang-Mang 9-23

Dinastía Han Oriental (23-220)
Kwang Wu-ti 25-57
Fin de la dinastía Han y división de China 220

Época de los Tres Reinos (220-280)
(Wei al norte, Shu-Han al suroeste y Wu al sur)
Reunificación de China por Wei 280-304

**China dividida: Los Dieciséis Reinos del Norte
y las Seis Dinastías del Sur (304-581)**

China unida
Dinastía Sui (581-618)
Wen-ti 581-604
Yang Tsien 605-617

Dinastía Tang (622-907)
Kao-tsu 618-626
Tai-tsong 627-649
Kao-tsong 694-705
Xuangzong 721-756

**China dividida: Las Cinco Dinastías del Norte
y los Diez Estados del Sur (907-960)**
Dinastías del Norte
Liang 907-923
Tang Posteriores 923-936
Chin Posteriores 936-946
Han Posteriores 947-950
Chu Posteriores 951-960

China unida
Dinastía Sung del Norte (960-1127)
Tai-tsu 960-976
Huei-tsong 1101-1125

Dinastía Sung del Sur (1127- 1279)
Dinastías del norte de China
Liao Oriental (kara-kitai) 947-1124
Chin (tunguses) 1124-1234
Xi-xia (tangutos) 1038-1127

Dinastía Yuan (mongoles, 1279-1368)
Kublai-kan 1260/1279-1294
Los Ming expulsan a los mongoles 1368

Dinastía Ming (1368-1644)
Hung-wu (Chu-yuangchang) 1368-1398
Huei-ti 1399-1402
Cheng-tsu 1403-1424
Chen-tsong 1425

Hiuang-tsong 1426-1435
Ying-tsong 1436-1449
Tai-tsong 1450-1457
Ying-tsong 1457-1464
Hien-tsong 1465-1487
Hiao-tsong 1488-1505
Wu-tsong 1506-1521
Che-tsong 1522-1566
Mu-tsong 1567-1572
Chen-tsong 1673-1620
Kuang-tsong 1620
Hi-tsong 1621-1627
Yi-tsong 1628-1644
Conquista manchú de China 1644

Dinastía Ching (manchúes, 1644-1911)
Che-tsu 1644-1661
Cheng-tsu 1662-1722
Kang-shi 1723-1735
Kao-tsong 1736-1795
Kien-lung 1796-1821
Huan-tsong 1821-1850
Wen-tsong 1851-1861
Mu-tsong 1862-1873
Tsai-tsong 1874-1908
Pu-yi 1908-1912

República China (1911-1949)
Sun Yat-sen 1912
Yuan Shikai 1913-1916
Sun Yat-sen 1917-1925
Chang Kai-Chek 1927-1949

República Popular China (desde 1949)
Mao Zedong 1949-1976
Deng Xiaoping 1976-1997
Jiang Zemín .... desde 1997

INDIA

Principales reinos, imperios y dinastías, y su correspondencia con los estados indios actuales.
Reino de Magadha (Bihar, Bengala)
Dinastía Maurya (320-185 a. C.)
Bimbisara .... s. VI
Chandragupta 320-296
Asoka (primer emperador de la India) 269-232

Dinastía Sunga (320-185 a. C.)
(Uttar-Pradesh, Bihar)

Dinastía indo-griega o greco-bactriana
(240-70 a. C., Afganistán, Cahemira, Punyab)
Menandro (finales del s. III a. C.)

Dinastía Kanva (72-19 a. C.) (Bihar)

Dinastía Andhra o Satavahana (siglos I-III) (Maharashtra, Andhra Pradesh)

Imperio Kusanio (78 a. C.-251) (Afganistán, Cahemira, Punyab, Rajastán)
Kaniska 78-102
Vasiska 102-106
Huviska 106-136
Vasudeba 142-176
Conquista persa .... s. III

Imperio Gupta (320-552) (mitad norte de la India)
Chandragupta I 320-330
Samudragupta 330-375
Chandragupta II 375-414
Kumaragupta I 415-155
Skandragupta 455-467

Imperio Chola (s. VII-1279) (Tamil Nadú)
Imperio Rastrakuta (755-973, Maharashtra)

Dinastía Pala (675-1086, Bihar, Bengala)

Imperio Chalukya Oriental (973-1190, Dekkán del sur)

Pandya (1070-1311, Tamil Nadú)

Hoysala (1006-1327, Mysore)

Yádava (1190-1312, Maharashtra)

Sultanato de Delhi (1206-1525)
Dinastía de los Mamelucos (1206-1290)
Chams al-Din Iltutmisch 1221-1236
Dinastía Khaldji (1290-1320)
Alá al-Din IKhaldji 1296-1315
Dinastía Tughluq (1320-1414)
Muhammad ibn Tughluq 1325-1351
Firuz Shah Tughluq 1351-1388
Dinastía Sayyid (1414-1451)
Dinastía Lodi (1541-1526)

Reino hindú de Vijayanagar (1336-1614) (Dekkán y mitad sur de la India)
Primera Dinastía (1336-1486)
Babur 1526-1530
Harihara I 1336-1357
Bukka I 1357-1377
Harihara II 1377-1404

Devaraja 1406-1422
Segunda Dinastía (1486-1503)
Tercera Dinastía (1503-1565)
Viria Narashima 1503-1509
Krisna Deva Raja 1509-1529
Cuarta Dinastía (1507-1614)

Bahmaníes del Dekkán (1347-1527)

Imperio Pallava (s. IV-890) (Tamil Nadú)

Imperio Chalukya Occidental (543-755)
(Noroeste del Dekkán)

Imperio Mogol de la India (1526-1857)
(Capital Delhi; se extendió por toda la India)
Babur 1526-1530
Humayún (1ª vez) 1530-1540
Chir Shah 1540-1545
Humayún (2ª vez) 1545-1556
Akbar, el Grande 1556-1605
Djahangir 1605-1627
Shah Djahan 1628-1658
Awrangzib 1658-1707
Shah Alam I o Bahadur Shah I 1707-1712
Djahandar Shah 1712-1713
Farrukhsiyar 1713-1719
Muhammad Shah 1719-1748
Ahmad Shah 1748-1754
Alamgir 1754-1759
Shah Alam II 1759-1806
Akbar Shah 1806-1837
Bahadur Shah II 1837-1857

Imperio o Confederación de los Marathos
(Maharashtra)
Sivaji Bonsle, fundador 1647-1680
Balaji Visvanath 1714-1720
Baji Rao I 1720-1740
Balaji Rao 1740-1761

India Británica. Gobernadores hasta 1862
Warren Hastings 1772-1785
Charles Cornwallis 1786-1793
Sir John Shore 1793-1798
Richard C. Wellesley 1797-1805
Gilbert Elliot Minto 1807-1813
Francis Rawdon-Hastings 1813-1823
William Bentinck 1827-1835
George Eden Auckland 1836-1842
Edward Law Ellenborough 1842-1844
James Ramsay 1847-1856
Charles Canning 1856-1862
(en adelante se creó el cargo de Virrey)

JAPÓN

Época semilegendaria del Imperio Yamato
(siglos VII a. C.-V d. C.)
Jimmu-tenno, fundador legendario 660-585
Ojin-tenno 270-310

Período de Asuka (siglos VI-VIII)
Suiko-tenno 592-628
Kotoku-tenno 645-649
   era Taika (645-649)*
   era Hakuchi (650-?)
Tenchi-tenno 661-671
* Las eras se refieren a divisiones cronológicas tradicionales en Japón

Período de Nara
(710-794, capital Nara)
Shōmu-tenno 724-749
   era Jinki (724-728)
   era Tempyo (729-748)
Kōken-tenno 749-758
Shotoku-tenno 764-770
   era Tempyo Shoho (749-756)
   era Tempyo Hoji (757-764)
   era Tempyo Jingo (765-766)
   era Jingo Keiun (767-769)

Período de Heian
(794-1185/1192, capital Kioto)
Kammu-tenno 781-806
   era Enriaku (782-805)
Saga-tenno 809-823
   era Konin (810-822)
Seiwa-tenno 858-876
   era Jogan (858-876)
Daigo-tenno 897-930
   era Shotai (898-901)
   era Engi (901-922)
   era Encho (923-931)
Murakami-tenno 946-967
   era Tenriaku (947-956)
   era Tentoku (957-960)
   era Owa (961-963)
   era Koho (964-967)
Go-Sanjo-tenno 1068-1072
   era Enkyu (1069-1073)
Shirakawa-tenno 1072-1086
Toba-tenno 1107-1123
Go-Shirakawa-tenno 1155-1158

Shogunato de Kamakura (1192-1333)
Emperadores
Go-Toba-tenno 1183-1198
Tsuchimikado-tenno 1198-1210

Shogunes
Minamoto Yoritomo 1192-1199
Minamoto Yoriie 1202-1203
Minamoto Sanemoto 1203-1219
Regentes
Yoshitoki 1205-1224
Yasutoki 1224-1242
Tokimune 1268-1284

Shogunato de los Ashikaga (1338-1573)
Emperadores
Go-Daigo-tenno 1318-1339
Komyo-tenno 1336-1348
Suko-tenno 1348-1352
Go-Kogon-tenno 1352-1371
Go-En-Yu-tenno 1371-1382
Go-Komatsu-tenno 1382-1412
Go-Hanazono-tenno 1428-1464
Go-Tsuchimikado-tenno 1464-1500
Shogunes
Ashikaga Takauji 1338-1358
Ashikaga Yoshiakira 1358-1367
Ashikaga Yoshimitsu 1367-1394
Ashikaga Yoshimasa 1443-1473

La era de los Dictadores (1573-1603)
Emperadores
Ogimachi-tenno 1557-1586
Go-Yozei-tenno 1586-1611
Jefes temporales del Imperio
Oda Nobunaga 1573-1582
Hideyoshi Toyotomi 1582-1598
Ieyasu Tokugawa 1598-1603

Shogunato de los Tokugawa o época Edo (1603-1868)
Emperadores
Yo-Gozei-tenno 1586-1611
Go-Mizunoo-tenno 1611-1629
Meisho-tenno 1630-1643
Go-Komyo-tenno 1643-1654
Go-Sai-tenno 1654-1663
Reigen-tenno 1663-1687
Hiyashiyama-yenno 1687-1709
Nakamikado-tenno 1709-1735
Sakuramachi-tenno 1735-1747
Momozono-tenno 1747-1762
Go-Sakuramachi-tenno 1762-1770
Go-Momozono-tenno 1771-1779
Kokaku-tenno 1780-1817
Ninko-tenno 1817-1846
Komei-tenno...................................... 1847-1866
Shogunes
Tokugawa Yeyasu 1603-1605

Tokugawa Hidedata 1605-1623
Tokugawa Yemitsu 1623-1651
Tokugawa Yesuna 1651-1680
Tokugawa Tsunayoshi 1680-1709
Tokugawa Yenabu 1709-1713
Tokugawa Yoshimune 1713-1745
Tokugawa Yeshige 1745-1760
Tokugawa Yeharu 1760-1786
Tokugawa Yenati 1786-1837
Tokugawa Ydeyoshi 1837-1853
Tokugawa Yesada 1853-1858
Tokugawa Yemochi 1858-1866
Tokugawa Yoshinobu 1866-1867
Fin del poder shogunal 1867

Restauración imperial (desde 1868)
Mutsu-Hito (era Meiji) 1867-1912
Yoshi-Hito (era Taisho) 1912-1926
Hiro-Hito (era Showa) 1926-1989
  (Ocupación estadounidense, 1945-1950)
Aki-Hito .... desde 1989

ROMA

La República durante el siglo I a. C.
Dictadura de Sila 82-79
Primer Triunvirato:
  César, Pompeyo y Craso 60-45
Dictadura de Julio César 45-44
Segundo Triunvirato:
  Marco Antonio, Lépido y Octavio 43-30

Dinastías del Imperio romano
Dinastía Julia-Claudia (29 a. C.-68 d. C.)
Octavio .... 29 a. C.-14 d. C.
Tiberio 14-37
Calígula 37-41
Claudio 41-54
Nerón 54-68

Los tres emperadores (68-69)
Galba 68-69
Otón 69
Vitelio 69

Dinastía Flavia (69-96)
Vespasiano 69-79
Tito 79-81
Domiciano 81-96

Época de los emperadores adoptivos
Los Antoninos (96-192)
Nerva 96-98
Marco Ulpio Trajano 98-117

Teófilo 829-842
Miguel III 842-867

Dinastía Macedonia (867-1056)
Basilio I 867-886
León VI 886-912
Alejandro 912-913
Constantino VII 913-919
Romano I Lacapeno 919-944
Esteban 944-959
Romano II 959-963
Nicéforo II Focas 963-969
Juan I Tzimiskés 969-979
Balisio II 967-1025
Constantino VIII 1025-1028
Romano III Argyro 1028-1034
Miguel IV 1034-1041
Miguel V 1041
Constantino IX Monomaco 1041-1055
Teodora 1055-1056
Isaac Comneno 1057-1059
Constantino X 1059-1067
Romano IV Diógenes 1067-1071
Anarquía militar 1071-1081

Dinastía Comneno (1081-1185)
Alejo I 1081-1118
Juan II 1118-1143
Manuel I 1143-1180
Alejo II 1180-1183
Andrónico 1183-1185

Dinastía Ángel (1185-1204)
Isaac II 1185-1195
Alejo III 1195-1203
Alejo IV 1203-1204
Teodoro 1204
Caída de Constantinopla en manos de los
cruzados occidentales de la IV Cruzada 1204

Imperio latino de Constantinopla
(fundado por los cruzados, 1204-1261)
Balduino I de Flandes 1204-1205
Enrique de Flandes 1206-1216
Pedro de Courtenay 1217
Yolanda 1217-1219
Roberto de Courtenay 1221-1228
Juan de Brienne 1231-1237
Balduino II de Courtenay 1228-1261
Toma de Constantinopla por el emperador
    Miguel VIII Paleológo de Nicea 1261

Reino de Salónica (estado cruzado, 1224-1246)
Teodoro 1224-1230

Manuel 1230-1237
Juan 1237-1244
Demetrio 1244-1246
Conquista bizantina 1246

Imperio de Nicea
(bajo monarcas bizantinos, 1204-1261)
Teodoro I Lascaris 1204-1222
Juan III Ducas Vatatzes 1222-1254
Teodoro II Lascaris 1254-1258
Juan IV 1258-1256
Miguel VIII Paleológo 1256-1261
    (en 1261 reconquista Constantinopla y
    restaura el Imperio bizantino)

Despotado de Épiro (bizantino, 1204-1341)
Miguel I Ángel 1204-1215
Teodoro 1215-1230
Miguel II 1237-1271
Nicéforo I 1271-1296
Tomás 1296-1318
Nicolás Orsini 1318-1323
Juan Orsini 1323-1335
Nicéforo II 1335-1340
Conquista bizantina 1340

Restauración del Imperio bizantino
Dinastía Paleólogo 1261-1453)
Miguel VIII 1261-1282
Andrónico II 1282-1328
Andrónico III 1328-1341
Juan VI 1341-1391
Manuel II 1391-1425
Juan VII 1425-1448
Constantino XI 1448-1453
Caída de Constantinopla en manos
    de los turcos otomanos 1453

BULGARIA MEDIEVAL

Primer Imperio búlgaro (680-972)
Asparuch 680-701
Tervel 701-718
Monarca desconocido 718-724
Sevar 724-739
Kormisos 739-756
Vinech 756-762
Teletz 762-764
Sabin 764-766
Omar y Oktu 766
Pagan 767-770
Telerig 770-777
Kardam 777-803
Krum 803-814

left

Dokum y Dicevg 814
Omurtag 814-831
Malomir 831-836
Presiam 836-853
Boris I Miguel 852-889
Vladimiro 889-893
Simeón 893-927
Pedro 927-969
Boris II 969-972
Conquista bizantina 972

**Imperio macedonio
(en Bulgaria occidental, 680-972)**
Samuel 976-1014
Gabriel Radomir 1014-1015
Juan Ladislaao 1015-1918
Conquista bizantina 1018

Segundo Imperio búlgaro (1187-1396)
Asen I.. 1187-1196
Pedro 1196-1197
Caloyán 1197-1207
Boril 1207-1218
Iván Asen II 1218-1241
Calimán Asen 1241-1246
Miguel Asen 1246-1257
Constantino Tich 1257-1277
Ivailo 1277-1281
Iván Asen III 1279-1280
Jorge I Terter 1280-1292
Interregno 1292-1298
Caka 1299
Teodoro Svetoslav 1300-1322
Jorge II Terte 1322-1323
Miguel Sismán 1323-1330
Iván Esteban 1330-1331
Iván Alejandro 1331-1371
Iván Sismán 1371-1393
Iván Stracimir (en Vidin) 1365-1393
Conquista otomana 1396

IMPERIO ÁRABE (630-1258)

Mahoma 630-632

Califato Perfecto o Electivo (630-661)
Abú-Beker 632-634
Omar 634-644
Otmán 644-656
Alí 656-661

Califato Omeya de Damasco (661-750)
Muhawiya I (Mohavia) 661-680
Yazid I 680-683

Muhawiya II 683-684
Marwan I 684-685
Abd al-Malik 685-705
Walid II 705-715
Suleiman 715-717
Omar II 717-720
Yazid II 720-724
Hixem 724-743
Walid II 743-744
Yazid III 744
Marwan II 744-750

Califato Abbasida de Bagdad (750-1258)
Abul-Abbás al-Saffah 750-754
Al-Mansur 754-775
Al-Mahdi 775-785
Al-Hadi 785-786
Harun al-Rashid 786-809
Al-Amin 809-813
Al-Mamun 813-833
Al-Mutasim 833-842
Al-Watik 842-847
Al-Mutawakil 847-861
Al-Mustansir 861-862
Al-Mu´tazz 862-866
Al-Mustadi 866-869
Al-Mu´tamid 869-892
Al-Mu´tadid 892-902
Al-Muqtafi 902-908
Al-Muqtadir 912-932
Al-Qahir 932-934
Al-Radi 934-940
Al-Muttaqi 940-943
Al-Mustafqi 943-946
Al-Muti 946-974
Al-Ta´i 974-991
Al-Qadir 991-1031
Al-Qa´im 1031-1075
Al-Muqtadi 1075-1094
Al-Mustazhir 1094-1118
Al-Mustarchid 1118-1135
Al-Rachid 1135-1136
Al-Muktafi 1136-1160
Al-Mustandjid 1160-1170
Al-Mustadi 1170-1180
Al-Nasir 1180-1225
Al-Zahir 1225-1226
Al-Mustansir 1226-1242
Al-Mustasim 1242-1258
Los mongoles suprimen el Califato 1258

IMPERIO TURCO SELYÚCIDA (1038-1157)

Selyuk, fundador de la dinastía, princ. del siglo XI

Togrulbeg	1038-1063
Alp Arslán	1063-1073
Malik Shab I	1073-1092
Mahmud	1092-1094
Barkyaruq	1094-1104
Malik Shah II	1105-1118
Sandjar	1118-1157
Disolución del Imperio selyúcida	1157

Sultanes selyúcidas de Iconio o Rum (Anatolia, 1077-1308)

Solimán	1077-1086
Kilids Arslán I	1092-1107
Malik Shah	1107-1116
Masud I	1116-1156
Kilids Arslán II	1156-1192
Kaikosru I (1ª vez)	1192-1196
Solimán II	1196-1204
Kilids Arslán III	1204
Kaikosru I (2ª vez)	1204-1210
Kaikavús I	1210-1219
Kaikubad I	1219-1237
Kaikosru II	1237-1246
Kaikavús II	1246-1259
(Tras la invasión mongola de 1243 varios soberanos gobernaron simultáneamente)	
Kaikubab II	1248-1254
Kilids Arslán IV	1257-1266
Kaikosru III	1264-1283
Masud II	1282-1308
Kaikubab III	1284-1308

IMPERIO TURCO OTOMANO (1281-1923)

Osmán I	1281-1326
Orján	1326-1369
Murad I	1369-1389
Bayaceto I	1389-1402
Crisis del Imperio	1402-1413
Mohamed I	1413-1421
Murad II	1421-1451
Mohamed II, el Conquistador	1451-1481
Bayaceto II	1581-1512
Selim I	1512-1520
Solimán II, el Magnífico	1520-1566
Selim II	1566-1574
Murad III	1574-1595
Mohamed III	1595-1603
Ahmed I	1603-1617
Osmán II	1618-1622
Mustafá I, el Imbécil	1622-1623
Murad IV	1623-1640
Ibrahim I	1640-1648
Mohamed IV	1648-1687

Solimán II	1687-1691
Ahmed II	1691-1695
Mustafá II	1695-1703
Ahmed III	1703-1730
Mahmud I	1730-1754
Osmán III	1754-1757
Mustafá III	1757-1774
Abdul Hamid I	1774-1789
Selim III	1789-1807
Mustafá IV	1807-1808
Mahmud II	1808-1839
Abdul Meyid I	1839-1861
Abdul Aziz	1861-1876
Murad V	1876
Abdul Hamid II	1876-1909
Mohamed V	1909-1918
Mohamed VI	1918-1922
Proclamación de la República	1923

ÁFRICA DEL NORTE MUSULMANA

Imperio almorávide (1061-1147, en el Magreb y Al-Ándalus)

Yusuf ben Tashufin	1061-1016
Alí ben Yusuf	1106-1143
Tashufin ben Alí Yusuf	1143-1145
Ibrahim ben Tashufin	1145
Isahq ben Alí	1145-1147
Conquista almohade de Marrakesh y fin del Imperio almorávide del Magreb	1147

Imperio almohade (1121-1268) (En el Magreb y Al-Ándalus entre 1145-1213; hasta 1268 solo en el Magreb)

Muhammad ben Tumart	1121-1128
Abu Muhammad Abd al-Mumin	1128-1163
Abu Yaqub Yusuf I	1163-1184
Abu Yusuf Yakub	1184-1199
Abu Abd Allah Muhammad	1199-1213
Abu Yakub Yusuf II	1213-1223
Abdalwahid al-Makhlu	1123-1124
Abu Muhammad Abdallah al-Adil	1124-1126
Abu-l-Ala Idris al Mamun	1226-1231
Abu-Muhammad Abdalwahid	1232-1242
Abul-Hasan Alí al-Said al-Mutatid	1242-1248
Abu-Hafs Umar al-Murtada	1248-1266
Abu-l-Ala al-Wasiq	1266-1268
Los meriníes acaban con los almohades	1268

Meriníes (Marruecos, 1258-1465)

Abú Yusuf Yakub	1258-1268
Abú Yakub Yusuf	1268-1307
Abú Thabit	1307-1308
Abú Rabí	1308-1310

Abú Said Uthman	1310-1331
Abú al-Hassán	1331-1349
Abú Inán	1349-1358
Al-Said I	1358-1359
Abú Salim	1359-1361
Abú Umar	1361
Abú Zayyán	1361-1367
Abd al-Aziz	1367-1372
Al-Said II	1372-1374
Abú al-Abás	1374-1384
Musa	1384-1386
Abú al-Abás	1387-1393
Al-Said III	1398-1420
Abd al-Haqq	1420-1465

Abdalwadíes o Ziyaníes (Argelia, 1235-1550)

Yaghmuran Ibn Zayyán	1235-1283
Abú Said Uthmán	1283-1304
Abú Zayyán	1304-1308
Abú Hammu Musa I	1308-1318
Abú Tashufín I	1318-1337
Dominio merini	1337-1359
Abú Hammu Musa II	1359-1389
Abú Tashufín II	1389-1393
Abú Thabit II	1393
Abú al-Hadjdjadj Yusuf	1393-1394
Abú Zayyán II	1394-1399
Abú Muhammad Abdalah I	1399-1401
Abú Abdalah Muhammad I	1401-1411
Abderramán	1411
Abú Malik Abd-al-Wahid	1411-1423
Abú Abdalah Muhammad II	1423-1430
Abú al-Abbás Ahmad	1430-1461
Abú Abdalah Muhammad III	1461-1468
Abú Tashufín III	1468
Abú Abdalah Muhammad IV	1468-1504
Abú Abdalah Muhammad V	1504-1517
Abú Hammu III	1517-1527
Abú Muhammad Abdalah II	125-1540
Abú Abdalah Muhammad VI	1540
Abú Zayyán III	1544-1550
Al-Hasán	1550

Hafsíes (Túnez y este de Argelia, 1228-1569)

Abú Zakariyya Yahya	1228-1249
Al-Mustansir	1249-1277
Al-Wathiq	1277-1279
Al-Ishaq I	1279-1283
Abú Hafs	1284-1295
Abú Asida	1295-1309
Abú Yahia Abú Bakr	1309
Abú al-Baqá	1309-1311
Ibn al-Lihyani	1311-1317
Abú Darba	1317-1318

Abú Yahia Abú Bakr	1318-1346
Abú al-Abbás Ahmad	1346-1347
Conquista merini	1347-1349
Al-Fadl	1349-1350
Abú Ishaq	1350-1369
Abú al-Baqá Khalid	1369-1370
Abú al-Abbás	1370-1394
Abú Faris	1394-1434
Al-Mustansir	1434-1435
Uthmán	1435-1488
Abú Zakariyya Yahya II	1488-1489
Abú al-Mumín	1489-1490
Abú Yahya Zakariyya	1490-1494
Abú Abdalá Muhammad	1494-1526
Al-Hasán	1526-1543
Conquista otomana	1543

FRANCIA

Monarcas merovingios (428-751)

Clodión	428?-447?
Meroveo	447?-448?
Childerico I	445-481
Clodoveo	481-511

Primer reparto del reino merovingio
Austrasia

Thierry I	511-534
Tiberto o Teodoberto I	534-548
Teodebaldo	548-555

Orleans

Clodomiro I	511-524

París

Childeberto I	511-558

Neustria

Clotario I	511-561

Segundo reparto
Austrasia

Sigeberto I	561-575
Childeberto II	575-595
Tiberto o Teodoberto II	595-612
Sigeberto II	613
Sigeberto III	634-665
Childerico II	662-675
Dagoberto II	676-679

Orleans y Borgoña

Gontrán	561-592

Borgoña

Thierry II	595-613

París

Cariberto	561-567

Neustria

Chilperico I	561-584

Clotario II 584-629
Dagoberto I 629-639
Neustria y Borgoña
Clodoveo II 635-657
Clotario III 657-673
Thierry III 673-691
Clodoveo III 675
Clodoveo IV 691-695
Childeberto III 695-711
Dagoberto III 711-715
Chilperico II 715-721
Clotario IV 719-719
Thierry IV 721-737
Interregno 737-743
Childerico III 743-751

Dinastía de los Carolingios
(Salvo Pipino el Breve, los demás monarcas
fueron emperadores de Occidente)
Pipino, el Breve 751-768
Carlos I el Grande, Carlomagno 768-814
  (coronado Emperador de Occidente el 800)
Luis I el Piadoso (Ludovico Pío) 814-840
Lotario 840-850
Luis II 850-875
Carlos II, el Calvo 840-877
Carlos III, el Gordo 882-887
Arnulfo de Carintia 896-899

Reino de Francia
(Regnum Francorum Occidentalis)
Dinastía Carolingia
Carlos II el Calvo 840-877
Luis II 877-879
Luis III 879-882
Carlos III, el Simple 898-822
Luis IV 936-954
Lotario 954-986
Luis V 986-987

Dinastía de los Capetos (987- 1328)
Hugo Capeto 987-996
Roberto I 996-1031
Enrique I 1031-1060
Felipe I 1060-1108
Luis VI 1108-1137
Luis VII 1137-1180
Felipe II Augusto 1180-1223
Luis VIII: 1223-1226 / Blanca 1226-1235
Luis IX 1235-1270
Felipe III 1270-1285
Felipe IV 1285-1314
Luis X 1314-1316
Juan I 1316

Felipe V 1316-1322
Carlos IV 1322-1328

Dinastía Valois (1328-1498)
Felipe VI 1328-1350
Juan II 1350-1364
Carlos V 1364-1380
Carlos VI 1380-1422
Carlos VII 1422-1461
Luis XI 1461-1483
Carlos VIII 1483-1498

Dinastía Valois-Angulema
Luis XII 1498-1515
Francisco I 1515-1547
Enrique II 1547-1559
Francisco II 1559-1560
Carlos IX 1560-1574
Enrique III 1574-1589

Dinastía Borbón (1589-1789)
Enrique IV 1589-1610
Lius XIII 1610-1643
Luis XIV 1643-1715
Luis XV 1715-1774
Luis XVI 1774-1793
Proclamación de la I República 1793

I República (1792-1804)
Convención Girondina 1792-1793
Convención Montañesa (jacobinos) 1793-1794
Convención Termidoriana 1794-1795
El Directorio 1795-1799
El Consulado (formado por N. Bonaparte,
  E. J. Sieyes y R. Ducos) 1799-1802
Napoleón, Primer Cónsul 1802-1804

I Imperio. Imperio Napoleónico
Napoleón I Bonaparte 1804-1814

Restauración Borbónica
Luis XVIII (1ª vez) 1814
Los Cien Días (vuelta de Napoleón) 1814-1815
Luis XVIII (2ª vez) 1815-1830
Carlos X 1824-1830

Dinastía Orleans
Luis Felipe de Orleans 1830-1848

II República (1848-1852)
Luis Napoleón Bonaparte 1848-1851

II Imperio (1852-1870)
Napoleón III 1851-1870

III República (1871-1940). Presidentes

Adolfo Thiers 1871-1873
Patricio de Mac-Mahon 1873-1879
Julio Grévy 1879-1888
Sadi-Carnot 1888-1894
Juan Casimiro Perier 1894-1895
Félix Faure 1895-1899
Emilio Loubert 1899-1906
Armand Fallières 1906-1913
Raymond Poincaré 1913-1920
Paul Deschanel 1920
Alejandro Millerand 1920-1924
Gastón Doumergue 1924-1931
Paul Doumier 1931-1932
Alberto Lebrun 1932-1940
Gobierno de Vichy (F. Petain, durante
   la ocupación alemana) 1940-1944
Gobierno Provisional (de Gaulle, F. Gouin,
   G. Bidault y L. Blum) 1944-1947

IV República (1947-1958)

Vicente Auriol 1947-1954
René Coty 1954-1958

V República (desde 1958)

Carlos de Gaulle 1958-1969
G. Pompidou 1969-1974
V. Giscard d´Estaing 1974-1981
F. Mitterrand 1981-1997
Jacques Chirac .... desde 1995

INGLATERRA

Heptarquía anglosajona (450-871)
Soberanos del reino sajón de Wessex

Egberto de Wessex 802-839
Ethelwulfo 839-858
Ethelbaldo 858-860
Ethelberto 860-866
Ethelredo 866-871
Alfredo, el Grande 871-899
Eduardo, el Viejo 899-924
Etelstano 924-939
Edmundo 939-946
Eadredo 946-955
Edwy 955-959
Edgardo, el Pacífico (rey de Inglaterra) ... 959-975
Eduardo, el Mártir 975-978
Etelredo, el Indeciso 978-1016
Edmundo 1016

Monarcas daneses

Canuto, el Grande, rey de Dinamarca ... 1016-1035
Haroldo 1035-1040

Hardekund 1040-1042

Restauración de la monarquía anglo-sajona

Eduardo, el Confesor 1042-1066
Haroldo 1066

Dinastía normanda

Guillermo I, el Conquistador 1066-1087
Guillermo II 1087-1100
Enrique I 1100-1135
Esteban 1135-1154

Dinastía Anjou-Plantegenet

Enrique II 1154-1189
Ricardo I, Corazón de León 1189-1199
Juan I, Juan sin Tierra 1199-1216
Enrique III 1216-1272
Eduardo I 1272-1307
Eduardo II 1307-1327
Eduardo III 1327-1377
Ricardo II 1377-1399

Dinastía Láncaster

Enrique IV 1399-1413
Enrique V 1413-1422
Enrique VI .... 1422-1461 / 1470-1471

Dinastía de York

Eduardo IV 1461-1483
Eduardo V 1483
Ricardo III 1483-1485

Dinastía Tudor

Enrique VII 1485-1509
Enrique VIII 1509-1547
Eduardo VI 1547-1553
María I 1553-1558
Isabel I 1558-1603

Dinastía Estuardo

Jacobo I (VI de Escocia) 1603-1625
Carlos I 1625-1649

Inglaterra republicana

Oliver Cromwell 1649-1658
Richard Cromwell 1658-1660
Restauracióm monárquica 1660

Restauración de los Estuardo

Carlos II 1660-1685
Jacobo II 1685-1688

Dinastía de Orange

Guillermo III de Orange 1689-1702

Reino Unido (integrado por Inglaterra, Gales, Escocia e Irlanda, desde 1707)

Dinastía de Orange

Ana I	1702-1714

Dinastía de Hannover

Jorge I	1714-1725
Jorge II	1725-1760
Jorge III	1760-1820
Jorge IV	1820-1830
Guilllermo IV	1830-1837
Victoria I	1837-1901
Eduardo VII	1901-1910

Dinastía de Sajonia-Coburgo, desde 1917, dinastía de Winsord

Jorge V	1910-1936
Eduardo VIII	1936
Jorge VI	1936-1952
Isabel II	1952-

ESCOCIA

Kenneth I, rey de los pictos	843-858
Donald I	860-864
Donald II	889-900?
Malcom I	943-954
Kenneth II	971-995
Kenneth III	997-1005
Malcom II	1005-1034
Duncan I	1034-1040
Macbeth	1040-1057
Malcom III	1058-1093
Duncan II	1093-1094
Donald III	1093-1097
Edgard	1097-1107
Alejandro I	1107-1124
David I	1124-1153
Malcom IV	1153-1165
Guillermo, el León	1165-1214
Alejandro II	1214-1249
Alejandro III	1249-1286
Margarita	1286-1290
Interregno (en 1292 Eduardo I de Inglaterra hace reconocer su soberanía en Escocia; Robert Bruce libera Escocia en 1309)	1290-1309
Roberto I Bruce	1306-1329
David I	1329-1371

Dinastía Estuardo

Roberto II	1371-1390
Roberto III	1390-1406
Jacobo I	1406-1437
Jacobo II	1437-1460

Jacobo III	1460-1488
Jacobo IV	1488-1513
Jacobo V	1513-1542
María I	1542-1567
Jacobo VI (I de Inglaterra)	1567-1625

(unión dinástica de Escocia e Inglaterra en 1603 y creación del Reino Unido en 1707)

SUECIA

Dinastía de los Stenkil

Stenkil	1060-1066?
Inge, el Viejo	1080-1110
Inge, el Joven	1118-1125

Dinastía de los Sverker

Sverker I, el Anciano	1130-1156
Erik IX, el Santo	1156-1160
Carlos Sverkerson	1160-1167
Canuto Erikson	1167-1196
Sverker II, el Joven	1196-1208
Erik X Knutson	1208-1216
Juan Sverkerson	1216-1222
Erik XI Erikson	1222-1250

Dinastía de los Folkung

Valdemar	1250-1275
Magnus Ladulas	1275-1290
Birger Magnusson	1290-1318
Magnus Erikson	1319-1363
Alberto de Mecklemburgo	1363-1389
Suecia pasa a Dinamarca	1389

Unión de Kalmar (1389-1523, Suecia, Dinamarca y Noruega bajo la soberanía danesa)

Suecia independiente. Dinastía de los Vasa

Gustavo I Vasa	1525-1560
Erik XIV	1560-1568
Juan III	1568-1592
Segismundo	1592-1599
Carlos IX (regente desde 1595)	1607-1611
Gustavo II Adolfo	1611-1632
Cristina	1632-1654

Dinastía del Palatinado-Zweibrücken

Carlos X Gustavo	1654-1660
Carlos XI	1660-1697
Carlos XII	1697-1718
Ulrique-Leonor	1719-1720
Federico I de Hesse	1720-1751

Dinastía Holstein-Gottorp

Adolfo Fedrico	1751-1771

Gustavo III	1771-1792
Gustavo IV Adolfo	1792-1809
Carlos XIII	1809-1818

Dinastía Bernardotte

Carlos XIV	1818-1844
Óscar I	1844-1859
Carlos XV	1859-1872
Óscar II	1872-1907
Gustavo V	1907-1950
Gustavo VI Adolfo	1950-1973
Carlos XVI Gustavo	desde 1973

DINAMARCA

Gorm, el Antiguo, unifica Dinamarca	940
Haroldo, Dienteazul	940-986
Sven I, Barba de Horquilla	986-1014
Haroldo	1014-1018
Canuto I, el Grande	1018-1035
Canuto Hardekund	1035-1042
Magnus, el Bueno	1042-1047
Sven II Estridson	1047-1074
Haroldo Hen	1074-1080
Canuto, el Santo	1080-1086
Oluf I	1086-1095
Erik Ejegod	1095-1103
Niels	1104-1134
Erik Emune	1134-1137
Guerra de Pretendientes	1137-1157
Valdemar I, el Grande	1157-1182
Canuto Valdemerson	1182-1202
Valdemar I, el Victorioso	1202-1241
Erik	1241-1250
Abe l	1250-1252
Cristóbal I	1252-1259
Erik Glipping	1259-1286
Erik Menved	1286-1319
Cristóbal II	1320-1326 y 1330-1332
Valdemar III	1326-1330
Regencia de los duques de Holstein	1332-1340
Valdemar IV Atterdag	1340-1375
Oluf II	1476-1387
Margarita I Valdemarsdotter	1387-1396
(reunió las coronas de Dinamarca, Noruega y Suecia en la Unión de Kalmar: 1387-1523)	
Erik de Pomerania	1396-1439
Cristobal de Baviera	1439-1448

Dinastía de Oldenburgo

Cristian I	1448-1481
Juan I	1482-1513
Cristian II	1513-1523
Federico I	1523-1533

Cristian III	1534-1559
Federico II	1559-1588
Cristian IV	1588-1648
Federico III	1648-1670
Cristian V	1670-1699
Federico IV	1699-1730
Cristian VI	1730-1746
Federico V	1746-1766
Cristian VII	1766-1808
Federico VI	1808-1839
Cristian VIII	1839-1848
Federico VII	1848-1863
Cristian IX	1863-1906
Federico VIII	1906-1912
Cristian X	1912-1947
Federico IX	1947-1972
Margarita II	desde 1972

NORUEGA

Haroldo I, el de la Cabellera Hermosa	890-930
Erik I Blodokse	930-935
Haakon I Adeksteinstostre	935-960
Haroldo II Grafell	961-970
Haroldo III Blatand	970-986
Haakon Jarl	986-995
Olaf I Iryggveson	995-1000
Svend I Tveskaeg	1000-1014
Olav II Haraldson	1015-1030
Svend Alfifasen	1030-1035
Magnus, el Bueno	1035-1047
Haroldo III, el Severo	1047-1066
Olaf III Kyrre	1067-1093
Magnus II Barfod	1094-1103
Oystein Magnusson	1103-1123
Sigur Jorsalfarer	1103-1130
Magnus IV	1130-1135
Haroldo IV Gille	1130-1136
Sigurd Munn	1136-1155
Inge Krogryg	1136-1161
Oystein Haraldson	1142-1157
Haakon II Härdebred	1157-1161
Magnus V Erlingson	1161-1184
Sverre Sigurdson	1177-1184-1202
Haakon III	1202-1204
Inge Bardson	1204-1217
Haakon IV Haakonson	1217-1263
Magnus VI, el Legislador	1263-1280
Erik II Magnusson	1280-1299
Haakon V Magnusson	1299-1319
Magnus VI Erikson	1319-1355
Haakon VI	1355-1380
Olaf IV Haakonson	1380-1387
Incorporación a Dinamarca	1387-1814

Unión dinástica de Noruega y Suecia ... 1814-1905

Noruega independiente (desde 1905)
Haakon VII 1905-1957
Olav V 1957-1991
Harald V .... desde 1991

ALEMANIA

(Regnum Francorum Orientalis)
Dinastía Carolingia
Luis I el Germánico 843-876
Carlos III el Gordo 881-887
   (Emperador de Occidente, 882-887)
Arnulfo de Carintia 887-899
   (Emperador de Occidente, 887-899)
Luis el Niño 900-911
Fin de los carolingios 911

Reyes de Alemania
Conrado I de Franconia 911-918
Enrique I, el Pajarero, de Sajonia 919-936

Sacro Imperio Romano Germánico
(I Reich, 962-1804)
Dinastía de Sajonia (936-1024)
Otón I, el Grande 936-973
   (fundador y primer emperador del Sacro Imperio
   Romano Germánico, desde el 962)
Otón II el Rojo 973-983
Otón III 983-1002
Enrique II el Santo 1002-1024

Dinastía de Franconia (1024- 1137)
Conrado II 1024-1039
Enrique III, el Negro 1039-1056
Enrique IV 1056-1106
Enrique V 1106-1125
Lotario de Supplimburgo 1125-1137

Dinastía de Suabia /Hohenstauffen (1137-1268)
Conrado II de Hohenstauffen 1137-1152
Federico I, Barbarroja 1152-1190
Enrique VI 1190-1197
Felipe de Suabia y Otón IV 1198-1218
Federico III 1210-1250
Conrado IV 1250-1254
Conrado V, Conradino 1254-1268

El Gran Interregno (1254-1273, período con varios emperadores simultáneos)
Guillermo de Holanda 1254-1256
Alfonso X de Castilla 1257-1284
Ricardo de Cornualles 1257-1272

Época de los emperadores electivos
Rodolfo I de Habsburgo 1273-1291
Adolfo de Nassau 1291-1298
Alberto I de Habsburgo 1298-1308
Enrique VII de Luxemburgo 1308-1313
Luis el Bávaro 1314-1346
Carlos IV 1347-1378
Wenzeslao I, el Perezoso 1374-1400
Ruperto del Palatinado 1400-1410
Segismundo I 1410-1437

Dinastía de Habsburgo
(Casa de Austria, 1438-1918)
Alberto II 1438-1439
Federico III 1440-1493
Maximiliano I 1493-1519
Carlos V 1519-1556
Fernando I 1556-1564
Maximiliano II 1564-1576
Rodolfo II 1576-1612
Matías 1612-1619
Fernando II 1619-1637
Fernando III 1637-1657
Leopoldo I 1657-1705
José I 1705-1711
Carlos VI 1711-1740
Francisco I de Lorena / Mª Teresa
   de Habsburgo 1740-1780
José II 1780-1790
Leopoldo II 1790-1792
Francisco II 1792-1804
   (en 1804 se proclama Emperador de Austria
   como Francisco I de Austria, y en 1806
   renuncia al título de emperador de Alemania)
Disolución del Sacro Imperio Romano
   Germánico por Napoleón 1806
Confederación del Rin 1806-1814
Confederación Germánica 1814-1866

Prusia-Brandeburgo
Príncipes electores de Brandeburgo
Dinastía Hohenzollern, 1417-1701
Federico I 1417-1440
Federico II 1440-1470
Alberto 1480-1486
Juan 1486-1499
Joaquín I 1499-1535
Joaquín II 1535-1571
Juan Jorge 1571-1598
Joaquín Federico 1598-1608
Juan Segismundo 1608-1619
Jorge Guillermo 1619-1640
Federico Guillermo, el Gran Elector 1640-1668
Federico III 1668-1701

Reyes de Prusia (1701-1870)

Federico III, primer rey de Prusia
como Federico I 1701-1713
Federico Guillermo I 1713-1740
Federico II, el Grande 1740-1786
Federico Guillermo II 1786-1797
Federico Guillermo III 1797-1840
Federico Guillermo IV 1840-1861
Guillermo I 1861-1870

Imperio Alemán (II Reich, 1870-1918)
Dinastía Hohenzollern
Guillermo I 1870-1888
Federico III 1888
Guillermo II 1888-1918
Proclamación de la República 1918

Cancilleres del Imperio
Otto von Bismarck 1870-1890
Leo von Caprivi 1890-1894
Clodoveo de Hohenlohe 1894-1900
Bernhard von Bülow 1900-1909
T. Bethmann-Hollweg 1909-1917
Georg Michaelis 1917
Gerog von Hertling 1917-1918
Max de Baden 1918

República Alemana (1918-1933)
Federico Ebert 1919-1925
Paul von Hindenburg 1925-1934

III Reich (1933-1945)
Adolf Hitler (canciller y *führer*) 1933-1945
Karl Doenitz 1945

Alemania dividida
República Federal de Alemania
(Alemania Occidental, 1949-1990)
Theodor Heuss 1949-1959
Heinrich Lübke 1959-1969
Gustav Heinemann 1969-1974
Walter Scheel 1974-1979
Karl Carstens 1979-1984
Richard von Weitzsacker 1984-1994
Roman Herzog .... desde 1994

República Democrática de Alemania
(Alemania Oriental, 1949-1990)
Wilhem Pieck 1949-1960
Walter Ulbricht 1969-1973
Willi Stoph 1973-1976
Erich Honecker 1971-1989
Egon Krentz 1989-1990
Reunificación con Alemania Occ................. 1990

Alemania reunificada (desde 1990)
Roman Herzog .... desde 1994

AUSTRIA

Imperio austríaco (1804-1918)
(Imperio austro-húngaro desde 1867)
Francisco I 1804-1835
Fernando I 1835-1848
Francisco José I 1848-1916
Carlos I 1916-1918
Disolución del imperio 1918

I República de Austria (1918-1938)
Karl Steitz 1919-1920
Michael Hainisch 1920-1928
Wilhelm Miklas 1928-1938
Incorporación a Alemania 1938-1945
II República de Austria (desde 1945)
Karl Renner 1945-1950
Theodor Körner 1951-1957
Adolf Schärf 1957-1965
Joseph Klaus 1965
Franz Jonas 1965-1974
Rudolf Kirchschläger 1974-1986
Kurt Waldheim 1986-1992
Thomas Klestil .... desde 1992

RUSIA

Grandes Príncipes de Kiev (882-1177)
Dinastía Ruríkida
Oleg 882-912
Igor 913-945
Olga 945-964
Sviatoslav Igorevitch 964-973
Iaropolk Sviatoslavitch 973-978
Vladimir Sviatoslavitch 980-1015
Sviatopolk .... 1015-1016 y 1018-1019
Iaroslav, el Sabio .... 1017 y 1019-1054
Iziaslav .... 1054-168, 1069-1073 y 1076-1078
Vseslav 1068-1069
Sviatoslav Iaroslavitch 1073-1075
Vsevolod Iaroslavitch 1077-1093
Sviatopolk Iziaslavitch 1093-1113
Vladimir Vsevolodovitch 1113-1125
Mstislav Vladimorovitch, el Grande 1125-1132
Iaropolk Vladimirovitch 1132-1138
Viatcheslav Vladimirovitch 1138
Vsevolod Olgovitch 1138-1146
Igor Olgovitch 1146-1147
Iziaslav Mstislavitch 1150-1154
Yuri Vladimirovitch Dolguruki 1154-1157
Kotislav Mstislavitch .... 1154 y 1158-1167

Iziaslav Davydovitch 1157-1158
Mstislav Iziaslavitch 1167-1171
Gleb Iurevitch 1169-1171
Román Rotislavitch 1175-1177
Disolución del Principado de Kiev ...... desde 1170

Grandes Príncipes de Vladimir (1157-1327)
Andrés Yurevitch 1157-1174
Vsevold Yurevitch 1176-1212
Yuri Vsevolodovitch .... 1212-1217 y 1218-1238
Constantino Vsevolodovitch 1217-1218
Iaroslav Vsevolodovitch 1238-1246
Sviatoslav Vsevolodovitch 1246-1247
Miguel Iaroslavitch 1248-1249
Andrés Iaroslavitch 1249-1252
Alejandro Iaroslavitch Nevski 1252-1263
Iaroslav Iaroslavitch 1263-1271
Vassili Iaroslavitch 1272-1276
Dimitri Alexandrovitch ... 1276-1282 y 1284-1293
Andrés Alexandrovitch ... 1282-1284 y 1293-1304
Miguel Iaroslavitch 1305-1317
Yuri Danilovitch 1317-1322
Dimitri Mihailovitch 1322-1325
Alejandro Mihailovitch 1326-1327
Incorporación al principado de Moscovia 1327

Grandes Príncipes de Moscovia (1325-1462)
Iván I Kalita 1325-1340
Simeón, el Soberbio 1340-1353
Iván II, el Dulce 1253-1259
Dimitri Donskoy 1359-1389
Basilio I 1389-1424
Basilio II, el Ciego 1424-1462

Zares de Rusia
Iván III, el Grande 1462-1505
Basilio III 1505-1533
Iván IV, el Terrible 1533-1584
Fedor I (regencia de Boris Godunov) ... 1584-1598

La época de las turbulencias (Smuta, 1605-1613)
Boris Godunov 1598-1605
Fedor II.. 1605
Primer falso Dimitri 1605-1606
Basilio Chuiski 1696-1610
Segundo falso Dimitri 1608-1609
Ladislao IV Vasa 1610-1612

Dinastía Románov (1613-1917)
Miguel Fedorovitch 1613-1645
Alejo I 1645-1676
Fedor I 1676-1682
Sofía 1682-1696
Pedro I, el Grande 1689-1725

Catalina I 1725-1727
Pedro II 1727-1730
Ana I 1730-1740
Iván VI 1740-1741
Isabel I 1741-1762
Pedro III 1762
Calalina II, la Grande 1762-1796
Pablo I 1796-1801
Alejandro I 1801-1825
Nicolás I 1825-1855
Alejandro II 1855-1881
Alejandro III 1881-1894
Nicolás II 1894-1917
Proclamación de la República 1917

Rusia Soviética / Unión Soviética (Unión de Repúblicas Socialistas Soviéticas desde 1922)
Vladimir I. Lenin............................... 1917-1924
José V. Stalin 1924-1953
Nikita Kruchev 1953-1964
Leónidas I. Breznev 1964-1982
Yuri V. Andropov 1982-1984
Constantín O. Chernenko 1984-1985
Mihail S. Gorvachov 1985-1991
Disolución de la URSS 1991

ESPAÑA

Reinos germánicos
Reino de los Suevos (409-585)
Hermérico 409-441
Réquila 441-448
Requiario 448-457
Maldras 457-460
  (Aguilfo y Frantano, gobernadores visigodos)
Frumario 460-464
Remismundo 464-469
Monarcas desconocidos 470-550
Karriarico 550
Teodomiro 559-570
Miro 570-583
Eborico 583-584
Andeca 584-585
Conquista visigoda 585

Reino de los Visigodos de Tolosa (414-507)
Ataúlfo 410-415
Sigerico 415
Walia 415-418
Teodorico I 418-451
Turismundo 451-453
Teodorico II 453-466
Eurico 466-484

García I 1065-1071
Incorporación definitiva a León 1071

Condado de Castilla
(dependiente de Asturias y León)
Nuño Núñez .... 824-852?
Rodrigo .... 852?-873?
Diego Rodríguez .... 873?-890?
Nuño Rasura .... 900-?
Gonzalo Núñez 899-920
Fernán González .... 930?-970
   (primer conde independiente de Castilla)
García Fernández 970-995
Sancho García 995-1017
García Sánchez 1017-1029
Incorporación al Reino de Navarra 1029-1035

Reino de Castilla
Casa de Navarra
Fernando I 1037-1065
Sancho II 1065-1072
Alfonso VI, el Bravo 1072-1109
Urraca 1109-1126

Casa de Borgoña
Alfonso VII, el Emperador 1126-1157
Sancho III, el Deseado 1157-1158
Alfonso VIII, el de las Navas 1158-1214
Enrique I 1214-1217
Fernando III, el Santo 1217-1252
Alfonso X, el Sabio 1252-1284
Sancho IV, el Bravo 1284-1295
Fernando IV, el Emplazado 1295-1312
Alfonso IX, el Justiciero 1312-1350
Pedro I, el Cruel 1350-1396

Casa de Trastámara
Enrique II, el de las Mercedes 1396-1379
Juan I 1379-1390
Enrique III, el Doliente 1390-1406
Juan II 1406-1454
Enrique IV, el Impotente 1454-1474
Isabel I, la Católica 1474-1504
   (unión dinástica de Castilla y Aragón en 1474)
1ª regencia de Fernando II 1505-1506
Juana I de Castilla y Felipe I 1506-1507
2ª regencia de Fernando de II 1507-1516
Regencia del cardenal Cisneros 1516-1517
La Corona de Castilla pasa a la
   dinastía de Habsburgo con Carlos I 1518

Reino de Navarra
Dinastías Íñiga y Jimena
Íñigo Arista 810-820/851-852

García Íñiguez 851-852/870
Fortún Garcés 870-905
Sancho Garcés I 905-926
García Sánchez I 926-970
Sancho Garcés II, Abarca 970-994
García Sánchez II 994-1000
Sancho Garcés III, el Mayor 1000-1035
García Sánchez III 1035-1054
Sancho Garcés IV 1954-1076
Incorporación de Navarra a Aragón 1076-1134
García Ramírez 1134-1150
Sancho VI, el Sabio 1150-1194
Sancho VII, el Fuerte 1194-1234

Casa de Champaña
Teobaldo I 1234-1253
Teobaldo II 1253-1270
Enrique I 1270-1273
Juana I 1273-1305
Felipe I 1284-1305
Luis I 1305-1316
Felipe II 1316-1322
Carlos I 1322-1328
Juana II 1328-1349

Casa de Evreux
Felipe III 1329-1343
Carlos II 1349-1387
Carlos III 1387-1425
Blanca 1425-1441
Juan I (II de Aragón) 1425-1479

Casa de Foix
Eleonora 1479
Francisco Febo 1479-1483
Catalina de Albret 1483-1512
Conquista castellana 1512

Condado de Barcelona
(Bajo soberanía franca hasta el año 985)
Berà 801-820
Rampó 820-826
Bernat (1ª vez) 826-832
Berenguer 832-835
Bernat (2ª vez) 835-844
Sunifred... 844-848
Guillem 848-850
Alearn 850-852
Odalric 850-858
Humfrid 858-860
Bernat de Gòthia 865-878
Wifredo I, el Velloso 878-897
Guifré II Borrell 897-911
Sunyer 911-947

Borrell II .... 947-992?
Miró y Borrell II 947-966
Ramón Borrell 992-1017
Berenguer Ramón I 1017-1035
Ramón Berenguer I, el Viejo 1035-1076
Ramón Berenguer II 1076-1082
Berenguer Ramón II 1082-1096
Ramón Berenguer III, el Grande 1096-1131
Ramón Berenguer IV, el Santo 1131-1162
Unión con el Reino de Aragón 1162

Condado de Aragón (siglos IX-X)
Aznar I .... ¿- 838
Galindo I Aznárez .... ¿-?
García .... ¿-?
Aznar II Galíndez .... ¿-?
Galindo II Aznárez .... ¿-?
Andregoto Galíndez .... ¿-?
Incorporación al Reino de Navarra 970-1035

Reino de Aragón
Casa de Navarra
Ramiro I 1035-1063
Sancho I Ramírez 1063-1094
Pedro I 1094-1104
Alfonso I, el Batallador 1104-1134
Ramiro II, el Monje 1134-1137
Petronila 1137-1162

Corona de Aragón (unión catalano-aragonesa)
Casa de Barcelona
Alfonso II 1162-1196
Pedro II 1196-1213
Jaime I, el Conquistador 1213-1276
Pedro III, el Grande 1276-1285
Alfonso III, el Liberal 1285-1291
Jaime II, el Justo 1291-1327
Alfonso IV, el Benigno 1327-1336
Pedro IV, el Ceremonioso 1336-1387
Juan I, el Cazador 1387-1396
Martín I, el Humano 1396-1410
Interregno 1410-1412

Casa de Trastámara
Fernando I de Antequera 1412-1416
Alfonso V, el Magnánimo 1416-1458
Juan II 1458-1479
Fernando II, el Católico 1479-1516
Aragón pasa a los Habsburgo 1518

Reyes y gobernantes de España desde el s. XVI
Dinastía Habsburgo (1518-1700)
Carlos I de España (V de Alemania) 1518-1556
Felipe II 1556-1598

Felipe III 1598-1621
Felipe IV 1621-1665
Carlos II, el Hechizado 1665-1700

Dinastía Borbón (1700-1868)
Felipe V de Anjou (1ª vez) 1700-1724
Luis I 1724
Felipe V (2ª vez) 1724-1746
Fernando VI 1746-1759
Carlos III 1759-1788
Carlos IV 1788-1808
Fernando VII, el Deseado (1ª vez) 1808
José I Bonaparte, el Intruso 1808-1813
En ausencia de Fernando VII, ejercieron la soberanía los siguientes organismos:
Junta Suprema Central 1808-1810
1ª Regencia 1810
2ª Regencia 1810-1812
3ª Regencia 1812-1813
4ª Regencia 1813-1814
Fernando VII, el Deseado (2ª vez) 1814-1833
Regencia de Mª Cristina de Borbón 1833-1840
Regencia de B. Espartero 1840-1843
Isabel II 1833-1868

Sexenio Revolucionario (1868-1874)
1ª Regencia de Serrano
Gobierno provisional (Serrano/Prim) ... 1868-1870

Casa de Saboya (1870-1873)
Amadeo I de Saboya 1870-1873

I República Española. Presidentes
Estanislao Figueras 1-II/11-VI-1873
Francisco Pi y Margall 11-VI/8-VIII-1873
Nicolás Salmerón 8-VIII/7-IX-1873
Emilio Castelar 7-IX-1873/3-I-1874
2ª Regencia de Serrano 3-I-/3-IX-1874

Restauración Borbónica (1874-1931)
Alfonso XII 1874-1885
Alfonso XIII 1885-1931
Regencia de Mª Cristina 1885-1902

II República Española. Presidentes (1931-1939)
Gobierno provisional 14-IV/14-X-1931
Niceto Alcalá Zamora 1931-1936
Manuel Azaña Díez 1936-1939

Estado Español (1936-1975)
F. Franco Bahamonde 1-X-1936/20-XI-1975

Restauración Monárquica
Juan Carlos I de Borbón y Borbón ..... desde 1975

Presidentes de Gobierno de la Monarquía
(desde noviembre de 1975)
Carlos Arias Navarro 12-XII-1975
Adolfo Suárez González 8-VIII-1976
Felipe Gónzález Márquez 28-X-1982
José M. Aznar López 3-III-1996

PORTUGAL

Condado de Portugal (siglos IX-X-XI, dependiente de León y Castilla sucesivamente)
Vimara Peres .... mediados del s. IX
Condes desconocidos .... s. X
Mumadona .... ¿-?
Gonçalo Mendes .... ¿-?
Nuno Mendes .... s. XI
Enrique de Borgoña 1094-1114

Reino de Portugal
Casa de Borgoña
Alfonso I Henriqes 1128-1185
Sancho I 1185-1211
Alfonso II 1211-1223
Sancho II 1223-1245
Afonso III 1245-1279
Dionís I 1279-1325
Alfonso IV 1325-1357
Pedro I 1357-1367
Fernando I 1367-1383

Casa de Avís
Juan I, maestre de Avís 1338-1433
Duarte I 1433-1438
Alfonso V 1438-1481
Juan II 1481-1495
Manuel I, el Afortunado 1495-1521
Juan III 1521-1557
Sebastián I 1557-1578
Enrique I, prior de Crato 1578-1580
Incorporación de Portugal a España 1580-1640

Restauración. Casa de Bragança
Juan IV de Bragança 1640-1656
Alfonso VI 1656-1683
Pedro II 1683-1706
Juan V 1706-1750
José I 1750-1777
Pedro III y María I 1777-1786
María I 1786-1816
    Durante la ocupación francesa (1807-1812),
    ejercieron la soberanía en Portugal los siguien-
    tes organismos en nombre de la Monarquía:
Regencia de los Gobernadores del Reino
    presidida por el marqués de Abrantes ..1087-1808

Regencia del obispo de Oporto 1808-1814
Regencia del marqués de Olhâo 1814-1818
Juan VI (en Brasil hasta 1821) 1816-1826
Regencia del patriarca de Lisboa 1818-1820
Regencia de Manuel A. de Sampaio 1821-1826
Pedro IV 1826
    (emperador del Brasil como Pedro I en 1822)

Casa de Sajonia-Coburgo-Gotha
María II (1ª vez) 1826-1828
Miguel I 1828-1834
María II (2ª vez) 1834-1853
Pedro V 1853-1861
Luis I 1861-1889
Carlos I 1889-1908
Manuel II 1098-1910
Proclamación de la República 1910

Presidentes de la República Portuguesa
Teófilo Braga 1910-1911
Manuel da Silveira 1911-1915
Teófilo Braga 1915
Bernardino Guimaräes 1915-1917
Sidonio Pais 1917-1918
Jöao Antunes 1918-1919
Antonio de Almeida 1919-1923
Manuel Teixeira Gomes 1923-1925
Bernardino Guimaräes 1925-1926
José Mendes Cabeçadas 1926
Manual Gomes da Costa 1926
Antonio Carmona 1926-1951
Francisco Craveiro Lopes 1951-1958
Américo Deus Rodrigues Tomás 1958-1974
Revolución de los claveles......................IV-1974
Antonio Ribeiro de Spínola 1974
    (Presidente de la Junta de Salvación)
Francisco da Costa Gomes 1974-1976
Antonio Ramalho Eanes 1976-1986
Mario Alberto Lopes Soares 1986-1996
Jorge Sampaio 1996

ITALIA

(Desde el fin del Imperio romano de Occidente)
Odoacro, rey de los hérulos..................... 476-493

Italia ostrogoda (493-553)
Teodorico I, el Grande 493-526
Regencia de Amalasunta 526-536
Vitiges 536-540
Totila 542-552

Italia lombarda (569-774)
Alboino 569-572

Juan Galeas 1378/1385-1402
Juan María 1402-1412
Felipe María 1412-1447

Los Sforza
Francisco I 1450-1466
Galeas María 1466-1476
Juan Galeas 1476-1494
Luis, el Moro 1494-1500
Maximiliano 1500-1515
Francisco II .... 1521-1526 y 1529-1535
Incorporación del ducado a España 1535

Saboya y Piamonte-Cerdeña
Duques de Saboya
Amadeo VIII 1416-1439
Luis 1440-1465
Amadeo IX, el Bienaventurado 1475-1472
Felipe, el Cazador 1472-1482
Carlos I 1482-1490
Carlos II 1490-1496
Felipe II 1496-1497
Filiberto II, el Bello 1497-1504
Carlos III, el Bueno 1504-1553
Enmanuel Filiberto 1553-1580
Carlos Enmanuel I, el Grande 1580-1630
Víctor Amadeo I 1630-1637
Francisco Jacinto 1637-1638
Carlos Enmanuel II 1638-1675
Víctor Amadeo II 1675-1720

Reyes de Piamonte-Cerdeña
Víctor Amadeo II 1720-1730
Carlos Enmanuel III 1730-1773
Víctor Amadeo III 1773-1792
Ocupación francesa 1792-1814
Víctor Enmanuel I 1815-1821
Carlos Félix 1821-1831
Carlos Alberto 1831-1849
Víctor Enmanuel II 1849-1861

Italia unida. Reino de Italia
Casa de Saboya (1860-1946)
Víctor Amadeo II 1861-1878
Humberto I 1878-1900
Víctor Enmanuel III 1900-1946
(Régimen de Mussolini, 1922-1943)
(Gobierno del mariscal Badoglio, 1943-1945)
Proclamación de la República.....................1946

República de Italia (desde 1946)
Enrico da Nicola 1946-1948
Luigi Einaudi 1948-1955
Giovanni Gronchi 1955-1962

Antonio Segni 1962-1964
Guiseppe Saragat 1964-1971
Giovanni Leone 1971-1978
Sandro Pertini 1978-1985
Francesco Cossiga 1985-1992
Oscar Luigi Scalfaro .... desde 1992

ESTADOS UNIDOS (Presidentes)

George Washington 1789-1797
John Adams 1797-1801
Thomas Jefferson 1801-1809
James Madison 1809-1817
James Monroe 1817-1825
John Quincy Adams 1825-1829
Andrew Jackson 1829-1837
Martin Van Buren 1837-1841
William Henry Harrison 1841
John Tyler 1841-1845
James Knox Polk 1845-1849
Zachary Taylo r..................................... 1849-1850
Millard Fillmore 1850-1853
Franklin Pierce 1853-1857
James Buchanan 1857-1861
Abraham Lincoln 1861-1865
(Durante la Guerra de Secesión de 1861-1865,
Jefferson Davis fue presidente de los Estados
Confederados de América, 1861-1865)
Andrew Johnson 1865-1869
Ulysses Grant 1869-1877
Rutherford Hayes 1877-1881
James Garfield 1881
Chester Arthur 1881-1885
Stephen Grover Cleveland 1885-1889
Benjamin Harrison 1889-1893
Stephen Grover Cleveland 1893-1897
William McKinley 1897-1901
Theodore Roosevelt 1901-1909
William Taft 1909-1913
Thomas Woodrow Wilson 1913-1921
Warren Harding 1921-1923
Calvin Coodidge 1923-1929
Herbert Hoover 1919-1933
Franklin Delano Roosevelt 1933-1945
Harry S. Truman 1945-1953
Dwight Eisenhower 1953-1961
John F. Kennedy 1961-1963
Lyndon B. Johnson 1963-1969
Richard Nixon 1969-1974
Garald Ford 1974-1977
James Carter 1977-1981
Ronald Reagan 1981-1989
George Bush 1989-1994
William Clinton 1994-2000

BIBLIOGRAFÍA

ATLAS HISTÓRICOS Y TEMÁTICOS

Atlas Martín de Historia, Barcelona, 1984.

Atlas histórico. Edad Moderna, Alhambra, Madrid, 1986.

Atlas of European History, Times Books, Londres, 1994.

Atlas Historique Universel. Panorama de l'histoire du monde, Minerva, Ginebra, 1997.

Atlas of the Bible, Times Books, Londres, 1984.

A Literary and Historical Atlas of Asia, Londres, 1913.

Atlas geo-histórico universal Balboa, Sopena, Barcelona, 1987.

Atlas Vidal-Lablache de Geographie et Histoire, París, 1894 y 1913.

Atlas geo-histórico CIESA, Barcelona, 1976 (2 vols.).

Atlas de geographie historique, Hachette, París, 1920.

Atlas de historique et geographique, Hachette, París, 1981.

Atlas de l'Humanité, Solar, París, 1983.

Atlas historique. Histoire de l'Humanité, Hachette, París, 1983.

Atlas zür Geschichte, Leigzip, 1980 (2 vols.).

Atlante Storico Zanichelli, Zanichelli, Bologna, 1966.

Atlas de la historia de los descubrimientos geográficos y de las exploraciones, Moscú, 1959.

Atlas de historia medieval, Aymá, Barcelona, 1980.

Atlas del Mundo, Les Editions J. A., París (varias ediciones).

Atlas cronológico de Historia, Biblograf, Barcelona, 1980.

Atlas histórico, Noguer, Barcelona, 1980.

Atlas Porrúa de la República de México, Porrúa, México, 1977.

Atlas of Canada, Otawa, 1915.

Atlas of China, Chiao-Min-Hsieh, McGraw-Hill Book, Nueva York, 1973.

Atlas de la Rusia asiática, San Petersburgo, 1914.

Atlas of World Commerce, Bartholomew, Londres, 1907.

Atlas historique, Larousse, París, 1978.

Gran Atlas de Arqueología, Ebrisa, Barcelona, 1986.

Historical Atlas of Britain, Granada Publising, Londres (varias ediciones).

Historical Atlas of USSR, Moscú, 1949-1952 (3 vols.).

Historical Atlas of Africa, Longman Group Ltd., Londres, 1985.

McMilland's Atlas of South-East Asia, Londres, 1964.

Nelson's Atlas of Classic Worl, 1959, y *Nelson's Atlas of Worl History*, Londres, 1965.

Philips Atlas of Modern History, Londres, 1965.

The Hemlym Historical Atlas, Londres, 1981.

Times Atlas of World History, Times Books, Londres, 1981.

Westermanns, Gorsser Atlas zür Welgeschichte, Braunschweig, 1976.

Adams, T. J., *Atlas of American History*, Nueva York, 1943.

Baines, J. & Malek, J., *Atlas of Ancien Egypt*, Phaindon Press, Oxford, 1986.

Baratta, M., Fraccaro, *Atlante Storico*, Instituto Cartógrafico de Agostini, Novara, 1924.

Bazilevsky, Golubtov y Zinoviev, *Atlas Istorii SSSR*, Moscú, 1952.

Bjorklund, Holmboe & Rhor, *Historical Atlas of the World*, Edimburgo, 1970.

Blumen, C. & Elvin, M., *Cultural Atlas of China*, Phaindon Press, Oxford, 1983.

Brien, E. J., *Historical Atlas of Islam*, Leyden, 1981.

Calmette, J., *Atlas historique*, París, 1959 (3 vols.).

Campbell, J., *Historical Atlas of World Mitology*, Ebrisa, Barcelona, 1986.

Cappon, L., *Atlas of Early American History*, Chicago, 1924.

Chailiand, G., y Rageau, J. P., *Atlas del descubrimiento del mundo*, Alianza Ed., Madrid, 1987.

Chailiand, G., Rageau, J. P. y Jan, M., *Atlas de Asia oriental. Historia y estrategias*, Editions Seuil, París, 1997.

Chalmers, J. W., Eccles, W. J. & Fulklrad, H., *Philipp´s Historical Atlas of Canadá*, Londres, 1966.

Coe, Snow & Benson, *The Atlas of Ancien America*, Phaindon Press, Oxford, 1986.

Cornell & Mathews, *Atlas of the roman World*, Phaindon Press, Oxford, 1986.

Darby & Fullard, *Atlas de Historia Moderna*, Univ. de Cambridge-Sopena, Barcelona, 1986.

Davis, C. C., *An Historical Atlas of Indian Peninsula*, Londres, 1959.

Droyssen, G., *Allgemeiner Historischer Handatlas*, Leigzip, 1886.

Edeby, C. Mc., *The Penguin Atlas of Medieval History*, Londres, 1958.

Fage, J. D., *An Atlas of African History*, Londres, 1958.

Gaelen & Twitchett, *Atlas of China*, Londres, 1947.

Gilbert, M., *Russian History Atlas*, Londres, 1972.

Gilbert, M., *First War World Atlas*, Londres, 1970.

Hamond, N. G. L., *Atlas of the Roman and Greek Worl in Antiquity*, Nueva Jersey, 1967.

Haywood, J., *Atlas Histórico del Mundo*, Andromeda Oxford Ltd., 2000.

Hazard, H. W., *Atlas of islamic World*, Princeton, 1952.

Hermann, A., *An Historical Atlas of China*, Edimburgo, 1966.

Hermann, A., *An Historical and Comercial Atlas of China*, Harvard, 1934.

Hermann, A., *An Historical Atlas of Muslim Peoples*, Londres, 1957.

Joppen, C. & Garret, H. L. O., *Historical Atlas of India*, Londres, 1938.

Kinder, H. y Hilgemann, W., *Atlas histórico mundial*, Istmo, Madrid (varias ediciones).

Kowalevsky, C., *Atlas histórico y cultural del mundo eslavo y Rusia*, Barcelona, 1967.

Lange, N. de, *Atlas of Jewisch Worl*, Phaindon Press, Oxford, 1984.

Lehman, H., *Historisches-Geographisches Kartenwek*, Leigzip, 1960.

Levy, P., *Atlas of Greek Worl*, Phaindon Press, Oxford, 1984.

López-Davalillo Larrea, J., *Atlas histórico de España y Portugal,* Síntesis, Madrid, 1999.

Mathews, D., *Atlas of Medieval Europe*, Phaindon Press, Oxford, 1983.

Meyden, A. M. van der & Scullard, H. H., *Atlas of Classic World*, Londres, 1959.

Muir, R. & Phipipp, P., *Historical Atlas Medieval and Modern*, Londres, 1927.

Murray, J., *Cultural Atlas of China*, Phaindon Press, Oxford, 1981.

Palmer, R. R., *Atlas of World History*, Chicago, 1965.

Paulinr, C. O, *Atlas of the historical geography of the United States*, Washington D. C., 1932.

Putzger, F. W., *Historischer Weltatlas*, Bielefeld-Berlín, 1978.

Ragi al Faruqi, I., *Historical Atlas of the religions of the World*, Londres, 1927.

Roberts, G. *Atlas of Discovery*, Londres, 1976.

Roberts, J. M, *Concise History of the World*, Oxford University Press, Nuewa York, 1995.

Robinson, F., *Atlas of Islamic World since 1500*, Phaindon Press, Oxford, 1986.

Roolvink, R., *Historical Atlas of Muslim Peoples*, Nueva York, 1974.

Schwarberg, J. F., *An Historical Atlas of South Asia*, Univ. de Chicago, 1978.

Sellier, J & A., *Atlas de los pueblos de Europa occidental*, Acento, Madrid, 1998.

Sellier, J & A., *Atlas de los pueblos de Oriente*, Acento, Madrid, 1998.

Sellier, J & A., *Atlas de los pueblos de Europa central*, Acento, Madrid, 1998.

Shepherd, W. R., *Historical Atlas*, Nueva York, 1964.

Spruner, K. von., *Hand-Atlas zür Geschichte des Mittelalters und der Neuren Zeit*, Justus Perthus, Gotha, 1880.

Spruner, K. von., *Hand-Atlas zür Geschichte Asiens, Afrikans, Amerikans und Australians*, Justus Perthus, Gotha, 1855.

Sraeder, F., *Atlas de Geographie Historique*, París, 1907.

Toynbee, A. J., *A study of Histor. A Historical atlas* (t. XI), Oxford University Press, 1966.

Treharne, R. F. & Fullard, H., *Muir´s Historical Atlas Medieval and Modern*, Londres, 1962.

Treharne, R. F. & Fullard, H., *Muir´s Historical Atlas*, Londres, 1966.

Whitehouse, D.& R., *Archaelogical Atlas of the World*, Londres, 1957.

Wesley, E. B., *Our United States...its History in maps*, Chicago, 1977.

OBRAS GENERALES

Crónica de la Humanidad, Plaza & Janés, Barcelona, 1988.

Enciclopedia Británica, Times Books, Londres (varias ediciones).

Gran Enciclopedia Larousse, Planeta, Barcelona.

Historia de la Humanidad, patrocinada por la UNESCO, París (varias ediciones).

Historia universal siglo XXI. Siglo XXI Editores, México-Argentina-España (varias ediciones).

Historia Universal, Labor, colección Nueva Clío Labor, Barcelona (varias ediciones).

Manual de Historia Universal, Historia 16, Madrid (varias ediciones).

Asimov, I., *Cronología del mundo*, Ariel, Barcelona, 1992.

Daniel, G., *Historia de la arqueología*, Alianza, Madrid, 1992.

Gerner, J., *El mundo chino*, Crítica, Barcelona, 1999.

Vicens Vives, J., *Tratado general de geopolítica* (3ª ed.), Vicens-Vives, Barcelona, 1981.

ÍNDICE TOPONÍMICO, ONOMÁSTICO Y TEMÁTICO

Los números en **negrita** se refieren a los mapas. Los números en tipografía normal remiten a los textos que acompañan a los mapas. Por motivos de espacio no se recogen los topónimos cada vez que aparecen en los mapas, a no ser que se dé alguna información particular al respecto. Los nombres actuales de los países o regiones figuran entre paréntesis.

Británicas, islas, 74, 88
Broken Hill, **41**
Bronce, cultura del, 65
Bronce, edad del, 57, 61
Brunei (Borneo), 201
Buda, Gautama, 30, 85
Budapest (Hungría), **133**
Budismo, 96, 97, 112
Budismo hinayana, 30
Budismo mahayana, 30
Bujara (Uzbekistán), 144
Bula de Oro, 131
Bulalas, pueblo, **133**
Bulgaria, 117, 131, 158, 163
Búlgaro, idioma, 28
Búlgaros, pueblo, 108, **109**
Bull Rock, **48**
Burgundia (o Borgoña), 110
Burgundios, pueblo, 98, 108
Buriatos, pueblo mongol, **133**
Bursa (Turquía), **133**
Bursin (Irak), 64
Burundi, 200
Busch, G. (pres. EE. UU.), 188
Byzovaja, **49**

Caballo, domesticación del, 52
Cabalwan, **39**
Cabo Hope, **108**
Cabo Krusenstern, **108**
Cabot, S., explorador, 25
Cachemira (India-Pakistán),
   133, 166, 191, 200
Cádiz (España), 74, **109**, 133
Caffa, 133
Cajamarquilla (Perú), 115
Calambo Falls, **39**
Calcolíticas, culturas, 51
Calcolítico (cobre-piedra), 57
Calcuta (India), 148
Caldea (o Babilonia), 72, 74, 82
Caldeos, pueblo, 82
Calicut (India), 136
Califa de Bagdad, 120
Califato de Córdoba, 117
California (EE. UU.), 158
Calvinistas, 31
Calzada, La, **48**
Camboya, 105, 119, 141, 168
Camerún, 170
Camito-semítica, familia, 28
Campus, **50**
Can Hasan, **55**
Canaán o Canán, 62, 70, 72
Canadá, 24, 57, 145, 155, 158,
   166, 166
Canal de Suez (Egipto), 168
Cananeos, 64
Canarias (España), **133**, 172

Candelaria, **52**
Cantón (China), 138
Canuto I el Grande, rey de
   Dinamarca e Inglaterra, 120
Cañón del Diablo, **50**
Capadocia (Turquía), 96
Capetos, dinastía francesa, 117
Capsiense, cultura, **51**
Caracalla, emp. romano, 100
Carelios, 109, **132**
Caribe, mar, 136, 166, 167
Carlomagno, emperador, 114
Carlos I, rey de España y empe-
   rador (V) de Alemania, 139
Carlos II, rey de España, 146
Carlos III de Borbón, rey de
   España, 152, 172
Carlos IV de Luxemburgo,
   emperador de Alemania, 131
Carlos VIII, rey de Francia, 136
Carolinas, islas, 163, 170, 172
Cartagineses, 83
Cartago (Túnez), 78, 90, **109**
Cartier, explorador, 25
Casa de Mourá, **49**
Castas, sistema de, 75, 83
Castilla (España), 122, 125,
   126, 131, 133, 136
Çatal Hüyük (Turquía), 53, **55**
Catalán, idioma, 28
Catalina II, zarina rusa, 149
Catay (China), 136
Cáucaso, montes, **21**, 43, 71,
Cave Bay, 45
Caverna da Pedra Pintada, **52**
Cavour, político italiano, 160
Cayönü, **51**
Cazadores de la Pampa, **108**
Cazadores nómadas, 46
Cedral, **44**
Ceilán (Sri Lanka), 105, 142,
   154, 157, 99
Celta, expansión, 76, 88
Celtas, pueblos, 94
Celyabinsk (Rusia), **45**
Centralismo, **50**
Centroamérica, 156, 158, 191
Cerámica cordada, cultura
   de la, 62
Cerámica, inicio de la, 52
Cerdanova, **57**
Cerdeña (Italia), 116, 128
Cernoozere, **57**
Cerro Mangote, 54, **56**
Ceuta (España), 132
Chabenge, **39**
Chad, lago, 34, 35, 194
Chalukya, imperio (India), 115
Chalukyas, dinastía, 117

Champa (Indochina), 111, 119
Chancay, **132**
Chancelade (Francia), 46
Chan-Chán (Perú), 129
Chandragupta I, emperador
   indio de la din. gupta, 90, 103
Changhan (China), **109**, 114
Chavín (Perú), 73, 74, 85
Checo, idioma, 28
Checoslovaquia, 176, 177, 179,
   187, 187, 188
Chemidour, **41**
Cheng-ho, almirante y
   explorador chino, 132
Cheng-tu (China) **133**
Chen-la (Camboya), **109**, 111
Chequia, rep. Checa, 188
Chera o Kerala (India), 98
Chibchas, pueblo, **132**
Chicama (Perú), 93
Chilcotin, **132**
Chimú, imperio (Perú), 129,
   132, 133, 136
Chin, din. china, 81, 87, 89, 90
Chin oriental, din. china, 105
China manchú, 159
China nacionalista, 180, 190
China, 22, **23**, 50, 69, 83, 124,
   137, 142, 146, 164, 166, 180,
   192, 201
China popular o comunista, 185
Chincha, **132**
Ching (manchú), dinastía, 142
Chino mandarín, idioma, 28
Chino-tibetana, familia, 28
Chipewawa, idioma, 29
Chipewawas, pueblo, **132**
Chipre, 22, 55, **57**, 80, 191, 200
Choga Mish, **53**
Chola (India), 98
Cholas, pueblo, 117
Chonos, pueblo o tribu, **132**
Chorotegas, **132**
Chorrera (Ecuador), 85
Chou, dinastía china, 117, 75,
   78, 81
Chou oriental, din. china, 87, 91
Chu Yuan-Chang, fundador
   de la dinastía Ming, 130
Chucota, mar de, 24
Chunqiu, período (China), 79
Churches, pueblo manchú, 123
Ciaxares, rey medo, 80, 81, 82
Ciboney, **108**
Cicládica, cultura (Grecia), 61
Cimbrios, pueblo germano, 92
Cimerios, pueblo, 75, 76, 80, 82
Cingaleses, pueblo, 93
Cipango (Japón), 136

Circasianos, **133**
Ciro II, rey persa, 84
Cishan, **53**
Cisma de Occidente, 132
Cisma de Oriente, 120
Císter, orden religiosa, 122
Ciudades griegas, 78
Ciudades-estado, primeras, 55
Ciudades-estado hititas, 74
Civilización del Indo, 62
Civilizaciones urbanas, 51
Clive, Robert, 153
Clotario II, rey franco, 113
Clovis (EE. UU.), **48**
Cluniacense, arte, 120
Cluny, orden de, 122
Coaque-Jama, **108**
Cobre, 51, 56
Cochinchina (Vietnam), 168
Código de Hammurabi, 66
Código de Manu, 83
Cody, **50**
Coexistencia pacífica, 200
Colombia, 158, 167, 200
Colonialistas europeos, 162
Colonias de la Corona británica, 166
Colonización griega, 83, 84
Colorado (EE. UU.), 158
Columnata (Italia), **51**
Comercio fluvial, 65
Comercio triangular, 143
Comisión de Mandatos de la Sociedad de Naciones, 178
Comodo, emp. romano, 98
Comunidad de Estados Independientes (CEI), 197
Comunidad Económica Africana (CEA), 196
Comunismo, 176
Conchos, **132**
Condorhuasi-Ciénaga, **108**
Confederación de los Marathos (India), 149
Confederación del Rin, 154
Confederación Germánica, 156
Conf. de Berlín, 162, 168, 173
Conferencia de Washington, 27
Conferencia de Yalta, 186
Conflicto palestino-israelí, 190
Confucianismo, 30, 92
Confucio, filósofo chino, 85
Congo, 162, 170
Congo belga, 168, 185
Congo francés, 168
Congo, Estado Indep. del, 168
Congo, reino bantú del, **133**
Congo, Rep. Dem. del, 22
Congreso de Berlín, 163, 164

Congreso de Panamá, 156
Congreso de Viena, 156
Conquista de América, 138
Conrado II, emp. alemán, 120
Consejo de Seguridad de la ONU, 190
Consejo Económico y Social (ONU), 178
Constantino I el Grande, emperador romano, 102
Constantino VII, emperador bizantino, 117
Constantinopla o Bizancio, 110, 114, 116, 125, 127, 132
Construcciones, grandes, 62
Contrarreforma católica, 142
Cook, J., explorador, 26
Copenhague, **133**
Copto, idioma, 28
Coral, mar del, 183
Corán, 30
Córcega, isla (Francia), 116
Corea, 66, 97, 101, 117, 121, 124, 142, 171, 200
Corea del Sur, 191
Corea, guerra de, 187
Coreano, idioma, 28
Cosacos, 142
Coseos o casitas, pueblos, 68
Cosroes I, rey persa, 110
Cosroes II, rey persa, 112
Cosroes, rey parto, 98
Costa Azul (Francia), **37**
Costa Rica, 158
Cracovia (Polonia), **133**
Craso, patricio romano, 94
Cree del este, **132**
Cree del llano, **132**
Cree del oeste, **132**
Creswell, 47, **49**
Creta, 55, 57, 61, 64, 65, 66, 68, 70, 109, **133**, 164
Cría de animales, 57
Cría de bovinos, 54
Crimea (Ucrania), 78, **133**
Crisis de 1929, 176, 180
Crisis de los misiles, 187
Crisis petrolífera de 1973, 194
Cristianismo, 31, 96, 102, 112
Cristóbal Colón, 136
Croacia, 78, 188
Cromagnones, 44
Cromwell, O., 142, 145, 166
Cruzada, primera, 122
Cruzadas (1096-1291), 122
Casapedrense, cultura, **56**
Ctesifonte (Irán), **109**
Cuarta cruzada, 125
Cuaternario, arte, 46

Cuatro libertades, 190
Cuba, 163, 167, 172
Cubeta del Congo, 168
Cuchillos Amarillos, tribu, **133**
Cucuteni, **55**
Cuestión de Oriente, 164
Cueva Blanca, **48**
Cueva Morín (España), **43**
Cultos politeístas, 30
Cumanos (o polovcianos), 116
Cuzco (Perú), **132**, 136

Dacia (Rumania), 98, 100
Dadiwan, **51**
Dagoberto I, rey franco, 113
Dahlah (Egipto), **53**
Dakhla (Egipto), **49**
Dakotas, pueblo o tribu, **132**
Dalai Nor, 43, 45, **51**
Dali, **39**
Dalton, **50**
Damao (India), 172
Damasco (Siria), 112, 130
Danés, idioma, 28
Danger Cave, **52**
Daniel, profeta hebreo, 85
Danubio, río, 94, 98
Dapengeng, 55, **57**
Darío I, rey persa, 84
Darío II, rey persa, 86
Dátiles, cultivo de, 52
David, rey hebreo, 72
Davis, estrecho de, 24
Davis, explorador, 25
Dawenkou, 55, **57**
Daxi (China), **57**
Dayan Kan, kan mongol, 139
Dayinnaung, rey birmano, 141
Debert, **48**
Deforestación, 194
Deiokes, rey medo, 82
Delhi (India), 123, 125, 133
Derecho romano, 108
Descolonización afro-asiática, proceso de, 184, **185**
Descubrimientos geográficos, era de los, 132
Desecación del Sáhara, **57**, 64
Desertificación, 194
Desierto, culturas del, **56**
Desiertos, expansión de los, 194
Despliegue de Europa, 122
Despotismo ilustrado, 146
Destrucción mutua asegurada (DMA), 184
Dezhnev, explorador ruso, 25
Diadocos, sucesores de Alejandro Magno, 89
Dictaduras conservadoras, 177

Latín, idioma, 96
Laura, **49**
Lauricocha, **50**
Lausana, tratado de, 177
Laetoli, **35**
Le Rogourdou, **41**
Leakey, L., arqueólogo, 34
Leang Burung, 45
Lebensraum (espacio vital), 181
Lehner, **48**
Leif Erickson, explorador, 117
Lencas, **132**
Lenguas del África negra, 28
Lenguas papúes, 29
Lenguas vivas, 28
Lengyel, **55**
Lenin, V. I., político ruso, 176
Leningrado (San Petersburgo, Rusia), 182
León I el Grande, emperador de Bizancio, 108
León III, emp. bizantino, 114
Leopoldo II, rey belga, 168
Lepanto, batalla (Grecia), 140
Lépido, político romano, 94
Letón, idioma, 28
Letonia, 176, 189
Ley de las Doce Tablas, 86
Lhasa (Tíbet), **133**
Liang, dinastía china, 117
Liangzhou (China), **57**
Liaoxi (China), **109**
Liao-yang (China), **133**
Líbano, 70, 176
Liberalismo, 158
Liberia, 162, 200
Libia, 170, 182
Libios, 76, 84, **109**
Librecambismo, 158
Lidia (Turquía), 80, 82, 84, 90
Liegnitz, batalla de (Polonia), 124
Liga Árabe, 197
Liga Colonial Alemana, 170
Liga de Corinto, 88
Liga Délica, 86
Lincoln, mar de, 24
Ling-jing, **49**
Lisboa (Portugal), **133**
Lisímaco, rey griego, 90
Lituania, **133**, 176, 189
Lituania-Polonia, 137
Lituano, idioma, 28
Liu Pang, emp. chino, 92
Liu Tsiu, emperador chino, 96
Liukiang, **41**
Lluvia ácida, 195
Lodi, dinastía india, 137
Lombardos, **109**, 110, 113

Londinum (Londres), **109**
Londres (Gran Bretaña), **133**
Longshan (China), 62
Longshan, cultura de, 57
Los Ángeles (EE. UU.), 22
Los Grifos, **48**
Los Tapiales, **48**
Los Toldos, 50, **52**
Lothal (India), **109**
Lowa Sera, 53, **55**
Loyang (China), 79, **109**, 110
Lübeck (Alemania), **133**
Luchas sociales romanas, 92
Lugalzaggisi de Umma, soberano sumerio, 62
Luis IX, rey de Francia, 136
Luis XIV, rey de Francia, 144
Luisiana (EE. UU.), 144, 147, 154, 155
Luisiana occ. (EE. UU.), 152
Lucayos, pueblo, **132**
Lupemba, **43**
Lupembiense, cultura, 43, **45**
Lusacia, cultura de, 86
Luteranos, 31
Lutetia (Francia), **109**

Mª Teresa de Habsburgo, 148
Macao (China), 138
Macedonia (Grecia), 84, 86, 88, 90, 92, 188
Machta el Arbi, 45, **47**
Macizo Central francés, **37**
Madagascar, 28, 168
Madeira, (Portugal), 132, **133**
Madrasiense, cultura, 41, **43**
Magadha, reino de (India), 87, 89, 90, 93, 103
Magallanes, navegante, 26
Magallanes-Elcano, circunnavegación del globo de, 138
Magdaleniense, cultura, 46, 48
Maglemosiense, cultura, 48, **51**
Maglemose, **51**
Magnus Erickson, monarca noruego, 128
Magyares (húngaros), 116
Mahavira, 85
Mahdi, caudillo sudanés, 161
Mahoma, 30, 112
Mahomet II, sultán turco, 137
Majapahit (Indonesia), 129, 153
Makrán, **109**
Malwa, **133**
Malaca, 99, 132, 166, 182
Malasia, 184, 201
Malayos, **109**
Mali, 125, 128
Malik Shah, sultán turco, 120

Malta, 45, **77**, 188
Malta, cultura de (Siberia), 45
Malvinas, islas, 166
Mamelucos, dinastía e imperio egipcio, 127
Mamuts, 48
Manchúes, **133**, 139, 142
Manchukuo, imperio de (China), 179, 180
Manchuria (China), 42, 117, 132, **133**, 142, 159, 171, 179
Mandingos, 87
Mangu, kan mongol, 124
Manzicerta, batalla de, 120
Mao Zedong o Mao Tse-tung, presidente chino, 185
Mapa Rosa, 173
Marajoará (Brasil), **132**
Marathí, lengua, 28
Marazzi, **50**
Marco Antonio, pol. romano, 94
Marco Aurelio, emp. roman, 98
Marco Polo, viajero, 126
Marcómanos, 98
Mare Nostrum, 92
Margarita de Dinamarca, 130
Mari (Irak), 66
Marianas, islas, 163, 170, 172
Marigner, arqueólogo, 46
Markham, mt. (Antártida), 26
Marne, batalla (Francia), 174
Marraquech (Marruecos), **121**
Marruecos, 138, 162, 168, 185
Marruecos español, 172
Marshall, islas, 170
Massalia (Marsella), 88
Massagetas, 64, 75, 86
Mataram (Java, Indonesia), 119
Matura, **109**
Mauer (Alemania), **37**
Maues, rey sacio, 95
Mau-Mau, movimiento político keniano, 184
Mauretania o Mauritania, 96
Mauritanos o mauretanos, 100
Maximiliano de Austria, emperador de México, 161
Mayapán, **132**
Mayas, 81, 95, **108**, 136
Mazdeísmo, 85, 100
McClure, explorador, 25
Meadowcroft, 44, **46**
Media (Irán), 82
Médicas, guerras, 86
Medina (Arabia Saudí), 112
Mediterráneo, 96
Medos, 64, 81, 82
Mehrgarh, 50
Mekong, río (Indochina), 119

Melanesia, 166
Melka Kunture (Etiopía), **37**
Menandro, rey bactriano, 93
Menes (Narmer o Aha), primer
  faraón egipcio, 57
Menfis (Egipto), 57
Menorca (España), 148
Mentuhotep II de Tebas, faraón
  egipcio, 62
Mercado Común Europeo, 196
Mercosur, Mercado Común
  del Sur de América, 196
Meriníes o benimerines, **133**
Meroé (Sudán), 84, 87
Mesa Verde, **132**
Meslim, rey sumerio, 61
Mesolítico, 52
Mesopotamia, 49, 51, 52, 54,
  76, 82, 89, 98, 100
Mestizaje, 138
Metales, edad de los, 54
Metalurgia del bronce, 66
Metalurgia del cobre, 54, 56
Metalurgia del hierro, 72, 74, 78
Metternich, príncipe de (canci-
  ller austríaco), 156
México, 69, 155, 156, **156**, 161,
  166, 167, 201
México, Ciudad de, 22
México, valle de, **44**
Micala, batalla de (Grecia), 86
Micaotli, 99
Micenas (Grecia), 65, 67, 70
Microlítica, cultura, 65
Microlitos, 48
Midway, islas, 163, 183
Migraciones actuales, 193
Miguel III, zar de Rusia, 144
Milán (Italia), **133**
Mileto (Turquía), 83
Minas Gerais, **50**
Ming, dinastía china, 130, 132,
  141, 142
Minoica, civilización o cultura
  cretense (Creta), 61
Misiones jesuitas, 140
Mississippi, cultura, 123
Mississippi, río, 142, 147
Mitani, reino de, 68, **69**, 70
Mitanis, 66
Mochica, 93, 95, 99
Mochica, cultura, **109**
Mogoles de la India,
  dinastía de los grandes, 143
Mogollón, cultura, **108**
Mohave (EE. UU.), **50**
Mohenjo-Daro (Pakistán), 63
Moisés, caudillo hebreo, 30, 70
Mojos, **132**

Moldavia, **133**, 189
Moldavia-Valaquia, principado
  de (Rumania), 158
Monagrillo, **56**
Mongka, kan mongol, 126
Mongolia, 123, 132, 144, 192
Mon-kmer, familia, 28, **109**
Monofisismo, 108
Monoteísmo, 30
Monroe, doctrina, 161, 166
Monte Albán (México), 85, **108**
Monte Circeo, **43**
Monte Verde, **48**
Montenegro (Yugosl.), 163, 188
Mortalidad, 192
Moscovia, gran principado de,
  126, 128, 130, 133, **133**
Moscú (Rusia), 133
Mosela, río (Francia), 37
Moskiviti, explorador ruso, 25
Mossis, **133**
Mozambique, 162, 172
Muaco, **46**
Muge (Portugal), **53**
Muhammad de Ghor, sultán de
  Afganistán, 123
Muisca, cultura, **132**
Mungo, lago, **43**
Mureybet, **49**
Mursil I, rey hitita, 68
Mursil II, rey hitita, 70
Musafáridas, dinastía persa, 128
Musashino, 45
Muscogis, **132**
Mussolini, B., pol. italiano, 177
Musteriense, cult., 40, **41**, **108**
Mutalu, rey hitita, 70
Mutsuhito, emp. japonés, 160

Nabopolasar, rey caldeo, 80, 82
Nabta Playa, **49**, **51**
Nabucodonosor I, rey de
  Babilonia, 72
Nabucodonosor II, rey de
  Babilonia, 82
Nachikufiense, cultura, 47, **49**
Nachikufu, 45, **47**
Nacionalidades, principio
  wilsoniano de las, 176
Nacionalismo, 158, 200
Nacional-socialistas, nazis, 178
Na-denné, lengua, 29
Nadir Shah, conquistador persa-
  afgano, 149
Nahr el Kebir (Siria), 37, **39**
Nahuatl, lengua, 29
Namazga, **57**
Namibia, 170
Nan Hai (Cantón), 96

Nanchao, reino de (China), **109**,
  115, 119
Nan-hai, **109**
Nankín (China), **133**
Napata (Sudán), 78
Napoleón I Bonaparte, 153, 154
Napoleón III, 160, 166
Nara (Japón), 114
Naresuan, monarca siamés, 141
Nasera, **55**
Naskapis, **132**
Natal (Sudáfrica), 166
Natalidad, 192
Natufiense, cultura, 48, **49**
Navalismo, 165
Navarra (España), **133**
Nazca (Perú), 91, 95, 99, **108**
Neander (Alemania), 38, 41, **43**
Necrópolis, 62
Neerlandés, idioma, 28
Negreros europeos, 147
Negro, mar, 78
Nelson Bay Cave, **45**
Neolítico sahariano, **53**
Neolítico, 50, 52
NEP, Nueva política económica,
  (URSS), 176
Nestorianismo, 108
Neuilly, tratado de, 176
Neutralismo estadounidense de
  entreguerras, 181
Nevada (EE. UU.), 158
Ngoere, **39**
Niah, 39, **43**
Nicaragua, 158
Nicaraos, **132**
Níger, delta interior del, **51**
Níger, río, 45, 85
Nigeria, 166
Nihewan (China), 37
Nilo, río (Egipto-Sudán), 52
Nínive, ciudad asiria, 70, 80
Nobas o nobatas, 109
Nobatia (Sudán), **109**
Nok, cultura, 85, 87, 93, **109**
Nómadas, pueblos, 52
Nomadismo ecuestre, 76
Normandía, desembarco aliado
  de, 183
Normandos o vikingos, 116
Noruega, 116, 120, 128, 130,
  133, 156
Noruego, idioma, 28
Noruegos, 109
Novgorod, rep. de (Rusia), **133**
Nubia (Sudán), 93, 117
Nubios, 57, 64
Nueva España (México), 156
Nueva Francia, 144

Taizu, emperador chino, 117
Takola, **109**
Taksin, rey de Birmania, 153
Talas forestales, 195
Talas, batalla de, 114
Talasocracia cretense, 63
Tamaulipas, **56**
Tamerlán, conquistador turco-
     mongol, emir y soberano de
     Transoxiana, 130, 131
Tamil, lengua, 29
Tamiles, 93
Tampaniense, cultura, 39
Tanaina, **132**
Tanega (Japón), 138
Tang Posterior, din. china, 117
Tang, dinastía china, 110, 112,
     117, **117**
Tanganika (hoy Tanzania), 162,
     166, 170
Tánger (Marruecos), **133**
Tangutos, 116
Tannenberg, batalla de, 174
Tanzania, 170
Taoísmo, 85
Tarascos, 129, **132**
Tardenoisiense, cultura, 48, **53**
Tarfaya, **49**
Tarraco (España), **109**
Tártaros de Siberia, **133**
Tartessos (España), 74
Tasmania, isla (Australia), 44
Tassili, macizo de (Argelia), 54
Tata, **43**
Taung (Sudáfrica), **37**
Tautavel, 39, **39**
Tayikistán, 189
Tayiko, idioma, 28
Tebas (Egipto), **65**
Tebas (Grecia), 86, 88
Tehuacán (México), 54, **56**
Tehuelches, **132**
Tekrur (Senegal), **133**
Telaíridas, dinastía árabe, 128
Telarmachay (Perú), **50**
Templos, primeros, 62
Temujin (v. Gengis-Kan), 124
Tenochtitlán (México), 129
Teodosio, emp. romano, 102
Teotíhuacán (México), 69, 97,
     99, 101, **108**, 115
Termit, **51**
Terra austral incognita, 26
Tesik Tas, **43**
Tetones, pueblo amerindio, **132**
Teutones, pueblo germánico, 92
Texas (EE. UU.), 158
Texcoco (México), 133
Texquixquiac, 44, **46**

Thailandés o thai, idioma, 28
Thais, pueblos, 127
Thulé, cultura de esquimal de
     (Alaska), 117, 129
Tiahuanaco (Bolivia), 69, **108**
Tíbet (China), **21**, **23**, 43, **113**,
     114, 116, 144, 166, 185, 192
Tierra de Francisco José, (archi-
     piélago ártico, Rusia), 24
Tierra del Emperador Guillermo
     (Papúa-Nueva Guinea), 170
Tierra del Fuego (Argentina-
     Chile), 26, 44
Tierra del Norte (Rusia), 24
Tierra, planeta, 18
Tighennif (Argelia), 37, **39**
Tiglatpileser I, rey asirio, 72
Tiglatpileser VI, rey asirio, 78
Tigris, río, 56
Tigris superior, río, 65
Tikal (Guatemala), 91, 95, **108**
Tilemsi, **51**
Tiliviche, **50**
Timor Oriental, 22, 172
Tinis (Egipto), 57
Tinitas, primeras dinastías
     históricas egipcias, 57
Tintan (Mauritania), **55**
Tirinto (Grecia), 70
Tiro (Líbano), 72
Tlacopán (México), 133
Tlapacoya, 44, **46**
Tlingit, pueblos, **132**
Toba, pueblo tungús, 102
Toba-Wei, imperio, **109**
Tocarios, kusanios o yüe-chi,
     64, 75, 93, 94,
Toghrul Beg, sultán selyúcida
     turco, 120
Togo (ant. Togolandia), 170
Tokugawa, dinastía shogunal
     japonesa, 141, 143, 149
Toldense, cultura, 50, **52**
Toledo (España), **133**
Tolosa (Francia), **109**
Tolteca, cultura, 123
Toltecas, pueblo, 136
Tomebamba, **132**
Tonkawas, **132**
Tonkín (Vietnam), 51, 119,
     121, 168
Toquepala, **50**
Toramana, caudillo huno, 105
Tordesillas, tratado castellano-
     portugués, 138
Totalitarios, estados, 179
Tracia (Grecia-Bulgaria), 84,
     88, 90, 96, 102
Tradición llano, cultura, 48, **50**

Tradiciones arcaicas, **52**
Trail Creek, 50, **51**
Trajano, emperador romano, 98
Trambalinga, **109**
Transcaucasia (Rusia-Georgia-
     Azerbaiyán), 144
Transformaciones climáticas
     prehistóricas, 48
Transgresión flandriana, 46
Transición demográfica,
     proceso de, 192
Transoxiana (Uzbekistán-
     Kazakstán), **109**, 116
Transvaal (Sudáfrica), 166
Trastámara, dinastía castellana
     y aragonesa, 131
Tratado de San Estéfano, 163
Trata de esclavos, 143, 146
Tratado de Libre Comercio
     (TCL), 196
Tratados inicuos, 159
Trece Colonias, 148, 152, 166
Tres Arroyos, **48**
Trianon, tratado de, 176
Tribunal Internacional de
     Justicia (ONU), 191
Trieste (Italia), 190
Triple Entente, 174
Triunvirato, primer, 94
Triunvirato, segundo, 94
Troya (Turquía), **57**, 70
Truman, Harry S. (pres. EE.
     UU.), 184
Tsevang Rabdan, gran kan de
     los oirates o kalmukos, 144
Tshilotiense 45, 47, **49**
Tsin, dinastía china, 81
Tsingtao (China), 170
Tuareg, **133**
Tubu, **109**
Tughlaq, dinastía india, 128
Tughlaq, Muhammad ben, 128
Tuina, **50**
Tukanos, **132**
Tula (México), 69
Tulúes, dinastía egipcia, 116
Túmulos, cultura de los, 67
Túnez, 92, 116, 128, 170,
Tung-hu, **109**
Tunguses, pueblo, 24, 101,
     109, 114, 116
Tunguz, 39
Tupac Yupanqui, soberano
     inca, 136
Tupi-guaraní, lengua, 29
Tupinambas, **132**
Tupiniques, **132**
Turbantes Amarillos, revuelta de
     los (China), 98